D1374196

RISQUE MORTEL

ROBIN COOK

RISQUE MORTEL

FRANCE LOISIRS
123, boulevard de Grenelle, Paris

Titre original : *Acceptable Risk*
© Robin Cook, 1994, G.P. Putnam's Sons, New York.
Traduit de l'américain par Bernard Ferry.

*Ce livre est une œuvre de fiction. Les événements, les lieux et les person-
nages ici décrits sont imaginaires, et toute similitude entre eux et la réalité
ne saurait être qu'une coïncidence.*

Une édition du Club France Loisirs, Paris,
réalisée avec l'autorisation des Éditions Albin Michel.

Le Code de la propriété intellectuelle n'autorisant, aux termes des paragraphes 2 et 3 de l'article L. 122-5, d'une part, que les « copie..
ou reproductions strictement réservées à l'usage privé du copiste et non destinées à une utilisation collective » et, d'autre part, sous
réserve du nom de l'auteur et de la source, que les « analyses et les courtes citations justifiées par le caractère critique, polémique,
pédagogique, scientifique ou d'information », toute représentation ou reproduction intégrale ou partielle, faite sans le consentement
de l'auteur ou de ses ayants droit ou ayants cause, est illicite (article L. 122-4). Cette représentation ou reproduction, par quelque procédé que ce soit, constituerait donc une contrefaçon sanctionnée par les articles L. 335-2 et suivants du Code de la propriété intellectuelle.

© Éditions Albin Michel, S.A., 1996, pour la traduction française.
ISBN : 2-7441-0724-7

Pour Jean, « la lumière qui montre le chemin ».

« *Le diable a le pouvoir de revêtir
une forme plaisante.* »

WILLIAM SHAKESPEARE, *Hamlet.*

Prologue

Samedi 6 février 1692

Réveillée par les coups de cravache, la jument de Mercy Griggs accéléra l'allure, semblant tirer sans effort le traîneau sur la neige durcie. Mercy remonta le col de son manteau en peau de phoque et frappa l'une contre l'autre ses mains à l'intérieur de son manchon dans le vain espoir de les réchauffer. L'air était glacial.

Pas un souffle de vent, et le pâle soleil d'hiver avait toutes les peines du monde à éclairer les paysages cruellement enneigés de ce coin de Nouvelle-Angleterre. Bien qu'il fût midi, les troncs dénudés allongeaient leurs ombres violettes en direction du nord, et des masses de fumée, comme congelées, stationnaient au-dessus des cheminées des maisons disséminées çà et là dans la campagne.

Mercy avait quitté une heure auparavant sa maison, au pied de la colline de Leach, et après avoir longé la route d'Ipswich vers le sud, franchi les ponts enjambant les cours d'eau gelés, Fish River, Crane River, Cow House River, elle pénétrait à présent dans la région de Northfields, à une demi-lieue environ du centre de Salem.

Mais Mercy ne se rendait pas en ville, et en passant devant la ferme des Jacob, elle apercevait déjà la maison où elle se rendait, celle de Ronald Stewart, marchand et armateur prospère. C'était la curiosité aussi bien que le souci d'entretenir de

11

bonnes relations avec le voisinage qui l'avaient attirée loin de chez elle. Car de bien intéressantes rumeurs couraient sur le compte de la famille Stewart.

Le traîneau s'arrêta devant une imposante bâtisse recouverte de bardeaux marron, et au toit de belles ardoises. Ses nombreuses fenêtres arboraient des vitres en losange importées de l'étranger, et l'on ne pouvait ignorer les festons en bois ouvragé pendant aux coins du balcon du premier étage. Une maison dont l'élégance aurait semblé plus à sa place en ville qu'en pleine campagne.

Sachant que les grelots de son traîneau avaient dû signaler son arrivée, Mercy attendit. A droite de la porte d'entrée, la présence d'un traîneau attelé attestait qu'elle n'était pas la seule visiteuse. Le cheval portait une couverture sur le dos et soufflait par les naseaux des nuages de vapeur qui s'évanouissaient instantanément dans l'air froid et sec.

Mercy n'attendit pas longtemps. La porte s'ouvrit sur une jeune femme de vingt-sept ans, aux cheveux aile-de-corbeau et aux yeux verts : Elizabeth Stewart. Au creux de son bras elle tenait un mousquet, tandis qu'une quantité de frimousses enfantines jaillissaient autour d'elle. Les enfants semblaient intrigués : les visites étaient rares en cette saison, surtout dans des maisons aussi isolées.

— Je suis Mercy Griggs, l'épouse du docteur William Griggs. Je suis venue vous souhaiter le bonjour.

— Quel plaisir vous me faites ! Entrez donc boire un bol de cidre chaud. Cela vous réchauffera.

Elizabeth posa le mousquet contre le chambranle de la porte et fit signe à son aîné, Jonathan, âgé de neuf ans, d'aller rentrer la jument de Mme Griggs.

En pénétrant dans la maison, Mercy ne put s'empêcher de jeter un regard au mousquet. Le remarquant, Elizabeth déclara :

— J'ai grandi dans la région sauvage d'Andover. Toute la journée, nous guettions l'arrivée des Indiens.

— Je vois, dit Mercy.

Pourtant, elle avait du mal à se faire à l'idée qu'une femme puisse se servir d'un mousquet. Puis elle s'immobilisa un instant sur le seuil de la cuisine, car la vue des sept ou huit enfants lui évoquait plus une salle de classe qu'une atmosphère familiale.

Un bon feu crépitait dans la cheminée, et différentes odeurs de cuisine se mêlaient dans la grande pièce : celle d'un ragoût de porc mijotant dans la marmite suspendue dans l'âtre, celle d'un gâteau au maïs qui refroidissait sur une table, mais surtout celle du pain qui cuisait dans le four creusé dans la cheminée, où l'on apercevait de nombreuses miches dorées à point.

— Au nom de Dieu, j'espère que je ne vous dérange pas, dit Mercy.

— Pas du tout, répondit Elizabeth en s'emparant de son manteau. Avec tous ces enfants turbulents, je suis ravie d'avoir de la visite. Mais j'étais en train de cuire mon pain, et il faut maintenant que je le sorte du four.

A l'aide d'une pelle en bois à long manche, elle alla chercher les miches qu'elle déposa adroitement sur la grande table qui occupait le centre de la pièce.

Observant Elizabeth à la dérobée, Mercy ne put s'empêcher d'admirer sa beauté, ses pommettes hautes, son teint de porcelaine, sa silhouette élancée. Elle remarqua également que c'était une ménagère accomplie, par la façon qu'elle avait de retirer le pain du four, puis de veiller au feu et à la marmite qui cuisait au-dessus. Mais dans le même temps, quelque chose dans son attitude la dérangeait. Nulle trace chez Elizabeth de la douceur et de l'humilité requises chez une bonne chrétienne. Il émanait d'elle au contraire un entrain et une alacrité qui n'étaient guère de mise chez une puritaine dont le mari était parti en voyage en Europe. Mercy commençait à se dire que les rumeurs qui couraient à son sujet n'étaient peut-être pas sans fondement.

— Votre pain a une odeur un peu piquante qui est tout à fait curieuse, dit Mercy en se penchant sur les miches à croûte brune.

– C'est du pain de seigle, expliqua Elizabeth en enfournant huit nouvelles boules de pâte.

– Du pain de seigle ? s'écria Mercy, surprise, car seuls les fermiers les plus pauvres mangeaient de ce pain-là.

– J'ai été élevée au pain de seigle, et j'avoue que j'aime bien ce goût un peu piquant. Mais vous devez vous demander pourquoi j'en cuis autant... eh bien, c'est que je compte encourager le village à consommer du seigle pour ménager les réserves de blé. Avec le printemps et l'été froids que nous avons eus, et maintenant ce terrible hiver, les récoltes ont beaucoup souffert.

– C'est une noble pensée, dit Mercy, mais ce sont plutôt les hommes qui devraient discuter de cette affaire à la réunion du conseil de la ville.

Elizabeth éclata alors d'un grand rire qui choqua Mercy.

– Les hommes n'ont aucun sens pratique. Ils s'intéressent beaucoup plus aux polémiques entre la ville et le village. Et puis il n'y a pas que les mauvaises récoltes. Nous autres femmes devons aussi nous occuper des réfugiés qui viennent ici après les attaques des Indiens. Cela fait déjà quatre ans que la guerre a commencé et on n'en voit pas venir la fin.

– La place des femmes est à la maison..., commença Mercy, mais déjà Elizabeth lui coupait la parole avec vivacité :

– J'ai aussi encouragé les gens à prendre des réfugiés chez eux, dit-elle en essuyant sur son tablier ses mains pleines de farine. Nous avons accueilli ici deux enfants après l'attaque de Casco, dans le Maine, en mai dernier, il y a un an.

Elizabeth appela alors les enfants d'une voix forte et leur demanda de venir saluer la femme du docteur.

Elle présenta tout d'abord à Mercy Rebecca Sheaff, douze ans, puis Mary Roots, neuf ans, dont les parents avaient été tués lors de l'attaque de Casco, mais qui semblaient à présent heureuses et en bonne santé. Puis ce fut au tour de Joanna, âgée de treize ans, fille d'un premier mariage de son mari Ronald, et ses propres enfants : Sarah, dix ans, Jonathan, neuf ans, Daniel, trois ans. Elle termina les présentations avec ceux du village de Salem : Ann Putnam, douze ans, Abigail Williams, onze ans, et Betty Parris, neuf ans.

Lorsque les enfants furent retournés à leurs jeux, Mercy se tourna vers Elizabeth :

— Je suis surprise de voir ici les enfants du village.

— C'est moi qui ai demandé aux miens de les inviter. Ils fréquentent la même école, à Royal Side. Je préfère ne pas les envoyer en ville, avec tous les ruffians qui traînent par là.

— Je vous comprends.

— Et puis je vais renvoyer les enfants chez eux avec une miche de pain de seigle, ajouta Elizabeth en souriant. Ce sera plus efficace que de simples conseils.

Mercy hocha la tête sans autre commentaire. Difficile de résister à l'enthousiasme d'Elizabeth.

— En voulez-vous une miche ? demanda-t-elle.

— Oh, non, je vous remercie. Mon mari, le docteur, ne mangerait pour rien au monde du pain de seigle. C'est un pain beaucoup trop grossier.

Tandis qu'Elizabeth allait s'occuper de sa deuxième fournée, Mercy promena son regard dans la cuisine, et remarqua un fromage de chèvre fraîchement pressé ainsi qu'un pichet de cidre chauffant au coin de l'âtre. Puis elle fut arrêtée par quelque chose d'infiniment plus intriguant. Sur l'appui de la fenêtre étaient alignées des poupées en bois peint, habillées de vêtements cousus avec soin. Chaque poupée arborait le costume de son état : on distinguait un marchand, un maréchal-ferrant, une maîtresse de maison, un charron, et même un docteur, vêtu de noir avec un col en dentelle.

Mercy s'approcha et prit la poupée représentant le médecin. Une longue aiguille était fichée dans sa poitrine.

— Qu'est-ce que c'est que ces figurines ? demanda Mercy, visiblement inquiète.

— Des poupées pour les orphelins, répondit Elizabeth sans lever les yeux de ses pains. C'est ma défunte mère, Dieu ait son âme, qui m'a appris à les fabriquer.

15

— Et pourquoi cette pauvre créature a-t-elle une aiguille plantée dans le cœur?

— Parce que le costume n'est pas terminé. Je perds tout le temps les aiguilles, et elles sont si chères.

Mercy reposa la poupée et, sans s'en rendre compte, s'essuya les mains. Tout ce qui touchait aux sciences occultes la mettait mal à l'aise. Elle se tourna alors vers les enfants, les observa un moment et demanda à Elizabeth ce qu'ils faisaient.

— C'est un tour que m'a enseigné ma mère, répondit Elizabeth. On essaye de lire l'avenir en regardant la forme que prend un blanc d'œuf jeté dans l'eau.

— Dites-leur d'arrêter immédiatement! s'écria Mercy.

Elizabeth leva la tête de son ouvrage.

— Mais pourquoi?

— Parce que c'est de la magie blanche.

— Ce n'est qu'un amusement innocent, rétorqua Elizabeth. Ça occupe les enfants quand ils doivent rester enfermés, pendant l'hiver. Ma sœur et moi y avons souvent joué pour deviner le métier de nos futurs maris. (Elle se mit à rire.) Évidemment, ça ne m'a jamais dit que j'épouserais un armateur et que j'irais vivre à Salem. Je pensais que j'épouserais un paysan pauvre.

— La magie blanche mène à la magie noire, insista Mercy. Et Dieu abhorre la magie noire. C'est là l'œuvre du diable.

— Ça ne nous a jamais fait de mal, ni à ma sœur ni à moi. Ni à ma mère, d'ailleurs.

— Votre mère est morte, fit sèchement observer Mercy.

— Oui, mais...

— C'est de la sorcellerie, ajouta Mercy, le feu aux joues, et aucune sorcellerie n'est sans danger. N'oubliez pas les temps difficiles que nous avons connus l'année dernière, avec la guerre et la petite vérole à Boston. Dans son sermon, au cours du dernier sabbat, le révérend Parris nous a dit que ces horribles événements étaient arrivés parce que les gens n'avaient pas honoré le covenant avec Dieu, et qu'ils avaient négligé les devoirs de la religion.

— Je ne crois pas que ce jeu d'enfant attente au covenant, rétorqua Elizabeth, en outre, nous n'avons pas négligé nos obligations religieuses.

— Mais si, en vous livrant à la magie. C'est exactement comme tolérer les quakers.

Elizabeth balaya l'objection d'un revers de la main.

— Ces problèmes ne sont pas de ma compétence. En tout cas, je n'ai rien contre les quakers, qui sont des gens pacifiques et travailleurs.

— Vous ne devriez pas tenir de tels propos, dit Mercy d'un ton de reproche. Le révérend Increase Mather a déclaré que les quakers sont sous l'influence du diable. Vous devriez lire l'ouvrage du révérend Cotton Mather : *Des précautions à observer face à la sorcellerie et aux possessions.* Je pourrais vous le prêter, puisque mon mari se l'est procuré à Boston. Pour le révérend Mather, tous nos malheurs actuels viennent du désir qu'a le diable de rendre notre Israël de Nouvelle-Angleterre à ses enfants à lui, les hommes rouges.

Elizabeth interrompit alors le sermon de Mercy pour tenter de calmer les cris des enfants, puis se tourna à nouveau vers elle et lui dit qu'elle serait très heureuse de lire ce livre.

— En parlant de religion, est-ce que votre mari songe à rejoindre l'église du village ? En sa qualité de propriétaire terrien, il y serait le bienvenu.

— Je ne sais pas, répondit Elizabeth, nous n'en avons jamais parlé.

— Nous avons besoin d'aide. Les Porter et leurs amis refusent d'assurer leur part des dépenses du révérend Parris. Quand votre mari doit-il revenir ?

— Au printemps.

— Et pourquoi est-il parti en Europe ?

— Parce qu'il fait construire là-bas un bateau d'un genre nouveau, une frégate. D'après lui, elle sera très rapide et capable de se défendre toute seule contre les corsaires français et les pirates des Caraïbes.

Après avoir posé le plat de la main sur les miches qui

refroidissaient, Elizabeth appela les enfants à table et leur demanda s'ils voulaient du bon pain tout chaud. Ses propres enfants refusèrent avec une grimace, mais Ann Putnam, Abigail Williams et Betty Parris en réclamèrent à grands cris. Elizabeth ouvrit une trappe dans un coin de la cuisine et demanda à Sarah d'aller chercher du beurre.

Mercy se montra intriguée par la trappe.

— C'est une idée de Ronald, expliqua Elizabeth. Elle fonctionne comme une trappe de bateau et nous permet d'accéder à la cave sans passer par l'extérieur.

Une fois les enfants attablés devant une pleine assiette de ragoût de porc et d'épaisses tranches de pain, Elizabeth servit des tasses de cidre chaud que les deux femmes emportèrent au salon, loin de la conversation bruyante des enfants.

— Mon Dieu! s'écria aussitôt Mercy en apercevant un grand portrait d'Elizabeth accroché au-dessus de la cheminée.

Elle demeura un long moment immobile au centre de la pièce, comme tétanisée par le réalisme du tableau, notamment l'éclat des yeux verts.

— Votre robe est si décolletée, fit remarquer Mercy, et vous avez la tête découverte.

— Ce tableau m'a d'abord gênée, reconnut Elizabeth. C'était une idée de Ronald. Il lui plaisait. Maintenant, je n'y fais même plus attention.

— C'est tellement papiste, lança Mercy avec dédain.

Elle prit la chaise que lui avançait Elizabeth, mais la tourna de façon à ne pas avoir le tableau sous les yeux. Puis elle se mit à boire son cidre chaud à petites gorgées, déconcertée par le tour qu'avaient pris les événements. Elizabeth était une femme si imprévisible qu'elle n'avait même pas pu encore aborder le sujet de sa visite. Elle s'éclaircit la gorge.

— Des rumeurs courent sur vous, commença-t-elle, mais je suis sûre que ce ne sont que des racontars... On dit que vous auriez l'intention d'acheter les terres de Northfields.

— Ce ne sont pas des racontars, répondit gaiement Elizabeth. C'est bien ce que nous allons faire. Nous aurons des terres sur les deux rives de la Wooleston. La propriété s'étend même jusqu'au village de Salem où elle rejoint la parcelle qu'y possède Ronald.

– Mais les Putnam avaient l'intention d'acquérir cette terre! s'écria Mercy avec indignation. C'est important pour eux! Ils ont besoin d'un accès à la rivière, notamment pour leur forge. Simplement, ils manquent d'argent pour l'instant, il leur faut attendre la prochaine récolte. Ils vont être très mécontents si vous persistez, et ils chercheront à faire annuler la vente.

Elizabeth haussa les épaules.

– Moi, j'ai de l'argent tout de suite, et je veux cette terre parce que nous comptons y faire bâtir une nouvelle maison, plus grande, qui nous permettra d'accueillir plus d'orphelins. (Le visage d'Elizabeth s'éclaira, ses yeux se mirent à briller d'excitation.) Daniel Andrew a accepté de dresser les plans et de bâtir cette maison. Ce sera une grande bâtisse en brique, comme celles de Londres.

Mercy n'en croyait pas ses oreilles. L'orgueil et l'avidité de cette Elizabeth semblaient sans limites. Elle eut du mal à avaler sa gorgée de cidre.

– Savez-vous que Daniel Andrew est le mari de Sarah Porter? demanda-t-elle.

– Mais oui. Avant le départ de Ronald, nous les avons reçus ici tous les deux.

– Puis-je vous demander comment vous pouvez disposer de tant d'argent?

– Eh bien, grâce à la guerre, les affaires de Ronald ont connu un succès exceptionnel.

– Cela s'appelle profiter du malheur des autres, laissa tomber Mercy d'un ton sentencieux.

– Ronald préfère dire qu'il fournit des marchandises qui font cruellement défaut.

Mercy plongea un moment ses yeux dans les yeux verts d'Elizabeth, et n'y lut aucun sentiment de culpabilité. Tout au contraire, Elizabeth lui adressa un grand sourire et continua de boire son cidre avec un plaisir visible.

— Ces rumeurs étaient donc fondées, dit finalement Mercy, mais je n'arrivais pas à y croire. Cela ressemble tellement peu aux façons de votre époux. Ce n'est pas là la volonté de Dieu, et je dois vous avertir : au village, les gens parlent. Ils disent que vous sortez de votre condition de fille de paysan.

— Je serai toujours la fille de mon père, rétorqua Elizabeth, mais à présent je suis aussi la femme d'un marchand.

Avant que Mercy ait pu répondre, on entendit un fracas terrible et des hurlements venus de la cuisine. Les deux femmes bondirent sur leurs pieds puis se ruèrent dans la cuisine. Au passage, Elizabeth s'empara du mousquet.

La grande table était renversée, les bols en bois jonchaient le sol, et Ann Putnam arpentait la pièce en tous sens en arrachant ses vêtements et en hurlant qu'on la dévorait. Les autres enfants se serraient contre un des murs de la cuisine, terrifiés.

Elizabeth jeta le mousquet et se précipita vers Ann.

— Que se passe-t-il ? lui demanda-t-elle en la prenant par les épaules. Qui est-ce qui te dévore ?

Pendant un instant, Ann demeura immobile, le regard dans le vague.

— Ann ! s'écria Elizabeth. Mais que se passe-t-il ?

La petite fille ouvrit alors la bouche et sa langue gonflée vint se coller contre ses dents, tandis que tout son corps était parcouru de spasmes. Elizabeth tenta de la calmer, mais Ann se débattit avec une force surprenante, puis porta ses deux mains à sa gorge.

— Je n'arrive plus à respirer ! Au secours ! J'étouffe !

— Montons-la à l'étage ! hurla Elizabeth à l'adresse de Mercy.

Dès que les deux femmes eurent étendu la fillette sur le lit, celle-ci fut prise de convulsions.

— Elle fait une horrible attaque, déclara Mercy. Il vaudrait mieux que j'aille chercher mon mari.

— Oui, je vous en prie, dit Elizabeth. Faites vite !

Mercy descendit l'escalier en secouant la tête. Une fois passé le premier moment d'effroi, elle ne semblait plus surprise par l'événement. Elle en connaissait bien la cause. La sorcellerie. Elizabeth avait accueilli le diable en sa maison.

Mardi 12 juillet 1692

Ronald Stewart ouvrit la porte de sa cabine et sortit sur le pont. L'air du matin était vif, et il avait revêtu son plus bel habit : culotte descendant sous le genou, veste écarlate d'où dépassaient des poignets en dentelle ; il avait même tenu à se coiffer de sa perruque poudrée. Ils venaient de doubler la pointe de Naugus, au large de Marblehead, et cinglaient à présent en direction de la ville de Salem. Il apercevait déjà le quai Turner et avait du mal à réfréner son impatience.

— Ne carguez les voiles qu'au dernier moment, lança-t-il à l'adresse du capitaine Allen qui se tenait à la barre. Je veux que les gens de la ville puissent mesurer la vitesse de ce navire.

— A vos ordres, monsieur, s'écria le capitaine d'une voix forte pour se faire entendre malgré le vent.

Ronald Stewart était un homme de haute taille, solidement bâti, au visage tanné ; la brise de mer faisait voler les quelques mèches de cheveux blonds échappées de sous sa perruque. Il contemplait avec un plaisir immense le paysage familier qui s'offrait à ses yeux. C'était bon de revenir au pays ! Pourtant, il ne pouvait se défendre d'une certaine anxiété, car il était resté absent six mois, soit deux de plus que prévu, et n'avait pas reçu la moindre lettre de sa femme Elizabeth. La Suède lui avait semblé perdue au bout du monde. Elle-même avait-elle reçu les nombreuses lettres qu'il lui avait envoyées ?

— Il faut ramener la voilure, hurla le capitaine Allen, sinon nous allons escalader le quai et nous échouer dans Essex Street !

— Allez-y, donnez les ordres ! répondit Ronald sur le même ton.

Au commandement du capitaine, les marins ramenèrent les vastes étendues de toile et les roulèrent sur les vergues. Ils n'étaient plus qu'à une cinquantaine de toises du quai, lorsqu'une petite embarcation se dirigea vers eux. Ronald reconnut aussitôt l'homme qui se tenait à la proue : Chester Procter, son fondé de pouvoir. Il lui adressa un signe de la main, mais l'homme ne le lui rendit pas.

— Bonjour, mon ami ! lança Ronald lorsque Procter fut à portée de voix.

Il remarqua alors le visage sombre et fermé de son employé, et comprit que celui-ci était porteur de mauvaises nouvelles.

La barque se rangea contre le flanc du navire.

— Il faut que vous descendiez tout de suite à terre, monsieur, déclara Procter.

Ronald échangea quelques mots avec le capitaine Allen, puis descendit l'échelle qu'on venait de dérouler. Dès qu'il eut pris place aux côtés de Procter, les deux marins se mirent à souquer ferme.

— Alors, que se passe-t-il ? demanda Ronald, craignant qu'on ne lui annonce que sa famille avait été massacrée par les Indiens.

Au moment de son départ, ils se trouvaient dans les environs d'Andover.

— Il s'est passé des choses terribles à Salem, déclara Procter, visiblement mal à l'aise. C'est la Providence qui vous a fait revenir à temps. Nous redoutions tous que vous n'arriviez trop tard.

— Il s'agit de mes enfants ? demanda Ronald avec inquiétude.

— Non, monsieur, vos enfants sont en sûreté et en bonne santé. Il s'agit de votre bonne épouse, Elizabeth. Elle est en prison depuis plusieurs mois.

— De quoi est-elle accusée ?

— De sorcellerie, répondit Procter. Pardonnez-moi de vous apporter d'aussi terribles nouvelles. Elle a été condamnée par une cour spéciale et son exécution doit avoir lieu mardi prochain.

— Mais c'est absurde, gronda Ronald. Ma femme n'est pas une sorcière.

— Je le sais bien, répondit Procter. Mais depuis le mois de février, une véritable frénésie s'est emparée de la ville, et près de cent personnes ont été accusées de sorcellerie. Une femme a déjà été exécutée : Bridget Bishop, le 10 juin.

— Je la connaissais. C'était une femme irascible. Elle avait ouvert une taverne sans autorisation sur Ipswich Road. Mais une sorcière ? Ça ne me paraît guère vraisemblable. Comment en est-on venu à redouter à ce point les maléfices ?

— C'est à cause des « attaques ». Certaines femmes, surtout de très jeunes, en ont été affligées de la façon la plus pitoyable.

— Avez-vous assisté à l'une de ces attaques ? demanda Ronald.

— Oh oui ! Tous les habitants de la ville y ont assisté aux audiences du tribunal, devant les magistrats. Elles sont terribles à observer. Les affligées hurlent et semblent avoir perdu l'esprit. Elles deviennent tour à tour aveugles, sourdes et muettes, et parfois tout cela en même temps. Elles tremblent pis que des quakers et assurent en hurlant qu'elles sont mordues par des êtres invisibles. La langue leur sort de la bouche, et ensuite on dirait qu'elles vont l'avaler. Mais le plus terrible, c'est lorsqu'elles se cambrent et se plient comme si leur corps allait se rompre.

Les pensées les plus confuses se bousculaient dans l'esprit de Ronald. Tout cela était si inattendu. La sueur commençait à lui dégouliner sur le front, et d'un geste furieux il arracha sa perruque et la jeta sur le plancher de la barque.

— Une voiture nous attend, dit Procter lorsqu'ils abordèrent. Je me suis dit que vous aimeriez vous rendre directement à la prison.

Ils firent quelques pas sur le quai, puis montèrent en voiture. Procter saisit les rênes et le cheval se mit en marche. La voiture cahotait sur les pavés. Aucun des deux hommes ne parlait.

— Comment en est-on venu à la conclusion que ces attaques étaient dues à la sorcellerie? demanda Ronald lorsqu'ils eurent atteint Essex Street.

— C'est le Dr Griggs qui en a parlé le premier, dit Procter. Puis le révérend Parris, du village, et enfin tout le monde en a été convaincu, y compris les magistrats.

— Qu'est-ce qui les en rendait si sûrs?

— Aux audiences de la cour, c'était manifeste. Tout le monde voyait bien comment les accusées tourmentaient les affligées, et comment ces dernières étaient soudain soulagées de leurs peines lorsque les accusées posaient les mains sur elles.

— Dans ce cas, elles ne les touchaient pas pour les tourmenter.

— C'étaient les spectres des accusées qui faisaient le mal, expliqua Procter. Et seules les affligées pouvaient voir ces spectres. C'est de cette façon que les affligées invoquaient les accusées.

— Et ma femme a été invoquée de cette façon? demanda Ronald.

— Oui, par Ann Putnam, la fille de Thomas Putnam, du village de Salem.

— Je connais Thomas Putnam, c'est un petit homme colérique.

— Ann Putnam a été la première à être affligée, déclara Procter d'une voix hésitante. Dans votre maison. Sa première attaque a eu lieu dans votre salon, au début du mois de février. Et jusqu'à ce jour, elle est encore affligée du même mal, comme sa mère, également prénommée Ann.

— Et mes enfants? Sont-ils affligés aussi?

— Non, vos enfants ont été épargnés.

— Loué soit le Seigneur.

Ils tournèrent dans Prison Lane. Le silence, à nouveau, s'était imposé. Procter arrêta la voiture devant la prison. Ronald en descendit et lui demanda de l'attendre.

Il trouva le geôlier dans une petite pièce sale, en désordre, occupé à engloutir un pain de maïs tout frais. William Dounton était un homme obèse, à la tignasse douteuse, au nez rouge et grumeleux. Il était réputé pour sa cruauté et le plaisir qu'il prenait à maltraiter les prisonniers. Ronald le méprisait.

Dounton ne fit rien pour cacher le mécontentement que lui causait l'arrivée de Ronald Stewart. Il bondit sur ses pieds et se réfugia derrière sa chaise.

— Les condamnées ne peuvent pas recevoir de visites, croassa-t-il, la bouche encore pleine de pain. Ordre du juge Hathorne.

Ronald dut faire un violent effort pour se maîtriser, mais il n'en saisit pas moins Dounton par un pan de sa chemise de laine et approcha le visage du geôlier du sien.

— Si vous avez maltraité ma femme, vous en répondrez devant moi, dit-il d'une voix sifflante.

— Ce n'est pas ma faute. Ce sont les autorités. Je dois respecter leurs ordres.

— Menez-moi à elle!

— Mais...

Ronald resserra son étreinte et Dounton se mit à suffoquer. Puis il le relâcha un peu et le geôlier se hâta de tirer un trousseau de clés de sa poche. Ronald le suivit, mais en ouvrant la lourde porte en chêne, le gros homme se retourna vers lui et déclara :

— Je rendrai compte de tout cela.

— Inutile, rétorqua Ronald. En sortant d'ici, j'irai directement voir le magistrat et le lui dirai moi-même.

Ils passèrent devant de nombreuses cellules, toutes pleines. Les détenus fixaient Ronald les yeux vides. Un silence de plomb régnait dans la prison. Ronald sortit un mouchoir de sa poche et s'en couvrit le nez pour tenter d'échapper à la puanteur ambiante.

25

Arrivé en haut d'un escalier, Dounton alluma une bougie, puis les deux hommes descendirent dans la partie la plus effroyable de la prison. La puanteur devenait insoutenable. Le sous-sol du bâtiment était constitué de deux vastes salles dont les murs de granit ruisselaient d'humidité. Les prisonnières, entassées, étaient enchaînées aux murs par la cheville ou le poignet, parfois par les deux. Ronald devait enjamber des corps pour suivre Dounton.

— Un moment! lança soudain Ronald en s'accroupissant.

Il venait d'apercevoir une pieuse femme de sa connaissance.

— Rebecca Nurse? Mais, pour l'amour du ciel, que faites-vous ici?

Rebecca secoua lentement la tête.

— Dieu seul le sait, réussit-elle à dire.

Ronald se releva, comme pris de vertige. La ville était-elle devenue folle?

— Par là, dit Dounton en montrant du doigt le coin du sous-sol. Finissons-en, maintenant.

Ronald le suivit. Sa colère avait fait place à la pitié. Dounton s'immobilisa et, à la lueur de la chandelle, Ronald eut du mal à reconnaître sa femme dans la forme qui gisait sur le sol. Elizabeth était recouverte de haillons crasseux, et les lourdes chaînes qui lui entravaient les poignets l'empêchaient presque de chasser la vermine qui grouillait autour d'elle.

Ronald prit la chandelle des mains de Dounton et s'accroupit aux côtés de sa femme. Elle parvint à lui sourire :

— Je suis heureuse que tu sois de retour, dit-elle d'une voix faible. Maintenant, je n'ai plus à m'inquiéter pour les enfants. Ils vont bien?

Ronald eut du mal à déglutir tant sa bouche était sèche.

— Je descends à peine du bateau, je n'ai pas encore vu les enfants.

— Vas-y. Ils seront contents de te voir. J'ai peur qu'ils ne soient très inquiets.

— Je m'occuperai d'eux, promit Ronald, mais d'abord il faut que je te fasse libérer.

— Peut-être. Pourquoi as-tu mis si longtemps pour revenir ?

— La construction du bateau a été plus longue que prévu. Le plan en était nouveau, et cela nous a causé beaucoup de difficultés.

— Je t'ai écrit de nombreuses lettres, dit Elizabeth.

— Je n'en ai reçu aucune.

— Enfin, te voilà de retour.

— Je vais revenir bientôt, dit Ronald en se relevant.

Il tremblait, la panique s'était emparée de lui. Il adressa un geste à Dounton et le suivit jusque dans son bureau.

— Je ne fais que mon devoir, dit le geôlier d'une voix humble.

— Montrez-moi les papiers, dit Ronald sèchement.

Avec un haussement d'épaules, William Dounton fouilla dans les immondices qui jonchaient son bureau et en tira le mandat d'incarcération d'Elizabeth et son ordre d'exécution. Ronald en prit connaissance et les lui rendit. Puis il tira quelques pièces de la bourse pendue à son côté.

— Je veux qu'Elizabeth soit changée de cellule et qu'elle soit mieux traitée.

Dounton prit les pièces avec avidité.

— Je vous remercie beaucoup, monsieur, dit-il en faisant disparaître les pièces dans sa poche, mais je ne peux pas la changer de cellule. Les personnes condamnées à la peine capitale sont toujours détenues au sous-sol. Je ne peux pas non plus retirer ses fers, car dans le mandat d'incarcération il est spécifié que les chaînes doivent empêcher son spectre de quitter son corps. Mais grâce à votre générosité, je pourrai toutefois améliorer ses conditions de détention.

— Faites ce que vous pouvez.

Une fois dehors, Ronald eut quelque mal à remonter en voiture tant ses jambes menaçaient de se dérober sous lui.

— A la maison du juge Corwin ! lança-t-il.

Procter fit claquer les rênes sur le dos du cheval. Au coin d'Essex et de Washington Street, Ronald descendit de voiture.

— Attendez-moi.

Ronald frappa à une porte et fut soulagé de voir apparaître la haute silhouette de son vieil ami Jonathan Corwin. Dès qu'il aperçut Ronald, un air de compassion se peignit sur les traits de Jonathan. Il conduisit son ami au salon et demanda à sa femme de bien vouloir les laisser.

— Voilà un accueil bien triste à l'issue d'un long voyage, lui dit Jonathan lorsqu'ils furent seuls.

— Je t'en prie, raconte-moi tout, dit Ronald d'une voix faible.

— J'ai bien peur de ne pas savoir quoi dire. Nous vivons une époque troublée. Il règne en ville un esprit de querelle, d'animosité, voire une sorte d'hallucination collective. Moi-même je ne suis plus certain de rien, depuis que ma propre belle-mère, Margaret Thatcher, a été récemment accusée de sorcellerie. Or ce n'est en aucune façon une sorcière, ce qui m'amène à mettre en doute la véracité des accusations qu'ont portées les filles affligées par ce mal terrible, et leurs motivations.

— Pour l'instant, les motivations de ces filles ne m'intéressent pas, dit Ronald. Ce que je voudrais savoir, c'est ce que je peux faire pour ma femme bien-aimée qui est traitée avec la dernière brutalité.

Jonathan laissa échapper un long soupir.

— J'ai peur qu'il n'y ait pas grand-chose à faire. Ta femme a déjà été condamnée par le jury de la cour d'Oyer and Terminer.

— Mais tu viens de dire toi-même que tu doutais de la véracité de ces accusations !

— Oui, dit Jonathan, mais la condamnation de ta femme ne reposait ni sur le témoignage des filles ni sur les démonstrations spectrales à l'audience. Le procès de ta femme a été le plus court de tous, plus court même que celui de Bridget Bishop. Sa condamnation repose sur un élément de preuve indiscutable.

— Alors toi aussi tu crois que ma femme est une sorcière ? demanda Ronald, stupéfait.

— Oui. Et j'en suis profondément bouleversé. C'est une vérité lourde à porter.

Un long moment, Ronald dévisagea son ami sans rien dire. Il avait toujours eu le plus grand respect pour les opinions de Jonathan.

— Mais on doit pouvoir faire quelque chose! finit par s'écrier Ronald. Ne serait-ce que retarder l'exécution, pour que je puisse apprendre ce qu'on lui reproche.

Jonathan posa la main sur l'épaule de son ami.

— En ma qualité de magistrat municipal, je ne puis rien faire. Je crois que tu devrais aller t'occuper de tes enfants.

— Je ne vais pas me résigner aussi facilement.

— Alors tout ce que je peux te conseiller, c'est d'aller à Boston et de parler à Samuel Sewall. Je sais vous êtes amis et que vous avez été condisciples à l'université de Harvard. Il connaît beaucoup de gens au gouvernement colonial. Il saura t'écouter; il siège à la cour d'Oyer and Terminer, et il m'a fait part de ses doutes à propos de toute cette affaire. D'ailleurs, Nathaniel Saltonstall m'a également parlé dans ce sens, et lui a même démissionné de sa charge de magistrat.

Ronald remercia Jonathan et se rua dehors. Il expliqua la situation à Procter, et quelques instants plus tard, celui-ci lui amena un cheval sellé; Ronald mit une heure pour franchir les dix lieues le séparant de Boston.

Après avoir franchi la Charles River à Great Bridge, et alors qu'il longeait l'étroite péninsule de Shawmut, il sentit l'angoisse s'emparer de lui. Samuel Sewall serait-il disposé à l'aider? C'était son ultime recours.

En franchissant les portes de la ville aux fortifications de brique, Ronald ne put échapper à la vision du gibet où pendait un corps sans vie. Un frisson glacé lui parcourut l'échine et il poussa sa monture.

Boston était une ville de plus de six mille habitants, et les embarras de midi le forcèrent à ralentir l'allure. Il était près d'une heure de l'après-midi lorsque Ronald arriva enfin devant la demeure de Samuel Sewall. Il mit pied à terre et attacha sa monture à la barrière.

Il trouva Samuel au salon, qui fumait une longue pipe après son repas. Il avait beaucoup grossi depuis quelques années, et Ronald avait un peu de mal à reconnaître le jeune homme élancé qui patinait avec lui sur la Charles gelée lors de leurs années d'université.

Samuel était heureux de voir Ronald, mais il ne put dissimuler sa gêne tant il était évident que sa visite avait pour objet la condamnation d'Elizabeth. En réponse aux questions de Ronald, il confirma le récit de Jonathan Corwin : Elizabeth avait bel et bien été condamnée grâce à un élément de preuve saisi dans la maison même de Ronald par le shérif Corwin.

Ronald était effondré et avait le plus grand mal à refouler ses larmes. Il demanda un verre de bière. Lorsque Samuel revint avec le verre demandé, Ronald avait retrouvé la maîtrise de soi. Quel était donc cet élément de preuve saisi chez lui et qui avait ainsi permis la condamnation de sa femme ?

— Je répugne à le dire, répondit Samuel.

— Mais pourquoi ? (Le visage décomposé de son ami ne faisait qu'ajouter à sa curiosité.) J'ai tout de même le droit de savoir !

— Certes, dit Samuel qui semblait pourtant hésitant.

— Je t'en prie, insista Ronald. Cela m'aidera à comprendre cette affaire insensée.

— Il serait peut-être bon d'aller rendre visite à mon excellent ami le révérend Cotton Mather, dit Samuel en se levant. Il a plus d'expérience que moi dans ces affaires du monde invisible. Il saura te conseiller.

— Je me rends à ton avis.

Ils prirent l'attelage de Samuel pour gagner l'église d'Old North, où on leur apprit que le révérend se trouvait chez lui, au coin de Middle et de Prince Street. Ce n'était guère éloigné, et ils choisirent de s'y rendre à pied. Ils préféraient également laisser la voiture devant l'église.

Une jeune servante les conduisit au salon, où le révérend Cotton Mather les accueillit avec effusion. Samuel expliqua la raison de leur visite.

— Je vois, répondit le révérend Mather en les invitant d'un geste à prendre place dans des fauteuils.

Ronald connaissait le pasteur. Plus jeune que Samuel et lui, puisqu'il avait quitté Harvard sept ans après eux, il n'en avait pas moins subi les attaques de l'âge de la même façon que Samuel : il avait grossi, son nez s'était légèrement épaté, et il avait le teint terreux. Pourtant, on lisait du courage et de l'intelligence dans le pétillement de ses yeux.

— Ma sollicitude la plus affectueuse vous accompagne dans votre malheur, dit à Ronald le révérend Mather. Les voies de Dieu sont souvent impénétrables, pour nous autres mortels. Au-delà de votre tourment personnel, je suis profondément troublé par les événements survenus dans la ville et dans le village de Salem. L'indiscipline et l'agitation se sont emparées du peuple, et j'ai peur que les événements ne se précipitent sans que nous puissions rien y faire.

— Pour l'heure, c'est de ma femme que je m'inquiète, répondit Ronald qui n'était pas venu écouter un sermon.

— J'entends bien, dit le révérend Mather, mais vous devez comprendre que nous, le clergé et les autorités civiles, nous devons songer à toute la congrégation. Je m'attendais que le diable fasse son apparition parmi nous, et la seule consolation dans cette affaire démoniaque, c'est que, grâce à votre femme, nous savons désormais où le trouver.

— Je veux connaître la preuve qui a servi à faire condamner ma femme, dit Ronald.

— Je vous la montrerai, dit le révérend, mais je vous demanderai de conserver à son sujet le secret le plus absolu, car nous craignons, si la chose venait à s'ébruiter, que l'inquiétude et l'affliction ne se répandent plus encore chez les habitants de Salem.

— Et si je décidais de faire appel contre cet élément de preuve ? demanda Ronald.

— Lorsque vous l'aurez vu, rétorqua le révérend Mather, vous y renoncerez de vous-même. Faites-moi confiance. J'ai donc votre parole ?

– Oui, vous avez ma parole, pour autant que mon droit de faire appel ne soit pas forclos.

Les trois hommes se levèrent en même temps, et le révérend Mather les conduisit à une trappe menant à la cave. Ils descendirent en silence les marches de pierre.

– J'ai longtemps discuté de cet élément de preuve avec mon père, Increase Mather, dit le révérend par-dessus son épaule. Nous sommes arrivés à la conclusion qu'il possède une valeur inestimable pour les générations futures comme preuve matérielle de l'existence du monde invisible. Nous pensons donc qu'il serait à sa place à l'université de Harvard. Comme vous le savez, mon père préside en ce moment cette institution.

Ronald ne répondit pas, incapable de s'intéresser à ces questions d'ordre universitaire.

– Mon père et moi, reprit le révérend, sommes d'avis que dans ces procès de sorcellerie à Salem, on s'est trop fondé sur les preuves spectrales. (Ils étaient arrivés en bas, et le révérend Mather alluma les chandeliers fichés dans le mur.) Nous craignons que des gens innocents n'aient pu ainsi être entraînés dans la tourmente.

Ronald ne se sentait pas d'humeur à supporter ces considérations d'ordre général et il voulut protester, mais Samuel l'en empêcha en lui posant la main sur l'épaule.

– L'élément de preuve utilisé contre Elizabeth est de ceux que nous aurions aimé voir dans tous les procès, reprit le révérend Mather en les conduisant vers une grande armoire. Mais il est également terrible, c'est pourquoi j'ai tenu à le ramener ici après le procès. Jamais je n'ai vu de preuve plus indiscutable des pouvoirs du démon et de sa capacité à faire le mal.

– Je vous en prie, révérend, s'écria enfin Ronald, je voudrais retourner aussitôt à Salem. Si vous vouliez bien me montrer de quoi il s'agit, je pourrais me mettre en route sur-le-champ.

– Patience, mon brave homme, dit le révérend Mather en

tirant une clé de la poche de son habit. La nature de cette preuve est telle qu'il faut vous y préparer. Elle est réellement choquante. Voilà pourquoi j'ai suggéré que le procès de votre femme se tienne à huis clos, et que le jury donne sa parole d'honneur de n'en rien révéler. Il convenait tout à la fois de ne pas lui refuser un procès équitable et de ne pas susciter l'hystérie du public, ce qui n'aurait pu que servir les intérêts du démon.

— Je me sens prêt, dit Ronald avec une pointe d'agacement.

— Que le Christ rédempteur soit avec vous, dit le révérend Mather en introduisant la clé dans la serrure. Que votre âme soit forte !

Il ouvrit les deux portes de l'armoire et recula pour permettre à Ronald de voir à l'intérieur.

Ronald étouffa un cri d'horreur en portant la main à sa bouche. Il voulut parler, mais la voix lui manqua. Il s'éclaircit la gorge.

— En voilà assez, dit-il en détournant les yeux.

Le révérend Mather referma les portes et les verrouilla.

— Est-on sûr qu'il s'agit bien là de l'œuvre d'Elizabeth ? demanda Ronald d'une voix faible.

— Sans aucun doute, dit Samuel. Non seulement il a été saisi chez vous par le shérif George Corwin, mais encore Elizabeth l'a librement reconnu.

— Seigneur Dieu ! s'écria Ronald. C'est là sans aucun doute le travail du diable. Et pourtant, je sais du fond du cœur qu'Elizabeth n'est pas une sorcière.

— Il est difficile pour un homme de croire que sa femme a passé un pacte avec le diable, dit Samuel. Mais cet élément de preuve ajouté au témoignage de plusieurs filles affligées qui ont affirmé que le spectre d'Elizabeth les avait tourmentées, tout cela atteste sa culpabilité. J'en suis fort triste, mon cher ami, mais Elizabeth est une sorcière.

— Ma détresse est immense, dit Ronald.

Samuel et Cotton Mather échangèrent un regard compatissant, puis Samuel se dirigea vers l'escalier.

— Je crois que nous aurions tous besoin d'un verre de bière, dit le révérend Mather.

Lorsqu'ils furent revenus au salon, il déclara :

— C'est une épreuve pour chacun de nous, mais nous devons faire front. Maintenant que nous savons que le diable a choisi Salem pour se manifester, nous devons, avec l'aide de Dieu, bannir les serviteurs du diable d'entre nous, et protéger ainsi les pieux et les innocents que le Malin a certainement en horreur.

— Ma peine est trop grande, dit Ronald, je ne peux rien faire. Je ne parviens toujours pas à croire qu'Elizabeth soit une sorcière. J'ai besoin de temps. Il y a sûrement un moyen d'obtenir une grâce, ne serait-ce qu'un simple sursis d'un mois.

— Seul le gouverneur Phips peut accorder une grâce ou un sursis, dit Samuel. Mais il ne l'accorderait que pour une raison impérieuse.

Un silence lourd suivit ses paroles, troublé seulement par les bruits de la ville qui leur parvenaient par la fenêtre ouverte.

— Je pourrais peut-être demander la grâce d'Elizabeth, déclara soudain le révérend Mather.

Le visage de Ronald s'illumina, tandis que Samuel ne parvenait pas à dissimuler sa surprise.

— Oui, je pourrais adresser une supplique au gouverneur, reprit le révérend, mais il y faudrait une condition : la pleine coopération d'Elizabeth. Elle devra accepter de renoncer à Satan et à ses œuvres.

— Je peux vous assurer de sa coopération, dit Ronald. Que devra-t-elle faire ?

— D'abord, il lui faudra avouer devant toute la congrégation réunie dans la maison commune de Salem, dit le révérend Mather. Dans sa confession, elle devra renoncer à ses relations avec le diable. Ensuite, il lui faudra révéler l'identité des personnes qui ont signé un pacte similaire. Le fait que les femmes affligées soient toujours tourmentées prouve que les serviteurs du diable continuent d'officier à Salem.

Ronald bondit sur ses pieds.

— J'obtiendrai son accord cet après-midi même, dit-il, au comble de l'excitation. Je vous supplie d'adresser dès maintenant votre requête au gouverneur Phips.

— J'attendrai pour cela la déclaration d'Elizabeth, répondit le révérend. Je ne peux déranger Son Excellence sans avoir l'assurance que ces conditions sont acceptées.

— Cette assurance, vous l'aurez, s'écria Ronald. Au plus tard demain matin.

— Que le Seigneur vous entende !

Samuel eut du mal à suivre Ronald tandis qu'ils regagnaient la voiture rangée devant l'église d'Old North.

— Tu pourrais gagner une heure en prenant le bac pour l'île de Noddle, dit Samuel alors qu'ils traversaient la ville pour récupérer le cheval de Ronald.

— Dans ce cas, je prendrai le bac.

Samuel avait vu juste : le voyage de retour jusqu'à Salem fut beaucoup plus rapide que l'aller, et en milieu d'après-midi, Ronald attachait son cheval fourbu devant la prison de la ville.

Lui-même était couvert de poussière et la sueur dégoulinait sur son visage. Il pénétra en trombe dans le bureau du geôlier et ne l'y trouva pas. Il frappa à coups redoublés contre la lourde porte donnant sur les cellules. Le visage bouffi de William Dounton apparut dans l'entrebâillement.

— Je veux voir ma femme, lança Ronald d'une voix haletante.

— C'est l'heure du repas, revenez dans une heure.

D'un coup de pied, Ronald ouvrit brutalement la porte, projetant le geôlier en arrière. Un peu de bouillie s'échappa du seau qu'il tenait à la main.

— Je veux la voir tout de suite, gronda Ronald.

— Je rapporterai ceci aux magistrats, dit Dounton d'une voix plaintive.

Mais il posa son seau et conduisit Ronald aux cellules.

Quelques instants plus tard, Ronald s'asseyait aux côtés de

sa femme. Il la secoua doucement par l'épaule. Elle ouvrit les yeux et demanda aussitôt des nouvelles de ses enfants.

— Je ne les ai pas encore vus, dit Ronald, mais j'ai de bonnes nouvelles. Je suis allé voir Samuel Sewall et le révérend Cotton Mather. Ils pensent que nous pouvons obtenir ta grâce.

— Dieu soit loué, dit Elizabeth dont les yeux brillaient à la flamme de la chandelle.

— Mais tu dois avouer, ajouta Ronald. Et tu dois donner les noms de ceux qui ont signé un pacte avec le diable.

— Avouer quoi ? demanda Elizabeth.

— Avouer que tu as pratiqué la sorcellerie, répondit Ronald, exaspéré.

La fatigue et la nervosité l'empêchaient à présent de maîtriser ses émotions.

— Je ne peux l'avouer.

— Et pourquoi ?

— Parce que je ne suis pas une sorcière.

Pendant un long moment, Ronald contempla sa femme sans rien dire, les poings serrés.

— Je ne peux pas mentir, dit finalement Elizabeth, rompant le lourd silence. Je ne peux pas avouer que je suis une sorcière.

Ronald laissa éclater sa colère. Il abattit son poing dans sa paume ouverte et approcha son visage de celui d'Elizabeth.

— Tu vas avouer, dit-il d'une voix sifflante. Je te l'ordonne.

— Mon très cher époux, dit-elle, apparemment peu impressionnée par les menaces de Ronald, t'a-t-on parlé de l'élément de preuve utilisé contre moi ?

Ronald se redressa, jeta un regard gêné à Dounton qui écoutait leur conversation et lui ordonna de s'éloigner. Le geôlier ramassa son seau et poursuivit sa tournée des cellules.

— J'ai vu cette preuve, déclara Ronald lorsque Dounton fut suffisamment loin. Le révérend Mather l'a amenée chez lui.

— Je dois être coupable de quelque offense à Dieu, dit Elizabeth, et je pourrais la confesser si j'en connaissais la nature. Mais je ne suis pas une sorcière et n'ai certainement tourmenté aucune des jeunes femmes qui ont témoigné contre moi.

— Avoue seulement pour obtenir ta grâce, supplia Ronald. Je veux te sauver la vie.

— Je ne peux sauver ma vie en perdant mon âme, rétorqua Elizabeth. C'est en me parjurant que j'accomplirais les œuvres du diable. En oure, je ne connais aucune sorcière, et jamais je ne dénoncerais une innocente pour avoir la vie sauve.

— Mais tu dois avouer! hurla Ronald. Si tu n'avoues pas, alors je t'abandonnerai!

— Tu feras ce que ta conscience te dictera, dit Elizabeth, mais je n'avouerai pas que je suis une sorcière.

— Je t'en prie, supplia Ronald en changeant de tactique. Pour les enfants!

— Non, il faut avoir confiance en Dieu.

— Il nous a abandonnés, dit Ronald, dont le visage poussiéreux était à présent sillonné de larmes.

Avec difficulté, Elizabeth leva une main chargée de chaînes et la posa sur l'épaule de Ronald.

— Sois courageux, mon cher époux. Les voies du Seigneur sont impénétrables.

Perdant alors toute maîtrise de soi, Ronald bondit sur ses pieds et se rua hors de la prison.

Mardi 19 juillet 1692

Ronald se tenait sur l'avenue de la Prison, à quelque distance du bâtiment lui-même. Sous le large bord de son chapeau, la sueur dégoulinait sur son front. C'était une journée chaude, étouffante, et une chape de plomb semblait peser sur la ville. Même les mouettes avaient cessé de crier. La foule attendait, silencieuse, l'apparition de la première charrette.

La peur, le désarroi, le chagrin paralysaient les pensées de

37

Ronald. Qu'avaient-ils fait, Elizabeth et lui, pour mériter pareille catastrophe ? Par ordre des magistrats, on lui avait interdit l'accès à la prison depuis la veille, lorsqu'une dernière fois il avait échoué à convaincre Elizabeth de coopérer. Rien n'avait pu venir à bout de sa détermination, ni la tendresse, ni les cajoleries, ni les menaces. Elle n'avouerait pas.

On entendit le bruit des roues cerclées de fer contre les pavés de granit, et presque immédiatement la charrette apparut. A l'arrière, cinq femmes enchaînées, serrées les unes contre les autres. Derrière marchait William Dounton, le sourire aux lèvres, visiblement ravi d'aller remettre ses pensionnaires au bourreau.

Une soudaine clameur s'éleva de la foule, prélude à un déchaînement de carnaval. Les enfants se mirent à sauter en tous sens, tandis que les adultes s'esclaffaient bruyamment. C'était jour de fête, comme tous les jours de pendaison. Bien entendu, pour Ronald, comme pour les familles et les amis des autres victimes, il n'en allait pas de même.

Prévenu par le révérend Mather, Ronald ne fut pas surpris de ne pas voir Elizabeth dans le premier groupe. Le ministre du culte lui avait expliqué qu'Elizabeth serait exécutée en dernier, quand la foule se serait déjà rassasiée du sang des cinq premières condamnées.

Lorsque la charrette arriva à sa hauteur, Ronald observa le visage des femmes. Elles paraissaient brisées par les mauvais traitements, anéanties par le sort funeste qui les attendait. Il en reconnut deux, Rebecca Nurse et Sarah Good, toutes deux du village de Salem. Les autres venaient de bourgs voisins. Sachant à quel point Rebecca Nurse était une femme pieuse, Ronald songea à ce qu'avait dit le révérend Mather : cette affaire de sorcellerie risquait de prendre des proportions telles qu'ils ne pourraient plus rien y faire.

Lorsque la charrette eut atteint Essex Street, la foule lui fit escorte, dominée par la figure du révérend Cotton Mather, le seul qui fût à cheval.

Près d'une demi-heure plus tard, le bruit révélateur des

roues cerclées de fer sur les pavés de la cour de la prison retentit à nouveau. Une deuxième charrette fit son apparition. Elizabeth était assise sur le dernier banc, la tête baissée. Le poids de ses chaînes l'empêchait de se tenir debout. Lorsque la charrette passa devant lui, Ronald n'appela pas Elizabeth, et celle-ci ne leva pas les yeux.

Ronald se mit alors à suivre la charrette, comme dans un cauchemar. Il aurait voulu s'enfuir, disparaître, mais en même temps il tenait à accompagner Elizabeth jusqu'à la fin.

Après avoir traversé le pont, la charrette s'engagea sur la grand-route et se mit à gravir la colline des gibets. Les buissons se succédèrent jusqu'à un plateau caillouteux sur lequel s'élevaient quelques chênes et caroubiers. La charrette d'Elizabeth s'immobilisa à côté de la première, déjà vidée de ses occupantes.

La foule bruyante s'était rassemblée autour d'un des plus grands chênes, et l'on apercevait Cotton Mather, un peu en arrière, monté sur son cheval. Le bourreau cagoulé de noir, venu tout spécialement de Boston, avait jeté une corde par-dessus une grosse branche, qu'il avait arrimée au pied de l'arbre. Juchée en équilibre sur une échelle posée contre le tronc, la corde au cou, Sarah Good attendait.

Le révérend Noyes, de l'église de Salem, s'approcha de la malheureuse. Dans une main il tenait une bible.

— Avoue, sorcière! s'écria-t-il d'une voix de stentor.

— Je ne suis pas plus une sorcière que vous n'êtes un sorcier! répliqua-t-elle aussi fort.

Puis elle maudit le pasteur, mais ses imprécations furent couvertes par les rugissements de la foule qui pressait le bourreau d'en finir. Ce dernier ne se fit pas prier plus longtemps et d'une bourrade fit choir Sarah Good de l'échelle.

La foule poussa des hurlements de joie et se mit à scander « Meurs, sorcière », tandis que Sarah Good se débattait au bout de sa corde. Son visage s'empourpra, puis vira au noir. Lorsqu'elle eut cessé de se débattre, le bourreau procéda de la même façon avec les autres condamnées.

A chaque pendaison, les hurlements de la foule se faisaient un peu moins tonitruants. Lorsque la dernière fut poussée de son échelle alors que l'on commençait déjà à décrocher les premières, la foule avait perdu tout intérêt au spectacle. Certains, pourtant, allaient contempler les corps empilés dans une fosse commune, mais la plupart commençaient déjà à regagner la ville, où les festivités devaient se poursuivre.

Alors, on conduisit Elizabeth au bourreau ; le poids de ses chaînes était tel qu'il dut l'aider à gravir les barreaux de l'échelle.

Ronald fut pris de vertige et crut que ses jambes allaient se dérober sous lui. Il aurait voulu hurler de colère, ou supplier qu'on lui laissât la vie. Mais, incapable de bouger, il ne fit rien.

En l'apercevant, Cotton Mather poussa sa monture dans sa direction.

— C'est la volonté de Dieu, dit-il en tentant de maîtriser son cheval rendu nerveux par l'angoisse terrible de Ronald.

Celui-ci gardait les yeux rivés sur Elizabeth. Se ruer sur elle, tuer le bourreau...

— Vous devez vous rappeler ce qu'a fait Elizabeth, reprit le révérend Mather. Vous devriez remercier le Seigneur, car sa mort va sauver notre Sion. N'oubliez pas que vous avez vu de vos yeux la preuve de son commerce avec le diable.

Ronald acquiesça sans parvenir à refouler ses larmes.

Oui, il avait vu la preuve, et c'était là clairement l'œuvre du Malin.

— Mais pourquoi ? s'écria soudain Ronald. Pourquoi Elizabeth ?

L'espace d'un instant, il vit les yeux de sa femme se lever pour croiser son regard. Elle voulut parler, mais déjà le bourreau la poussait à bas de l'échelle. A la différence des autres condamnées, il avait laissé du mou à la corde, en sorte qu'elle tomba d'une certaine hauteur, brutalement, et qu'elle ne se débattit pas. Son visage ne vira pas au noir.

Ronald se prit le visage dans les mains et pleura.

1

Mardi 12 juillet 1994

En sortant du métro sur Harvard Square, à Cambridge, Massachusetts, Kimberly Stewart jeta un coup d'œil à sa montre. Sept heures moins cinq. Elle serait à l'heure pour le dîner. Ou en retard de quelques minutes, rien de bien terrible. Pourtant, elle accéléra le pas, fendant la foule qui s'attardait autour des nouveaux kiosques. Elle prit Massachusetts Avenue et tourna à droite dans Holyoke Street.

Devant le Hasty Pudding Club, Kimberly s'immobilisa un instant pour reprendre haleine. Elle n'était jamais entrée dans ce bâtiment de brique orné de moulures blanches, semblable à la plupart des bâtiments de l'université de Harvard, et ne le connaissait que de réputation, parce que chaque année on y remettait un prix à un acteur et à une actrice. Le bâtiment abritait également un restaurant ouvert au public, l'Upstairs at the Pudding; c'était là qu'elle avait rendez-vous.

Sa respiration ramenée à un rythme plus normal, Kim entreprit l'ascension d'un des nombreux escaliers. A nouveau essoufflée, elle demanda à l'hôtesse de lui indiquer les toilettes. Là, face au miroir, elle tenta de mettre de l'ordre dans une chevelure rebelle, noir de jais, tout en maudissant sa nervosité. Après tout, Stanton Lewis faisait partie de la famille. Le problème, c'est que jamais il ne l'avait appelée ainsi au dernier moment, « en urgence », avait-il dit, ajoutant qu'il fallait « absolument accepter son invitation à dîner ».

Renonçant à discipliner sa coiffure, Kim se présenta à nouveau à l'hôtesse et lui annonça qu'elle avait rendez-vous avec M. et Mme Stanton Lewis.

— La plupart des invités sont déjà là, lui apprit l'hôtesse.

En traversant le restaurant, Kim éprouva une nouvelle bouffée d'anxiété. Le terme d' « invités » ne lui disait rien qui vaille. Qui d'autre y avait-il ?

L'hôtesse conduisit Kim à une terrasse abritée par un treillage. Stanton et sa femme Candice s'y trouvaient seuls à une table de quatre.

— Excusez mon retard, dit Kim.

— Tu n'es pas du tout en retard, répondit Stanton.

Il se leva et serra Kim dans ses bras avec une telle vigueur qu'elle ploya en arrière. Son visage s'empourpra. Elle éprouvait le sentiment désagréable que tout le monde avait les yeux fixés sur elle. Lorsqu'elle réussit à se dégager de l'étreinte de son cousin, elle prit place sur la chaise que lui tendait l'hôtesse et s'efforça de se faire toute petite.

Kim se sentait toujours mal à l'aise en présence de Stanton. Alors qu'elle-même se trouvait un peu timide, voire gauche, son cousin lui paraissait brillant, jovial et sûr de lui. Il était grand, taillé comme un champion de ski; même sa femme, Candice, en dépit de son air un peu effacé, en imposait à Kim.

En se tournant pour regarder autour d'elle à la dérobée, Kim heurta du coude l'hôtesse qui dépliait sa serviette. Les deux femmes s'excusèrent en même temps.

— Détends-toi, cousine, dit Stanton lorsque l'hôtesse se fut éloignée. Tu as l'air tendue comme une corde de violon.

— Ne me dis pas de me détendre, dit Kim en avalant une gorgée du vin blanc que Stanton venait de lui servir, ça me rend encore plus nerveuse.

— Tu es une fille étrange, dit gaiement Stanton. Je n'arrive pas à comprendre pourquoi tu es tellement gênée, alors que tu es avec tes cousins, au milieu de gens que tu ne reverras jamais.

— Moi, en tout cas, je comprends que tu n'arrives pas à comprendre ma gêne. Tu as une telle confiance en toi que tu ne peux pas imaginer une seule seconde que les autres soient différents.

— Alors explique-moi pourquoi, en cet instant précis, tu te sens mal à l'aise. Mais... enfin! Ta main tremble!

Kim reposa son verre et mit ses mains sur ses genoux pour les dissimuler.

— Voilà... si je me sens tellement gênée, c'est que j'ai l'impression d'être fagotée. Après ton coup de téléphone, tout à l'heure, j'ai à peine eu le temps de prendre une douche et j'ai enfilé ce qui me tombait sous la main. Et puis, si tu veux le savoir, mes cheveux me rendent folle, je n'arrive pas à les coiffer!

— Moi, je trouve ta robe magnifique, dit Candice.

— Tout à fait, renchérit Stanton. Kimberly, tu es ravissante.

Kim se mit à rire.

— Vous en faites trop!

— Foutaises! s'écria Stanton. La vérité, c'est que tu es une femme extrêmement belle, attirante, mais que tu te conduis toujours comme si tu étais un laideron. Dis-moi, quel âge as-tu, maintenant? Vingt-cinq ans?

— Vingt-sept, dit Kim.

— Vingt-sept ans et plus belle chaque année, dit Stanton avec un sourire malicieux. Tu as un visage de madone, une peau de bébé et une silhouette de danseuse étoile, et je ne parle pas de ces yeux d'émeraude capables d'hypnotiser une statue grecque!

— La réalité est quand même différente, rétorqua Kim. J'ai un visage tout ce qu'il y a d'ordinaire, même si je ne suis pas hideuse, je veux bien le reconnaître. J'ai le teint plutôt hâlé, et quant à ma « silhouette de danseuse étoile », disons que je ne suis pas bouboule, voilà tout.

— Tu es très injuste avec toi-même, fit observer Candice.

— Je crois qu'on devrait changer de sujet, dit Kim. Ce n'est pas en continuant comme ça que je vais arriver à me détendre. Ça me met encore plus mal à l'aise.

— Excuse-moi d'avoir dit la vérité, répondit Stanton, retrouvant son sourire espiègle. De quoi veux-tu que nous parlions, alors ?

— Par exemple de ce qui rend ma présence ici aussi indispensable.

— J'ai besoin de ton aide, répondit Stanton en se penchant vers elle.

— Mon aide ? s'écria Kim en riant. Le grand homme d'affaires a besoin de mon aide ? Tu plaisantes ?

— Pas du tout. Laisse-moi t'expliquer. Dans quelques mois, je vais mettre sur le marché les premières actions de l'une de mes sociétés de biotechnologie, la Genetrix.

— Je n'ai pas d'argent à investir. Tu te trompes de cousine.

Ce fut au tour de Stanton d'éclater de rire.

— Mais je ne te demande pas d'argent ! Non, c'est tout à fait différent. Voilà... aujourd'hui, j'ai parlé avec tante Joyce, et...

— Ah, non ! s'écria Kim. Qu'est-ce qu'elle t'a encore dit, ma mère ?

— Elle m'a simplement raconté que, récemment, tu avais rompu avec ton petit ami.

Kim blêmit. Le malaise qui commençait à se dissiper l'envahit à nouveau.

— J'aimerais bien que ma mère cesse de l'ouvrir à tout propos ! lança-t-elle sèchement.

— Joyce ne m'a donné aucun détail intime.

— Peu importe. Depuis que nous sommes adolescents, Brian et moi, elle n'arrête pas de raconter à tout le monde nos histoires personnelles.

— Tout ce qu'elle m'a dit, c'est que Kinnard n'était pas un garçon pour toi. D'ailleurs, je suis d'accord avec elle, parce que apparemment il continue à aller faire du ski et à pêcher avec sa bande de copains.

– Tu vois bien que tu es au courant de tas de détails! En plus, c'est complètement exagéré. La pêche, c'est tout nouveau, et le ski, il n'en fait qu'une fois par an.

– Pour être franc, je vais te dire que je l'écoutais à peine, ta mère. Là où j'ai dressé l'oreille, c'est quand elle m'a demandé si je pouvais te trouver quelqu'un qui te conviendrait mieux.

– Mais c'est incroyable! s'écria Kim, furieuse. Elle t'a vraiment demandé de me trouver quelqu'un?

– Ce n'est pas vraiment ma spécialité, dit Stanton en souriant, mais j'ai quand même réfléchi. Dès que j'ai eu raccroché le téléphone, j'ai su qui j'allais te présenter.

– Ne me dis pas que c'est pour ça que tu m'as fait venir ce soir, lança Kim avec inquiétude. Je ne serais jamais venue si j'avais su que...

– Calme-toi. Inutile de paniquer. Tout se passera bien. Tu peux me faire confiance.

– C'est trop tôt.

– Il n'est jamais trop tôt, rétorqua Stanton. Ne jamais remettre à plus tard ce qu'on peut faire aujourd'hui, telle est ma devise!

– Stanton, tu es impossible! Je ne suis pas prête à rencontrer quelqu'un. En plus, aujourd'hui, j'ai l'air d'un épouvantail.

– Je t'ai déjà dit que tu étais ravissante. Tu peux être sûre qu'Edward Armstrong – c'est comme ça qu'il s'appelle – va avoir le coup de foudre pour toi. Un seul regard à ces yeux d'émeraude, et il aura les jambes en coton!

– Mais c'est ridicule! protesta Kim.

– Autant avouer tout de suite que j'ai une autre raison de te présenter ce garçon. Dès que je me suis lancé dans les affaires, j'ai cherché à attirer Edward dans une de mes sociétés de biotechnologie. Maintenant que Genetrix va être cotée en Bourse, c'est l'occasion ou jamais. En te le présentant, Kim, je compte le ligoter et le forcer à accepter de figurer au conseil scientifique de Genetrix. Avec son nom sur l'appel à la souscription publique, je peux espérer demander quatre ou cinq mille dollars. Quant à lui, il peut devenir millionnaire.

Pendant un moment, Kim s'absorba dans la contemplation de son verre de vin. Elle se sentait utilisée, mais n'osait exprimer son irritation. Elle avait toujours eu du mal à vivre les conflits. Et comme toujours, elle était sidérée par la franchise avec laquelle Stanton avouait sa manipulation.

— Peut-être qu'Edward Armstrong n'a aucune envie de devenir millionnaire, dit enfin Kim.

— C'est absurde ! Tout le monde a envie de devenir millionnaire.

— Pour toi, c'est peut-être difficile à comprendre, mais tous les gens ne pensent pas comme ça, tu sais.

— Edward est un homme charmant, dit Candice.

— Et à lui, vous lui avez dit que j'étais une fille bien gentille ?

Stanton se mit à rire.

— Ma chère cousine, tu es peut-être un peu foldingue, mais je dois dire que tu as le sens de l'humour.

— Ce que je voulais dire, expliqua Candice, c'est qu'Edward est quelqu'un de délicat. Et je crois que c'est important. Au début, j'étais contre l'idée de Stanton de vous présenter l'un à l'autre, mais ensuite je me suis dit que ce serait bien pour toi de connaître quelqu'un d'aussi agréable. Après tout, ta relation avec Kinnard a été plutôt tumultueuse. Je crois que tu mérites mieux.

Kim n'en croyait pas ses oreilles. Visiblement, Candice ne savait rien de Kinnard, mais elle préféra éviter l'affrontement :

— Les problèmes avec Kinnard sont autant de ma faute que de la sienne.

Du coin de l'œil, Kim surveillait la porte. Elle aurait aimé se lever et s'enfuir. Mais jamais elle n'aurait osé prendre une telle initiative.

— Edward est bien plus qu'un homme charmant, dit Stanton. C'est un génie.

— Fabuleux! s'écria Kim d'un ton sarcastique. Non seulement M. Armstrong va me trouver moche, mais en plus il va me trouver ennuyeuse. Tu sais, je ne suis pas au mieux de ma forme quand il faut faire la conversation avec des génies.

— N'aie pas peur, tu y arriveras très bien, dit Stanton. Vous pourrez parler boutique. Edward est docteur en médecine. Nous étions condisciples à Harvard. Nous avons beaucoup travaillé ensemble en laboratoire, et puis en troisième année il a choisi de passer un doctorat de biochimie.

— Il exerce la médecine? demanda Kim.

— Non, il s'est orienté vers la recherche. C'est un spécialiste de la chimie du cerveau, ce qui est un domaine de pointe à l'heure actuelle. C'est même un des plus grands spécialistes de ces questions-là, et Harvard est fière d'avoir réussi à l'arracher à Stanford. D'ailleurs, quand on parle du loup...

Kim pivota sur son siège et regarda s'approcher un homme grand et solidement bâti, qui avait pourtant conservé des allures d'adolescent. Comme Stanton lui avait dit qu'ils avaient été condisciples à la faculté de médecine, elle s'attendait à voir un homme d'une quarantaine d'années, mais il paraissait beaucoup plus jeune. Il avait le visage lisse, les cheveux blonds, le teint hâlé – rien de cette pâleur d'endive que Kim prêtait aux chercheurs scientifiques. En outre, il marchait un peu voûté, comme s'il avait craint de heurter le plafond.

Stanton bondit immédiatement sur ses pieds et donna l'accolade à Edward avec la même exubérance qu'il avait manifestée à l'égard de Kim. Il lui administra même plusieurs claques vigoureuses sur l'épaule, comme nombre d'Américains se croient obligés de le faire.

L'espace d'un instant, Kim éprouva de la compassion pour Edward, qui semblait aussi mal à l'aise qu'elle face à l'accueil de Stanton.

Il tendit une main moite à Kim et prit place à table. Il bégayait un peu et d'un geste nerveux ne cessait de relever une mèche de cheveux sur son front.

— Vrai... vraiment, je vous prie de... de m'excuser pour mon retard.

— Ah, vous êtes bien pareils, tous les deux ! Ma somptueuse cousine ici présente m'a dit exactement la même chose en arrivant il y a deux minutes.

Kim sentit son visage s'empourprer. La soirée promettait d'être effroyable.

— Détends-toi, Edward, dit Stanton en lui versant du vin. Tu n'es pas en retard. J'avais dit vers sept heures. Tu es parfaitement à l'heure.

— Je voulais simplement faire remarquer que vous étiez tous là à m'attendre, dit Edward, mal à l'aise, en levant son verre comme s'il voulait porter un toast.

— Bonne idée ! lança Stanton en levant lui aussi son verre. Je vous propose un toast. D'abord, je voudrais boire à la santé de ma chère cousine, Kimberly Stewart, la meilleure infirmière en soins intensifs qu'il y ait jamais eu à l'hôpital général du Massachusetts. (Stanton planta son regard dans celui d'Edward.) Si un jour tu dois te faire opérer de la prostate, prie le ciel que Kimberly soit de service. C'est une artiste du cathéter.

— Stanton, je t'en prie ! protesta Kim.

— Bon, bon, d'accord, dit Stanton en étendant la main en signe d'apaisement, revenons au toast que je tiens à porter en l'honneur de Kimberly Stewart. Je faillirais à mes obligations si je ne soulignais pas le fait que sa famille remonte presque au *Mayflower*. Du côté paternel, bien sûr. Du côté maternel, qui est aussi le mien, nous ne pouvons hélas remonter que jusqu'à la guerre d'Indépendance.

— Écoute, Stanton, ce n'est pas nécessaire, dit Kim, de plus en plus gênée.

— Mais ce n'est pas tout, reprit Stanton avec la faconde d'un orateur de fin de banquet. Kimberly est l'héritière d'une longue lignée de diplômés de notre chère université de Harvard. Le premier a été sir Ronald Stewart, en 1671, fondateur de la Maritime Limited, ainsi que de la dynastie Stewart. Et, ce qui est peut-être le plus intéressant, l'aïeule de Kimberly, huit générations en arrière, a été pendue comme sorcière à Salem. Voilà une Américaine pur-sang ou je ne m'y connais pas !

— Stanton tu es insupportable ! s'écria Kim, dont la colère avait fini par l'emporter sur l'embarras. Il n'y a aucun besoin de raconter tout ça !

— Pourquoi pas ? rétorqua Stanton en riant. (Il se tourna vers Edward.) Les Stewart ont encore le ridicule de croire que cette vieille histoire représente une tache sur le nom de leur famille.

— Tu trouves peut-être ça ridicule, mais les gens ont le droit d'éprouver ce qu'ils veulent ! lança Kim, furieuse. En outre, c'est ma mère qui est la plus sensible à cette histoire, et c'est ta tante, et une ancienne Lewis. Mon père, lui, ne m'en a jamais parlé.

— Peu importe, dit Stanton. Personnellement, je trouve cette histoire fascinante. J'ai de la chance : c'est comme d'avoir eu un membre de sa famille à bord du *Mayflower*, ou dans le bateau qui a traversé la Delaware, avec Washington.

— Je crois qu'on devrait changer de sujet, dit Kim.

— Entendu. (Il leva son verre en direction du nouveau venu.) Je bois donc à la santé d'Edward Armstrong, le plus brillant, le plus imaginatif, le plus intelligent neurochimiste du monde ! Que dis-je... de tout le cosmos ! Voilà un homme venu du fin fond de Brooklyn, qui a réussi à faire des études et qui se trouve à présent au sommet ! Un homme qui devrait recevoir le prix Nobel pour ses travaux sur les neuro-transmetteurs, la mémoire et la mécanique quantique.

On trinqua et l'on but. Kim en profita pour regarder Edward à la dérobée : il semblait aussi abasourdi et aussi mal à l'aise qu'elle.

Stanton se resservit un verre de vin, regarda tranquillement les autres verres et replaça la bouteille dans le seau à glace.

— Maintenant que vous êtes présentés, dit-il, il va falloir tomber amoureux, vous marier et avoir plein d'enfants. Tout

49

ce que je demande en remerciement de cette heureuse union, c'est qu'Edward accepte de participer au conseil scientifique de la société Genetrix.

Stanton fut le seul à éclater de rire à sa plaisanterie.

— Bon! Où diable est le garçon? Il serait temps de passer la commande!

Sur le trottoir, devant le restaurant :

— On pourrait aller manger une glace chez Herrell, suggéra Stanton.

— Moi, je suis incapable de rien avaler de plus, dit Kim.

— Moi aussi, dit Edward.

— Et moi, je ne prends jamais de dessert, ajouta Candice.

— Dans ce cas, est-ce que je peux déposer quelqu'un? demanda Stanton. J'ai ma voiture à deux pas d'ici, au garage du Holyoke Center.

— Oh, j'aime bien les transports en commun, dit Kim.

— Et moi, j'habite tout près, dit Edward.

— Dans ce cas, je vous laisse.

On promit de se téléphoner, et Stanton s'éloigna, au bras de Candice.

— Puis-je vous accompagner jusqu'au métro? demanda Edward.

— Volontiers, répondit Kim.

La jeune femme sentait bien qu'Edward avait envie de parler. Il finit par s'y risquer.

— C'est une soirée vrai... vraiment agréable. Ça vous dirait, une petite promenade sur Harvard Square, avant de rentrer chez vous?

— Excellente idée.

Bras dessus bras dessous, ils gagnèrent Harvard Square, qui, contrairement à son nom, ne forme pas véritablement une place mais plutôt un espace indéfinissable, alternance de façades courbes et d'aires ouvertes aux formes curieuses. Pendant les nuits d'été, l'endroit se transforme spontanément en théâtre de rue presque médiéval, avec jongleurs, musiciens, poètes, magiciens et acrobates.

C'était une chaude nuit d'été, soyeuse, effleurée par quelques oiseaux de nuit volant haut dans le ciel. Et malgré les lumières de la ville, on y voyait même briller quelques étoiles. Kim et Edward firent lentement le tour de la place, s'arrêtant brièvement à la lisière de chaque cercle rassemblé autour des artistes de rue. En dépit du malentendu qui avait présidé à leur rencontre, ils semblaient prendre du plaisir à cette balade nocturne.

Ils finirent par s'asseoir sur un muret en béton, entre une femme seule qui chantait une chanson plaintive et un groupe d'Indiens du Pérou qui jouaient avec une belle énergie des airs traditionnels à la flûte de Pan.

— Stanton est un véritable personnage, dit Kim.

— Oui, quand il parlait, je ne savais pas qui était le plus gêné, de vous ou de moi.

Kim se mit à rire. Elle avait ressenti le même malaise lors des toasts portés par Stanton.

— Ce qui m'étonne chez lui, dit Kim, c'est qu'il puisse être à la fois aussi charmeur et aussi manipulateur.

— Oui, c'est sidérant. Moi, je serais incapable d'en faire autant. En fait, j'ai toujours eu l'impression de servir de faire-valoir à Stanton. Je l'ai toujours envié, j'aurais aimé être aussi à l'aise que lui en société, mais je suis tellement gauche !

— Je ressens exactement la même chose, dit Kim. Je voudrais être plus décontractée, mais je suis timide depuis l'enfance. Quand je suis avec des gens, je n'arrive jamais à trouver la bonne repartie. Ça me vient toujours cinq minutes après, mais là, il est trop tard.

— Nous nous ressemblons, comme l'a d'ailleurs fait remarquer Stanton. Le problème, c'est qu'il est conscient de nos faiblesses, et qu'il sait nous manipuler comme des marionnettes. J'ai envie de disparaître sous terre chaque fois qu'il ramène cette histoire de prix Nobel. C'est grotesque !

— Au nom de ma famille, je vous présente mes excuses,

dit Kim avec une feinte solennité. Mais enfin, il n'est pas malveillant.

— Quel est exactement votre lien de parenté?

— Nous sommes cousins germains. Ma mère est la sœur du père de Stanton.

— Moi aussi je devrais présenter des excuses, dit Edward. Je ne devrais pas dire du mal de Stanton. Nous étions condisciples à la fac de médecine : je l'aidais en laboratoire, et lui m'aidait pendant les fêtes. On formait une bonne équipe. Notre amitié date de là.

— Comment se fait-il que vous n'ayez pas participé à l'une des affaires qu'il a lancées? demanda Kim.

— Ça ne m'a jamais intéressé. J'aime la recherche, le savoir pur. Remarquez, je n'ai rien contre la science appliquée, mais ça ne m'attire pas autant. Et puis, par bien des côtés, la science et l'industrie sont brouillées, notamment parce que l'industrie exige le secret, alors que la liberté de l'information est essentielle à la science. Le secret est son pire ennemi.

— Stanton dit qu'il pourrait vous rendre millionnaire.

Edward se mit à rire.

— Qu'est-ce que ça changerait à ma vie? Je fais déjà ce que je veux : de la recherche et de l'enseignement. Si je gagnais brusquement un million de dollars, ça ne ferait que compliquer les choses. Non, je suis heureux comme ça.

— C'est ce que j'ai essayé de suggérer à Stanton, mais il n'a pas voulu m'écouter. Il a la tête dure.

— Ce qui ne l'empêche pas d'être un compagnon charmant et gai. Quand il a porté un toast en mon honneur, il a menti comme un arracheur de dents, mais pour vous? Votre famille remonte-t-elle bien au XVIIe siècle?

— Oui, ça c'était vrai, dit Kim.

— Impressionnant. Moi, je crois que j'aurais du mal à remonter au-delà de deux générations.

— Bah, c'est encore plus impressionnant de faire de brillantes études et de réussir dans un métier difficile, rétorqua Kim. Ça au moins, on l'a choisi. Moi, je me suis contentée de naître dans la famille Stewart. Ça ne m'a pas demandé beaucoup d'efforts.

— Et cette histoire de sorcière de Salem? demanda Stewart. C'était vrai aussi?

— Oui, dit Kim, mais je n'aime pas beaucoup en parler.

— Oh, ex... excusez-moi, s'empressa de dire Edward dont le bégaiement était soudain revenu. Je ne comprends pas très bien pourquoi ça vous gêne, mais je n'aurais pas dû aborder ce sujet.

— Non, c'est moi qui vous demande pardon de vous mettre ainsi mal à l'aise. C'est vrai, ma réaction à propos de cette histoire de sorcière de Salem est un peu folle, et à dire vrai, je ne sais même pas pourquoi. C'est probablement à cause de ma mère. Elle a réussi à m'imposer l'idée qu'il ne fallait pas en parler. Pour elle, c'est en quelque sorte la honte de la famille.

— Mais ça s'est passé il y a plus de trois cents ans, fit remarquer Edward.

— C'est vrai, dit Kim en haussant les épaules. Ça semble absurde.

— C'est une histoire que vous connaissez bien?

— J'en connais les grandes lignes. Comme la plupart des gens aux États-Unis.

— Eh bien, figurez-vous que moi, j'en sais un petit peu plus. Un de mes étudiants m'a fait lire un livre écrit par deux historiens, *Les Possédées de Salem*, publié par les Presses Universitaires de Harvard. J'ai trouvé ça passionnant. Vous voulez que je vous le prête?

— Volontiers, répondit Kim sans conviction.

— Mais c'est vrai, vous savez, je suis sûr que ce livre va vous passionner et qu'après ça, vous considérerez cet épisode d'un autre œil. Les aspects tout à la fois religieux, social et politique de cette affaire sont vraiment extraordinaires. J'ai appris plein de choses. Par exemple, saviez-vous que quelques années après les procès, certains jurés et même certains juges se sont rétractés et ont publiquement demandé pardon d'avoir fait exécuter des innocentes?

53

— Ah, vraiment? dit Kim, s'efforçant d'être polie.

— Mais ce qui m'a arrêté, ce n'était pas vraiment le fait que des innocentes aient été pendues, reprit Edward. La lecture de ce livre m'a amené à en lire un autre, *Les Poisons du passé*, où j'ai trouvé une théorie extrêmement intéressante, du moins pour moi qui suis spécialiste des neurosciences. D'après l'auteur, certaines des jeunes femmes de Salem qui souffraient d'« attaques » et qui avaient accusé d'autres femmes de sorcellerie auraient été empoisonnées. Le poison n'aurait été autre qu'un champignon, le *claviceps purpurea*, qui se forme sur certaines céréales, notamment le seigle.

En dépit de son désintérêt volontaire pour la question, Kim commençait à dresser l'oreille.

— Et quels sont les effets de cet ergot du seigle? demanda-t-elle.

— Eh bien... vous vous souvenez de la chanson des Beatles, *Lucy in the Sky with Diamonds*? Ça devait ressembler à ça parce que l'ergot contient de l'acide lysergique, qui est la composante principale du LSD.

— Vous voulez dire qu'elles auraient eu des hallucinations?

— Oui, dit Edward. L'intoxication à l'ergot entraîne soit une réaction gangreneuse, qui peut être rapidement fatale, soit une réaction de type hallucinogène. A Salem, on aurait plutôt eu des réactions de ce type.

— C'est une théorie intéressante, dit Kim. Ça pourrait même intéresser ma mère. Elle aurait peut-être une opinion différente sur notre ancêtre si elle connaissait cette théorie. Étant donné les circonstances, on ne pourrait plus rien reprocher à cette femme.

— C'est ce que je me suis dit. Mais en même temps, ça ne peut pas tout expliquer. La présence de l'ergot du seigle a pu servir de détonateur, mais l'incendie s'est ensuite propagé de lui-même. D'après ce que j'ai lu, les gens ont exploité cette situation pour des tas de raisons, aussi bien sociales qu'économiques, même si ce n'était pas toujours conscient.

– Vous avez piqué ma curiosité, dit Kim. Vous me faites regretter de n'avoir pas lu autre chose sur les sorcières de Salem que ce qu'on m'a fait lire au lycée. J'en ai d'autant plus honte que ma famille possède toujours la propriété qui a appartenu à mon aïeule, celle qui a été exécutée. En fait, en raison d'une petite dispute entre mon père et mon grand-père, qui est mort à présent, mon frère et moi n'en avons hérité que cette année.

– Ah bon? s'écria Edward. Vous voulez dire que votre famille a conservé cette propriété depuis trois cents ans?

– Enfin, pas tout entière, expliqua Kim. Outre les terres de Salem, la propriété s'étendait sur ce qui forme aujourd'hui Beverly, Danvers et Peabody. Et à Salem, il n'en reste qu'une partie, même s'il y a encore beaucoup de terrain. Je ne sais pas exactement combien il y a d'hectares, mais c'est respectable.

– C'est extraordinaire! fit Edward. Les seules choses dont j'aie hérité, c'est le dentier de mon père et quelques-uns de ses outils de maçon. L'idée de fouler une terre qui appartient à sa famille depuis le XVIIe siècle me fascine. Je croyais que c'était réservé aux familles royales d'Europe.

– Je peux faire mieux que fouler la terre, dit Kim. Je peux entrer dans la maison. Elle existe toujours.

– Non! C'est vrai? Vous plaisantez?

– Pas du tout. Et ce n'est pas si extraordinaire que ça. Il y a encore plein de maisons qui datent du XVIIe siècle dans la région de Salem, y compris celle d'une certaine Rebecca Nurse, qui a été exécutée comme sorcière.

– Je ne le savais pas, dit Edward.

– Vous devriez aller visiter Salem, un de ces jours.

– Dans quel état est votre maison? demanda Edward.

– En bon état, je crois. Je n'y suis plus retournée depuis mon enfance. Mais pour une maison bâtie en 1670, elle a encore bonne allure. Elle a été achetée par Ronald Stewart. C'est sa femme, Elizabeth, qui a été exécutée.

– Je me souviens que Stanton a prononcé le nom de

Ronald au cours de son toast, dit Edward. C'est bien lui, n'est-ce pas, le premier Stewart à être sorti de Harvard?

— Apparemment, mais je ne le savais pas.

— Qu'est-ce que vous comptez faire de cette propriété, votre frère et vous?

— Pour l'instant, rien, répondit Kim. En tout cas rien avant le retour de Brian, qui se trouve à présent en Angleterre où il s'occupe des affaires familiales, une société de transport maritime. Il devrait revenir d'ici un an, et nous prendrons une décision à ce moment-là. Le problème, c'est qu'avec les frais d'entretien et les impôts locaux, cette propriété va nous coûter une fortune.

— Votre grand-père vivait dans cette maison? demanda Edward.

— Oh, non. Ça fait des années que cette maison n'est plus habitée. Ronald Stewart, déjà, avait acheté une grande étendue de terre en bordure de sa propriété et y avait fait bâtir une maison plus grande, conservant la vieille pour des métayers ou des serviteurs. Quant à la nouvelle maison, elle a été plusieurs fois détruite et rebâtie. La dernière fois, c'était au début du siècle. C'est dans celle-là que vivait mon grand-père. C'est une vieille bicoque, immense, pleine de courants d'air.

— J'imagine que la vieille maison a une grande valeur historique.

— Oui. Deux institutions ont déjà fait des offres d'achat : le Peabody-Essex Institute, de Salem, et la Société pour la conservation du patrimoine historique de la Nouvelle-Angleterre, de Boston. Mais ma mère n'est pas d'accord. Je crois qu'elle a peur qu'on ne reparle de ces vieilles histoires de sorcellerie.

— C'est dom... dommage, dit Ronald.

Kim le regarda avec une certaine surprise : il dansait d'une fesse sur l'autre tout en faisant semblant de regarder les Péruviens.

— Il y a quelque chose qui ne va pas? demanda-t-elle.

— Non, non, répondit Edward, mal à l'aise. Euh, en fait... je ne devrais pas vous le demander, et si vous refusiez je le comprendrais très bien...

— De quoi voulez-vous parler? demanda Kim, un peu inquiète.

— Eh bien... vous savez, les livres dont je vous ai parlé m'ont beaucoup intéressé, et je me demandais si... si vous ne pourriez pas me faire visiter cette vieille maison.

— Mais je serais enchantée de vous la montrer, répondit-elle, rassurée. Cette semaine, j'ai mon samedi libre. Si ça vous va, on pourrait y aller en voiture. J'irai demander les clés aux avocats.

— Vous êtes sûre que ça ne vous ennuie pas?

— Mais non, pas du tout.

— Eh bien, samedi c'est parfait, dit Edward. En échange, est-ce que vous accepteriez de venir dîner avec moi vendredi soir?

Kim sourit.

— J'accepte. Mais maintenant, il faut que je rentre chez moi. Mon service à l'hôpital commence à sept heures et demie demain matin.

Ils se dirigèrent vers la bouche de métro.

— Où habitez-vous? demanda Edward.

— A Beacon Hill.

— C'est un quartier agréable, je crois.

— C'est pratique, parce que l'hôpital est tout près. Et j'ai un grand appartement. Malheureusement, je vais devoir déménager en septembre parce que ma colocataire se marie, et que le bail est à son nom.

— J'ai le même problème, dit Edward. Je vis dans un appartement charmant, au troisième étage d'une maison, mais les propriétaires attendent un enfant et ils vont avoir besoin de plus de place. Moi aussi je dois libérer les lieux pour le 1er septembre.

— Pas de chance.

— Bah, ce n'est pas si grave que ça. Ça faisait des années

57

que je songeais à déménager, ça a simplement accéléré les choses.

— Et où se trouve donc cette maison? demanda Kim.

— A deux pas d'ici.

Puis, d'un air hésitant, il ajouta :

— Vous... voulez venir jeter un coup d'œil?

— Une autre fois peut-être. Je vous l'ai dit : je commence tôt demain matin.

Ils arrivèrent devant le métro. Kim plongea son regard dans les yeux bleus d'Edward et y trouva une sensibilité qui lui plut.

— Il vous a fallu du courage pour demander à visiter cette vieille maison, dit-elle. Je le sais, parce ce que j'aurais éprouvé la même difficulté. En fait, je crois que moi je n'y serais pas arrivée.

Edward rougit, puis se mit à rire.

— C'est sûr que je n'ai rien de Stanton Lewis. Je peux même être très empoté.

— Je crois que de ce côté-là nous nous ressemblons, dit Kim. Mais je crois aussi que vous pouvez être plus à l'aise que vous ne voulez bien le dire.

— C'est à vous que je le dois, dit Edward. Avec vous je me sens en confiance, et comme nous venons à peine de faire connaissance, ça n'est pas rien.

— C'est ce que je ressens aussi, dit-elle.

Ils échangèrent une longue poignée de main, puis Kim disparut dans la bouche de métro.

2

Edward se gara en double file sur Beacon Street, se précipita dans le hall de l'immeuble de Kim et, connaissant d'expérience la redoutable efficacité des contractuelles de Boston, appuya sur la sonnette sans quitter sa voiture des yeux.

— Excusez-moi de vous avoir fait attendre, dit Kim lorsqu'elle apparut.

Elle était vêtue d'un short kaki et d'un tee-shirt blanc tout simple, et avait ramené en queue-de-cheval son abondante chevelure sombre.

— Excusez-moi d'être en retard, j'ai dû faire un saut au labo.

L'espace d'un instant ils se dévisagèrent, puis éclatèrent de rire.

— On est gratinés ! fit Kim.

— Je ne peux pas m'en empêcher, dit Edward en riant. Je suis toujours en train de m'excuser, même quand ça n'est pas nécessaire. C'est ridicule, mais vous savez quoi ? Je ne m'en étais même pas rendu compte avant hier soir, quand vous l'avez fait remarquer au dîner.

— Si je l'ai remarqué, c'est parce que j'agis de même, dit Kim. J'y ai songé après votre départ, l'autre soir. Je crois que c'est parce qu'on se sent trop responsables de tout.

— Vous avez probablement raison. Quand j'étais enfant, je pensais toujours que c'était de ma faute si quelque chose n'allait pas ou si quelqu'un était fâché.

— Ces ressemblances entre nous sont un peu effrayantes, dit Kim en souriant.

Ils montèrent dans la Saab d'Edward et quittèrent la ville, en direction du nord. C'était une belle journée, déjà chaude, bien qu'il fût encore tôt.

Kim baissa la vitre et sortit le bras.

— J'ai l'impression d'être en vacances, dit-elle.

— Moi aussi. J'ai un peu honte de le dire, mais je passe toutes mes journées au laboratoire.

— Y compris les fins de semaine ?

— Oui, j'y vais sept jours sur sept. Je me rends compte que c'est dimanche quand il y a moins de gens autour de moi. Je dois être quelqu'un d'effroyablement ennuyeux !

— Je dirais plutôt passionné. Mais vous êtes aussi très attentionné. Vous m'envoyez des fleurs tous les jours : elles sont magnifiques, je ne suis pas habituée à une telle galanterie. En plus, je ne la mérite pas.

— Oh, ce n'est rien.

Kim le sentait gêné. Il repoussa plusieurs fois de suite ses cheveux sur son front.

— Mais pour moi ce n'est pas rien, dit Kim. Je tiens encore à vous remercier.

— Vous avez pu obtenir les clés facilement ? demanda Edward, visiblement désireux de changer de sujet.

— Oui, aucun problème. Je suis allée chez les avocats hier, en sortant du travail.

Ils s'engagèrent sur la 128. Il n'y avait guère de circulation.

— Ce dîner, hier soir, a été très agréable, dit Edward.

— Moi aussi j'ai passé un excellent moment, mais en y repensant, ce matin, je m'en suis voulu d'avoir monopolisé la conversation en parlant de ma famille. J'espère que vous m'excusez.

— Encore des excuses, fit remarquer Edward.

Kim se frappa la cuisse du plat de la main, avec une feinte sévérité, et se mit à rire.

— Je crois que je suis incorrigible.

— En plus, ajouta Edward en riant lui aussi, c'est moi qui devrais m'excuser. C'est moi qui vous ai bombardée de questions personnelles, et j'ai bien peur de m'être montré indiscret.

— Ça ne m'a pas du tout gênée. J'espère simplement ne pas vous avoir fait peur quand je vous ai parlé de ces crises d'angoisse que j'ai eues en première année de fac.

— Oh, je vous en prie ! s'écria Edward en riant. Je crois qu'on a tous connu ce genre de choses, surtout les médecins, qui ont tendance aux actes compulsifs. Quand j'étais à la fac, j'étais angoissé avant chaque examen, bien que j'aie passé tous mes diplômes sans le moindre problème.

— Moi, c'était un peu plus grave que ça. Pendant un petit bout de temps, j'ai même cessé de prendre ma voiture par crainte d'avoir une crise d'angoisse au volant.

— Vous avez pris quelque chose, à l'époque ?

— Un peu de Xanax.

— Vous n'avez jamais essayé le Prozac ? demanda Edward.

— Jamais ! lança-t-elle. Pourquoi aurais-je pris du Prozac ?

— Tout simplement parce que vous m'avez dit que vous souffriez à la fois de timidité et de crises d'angoisse. Le Prozac aurait pu vous soulager.

— On ne m'en a jamais prescrit. D'ailleurs, même si on l'avait fait, je n'en aurais pas pris. Je suis contre le fait de prendre des médicaments pour des petits défauts comme la timidité. Les médicaments devraient être réservés aux problèmes graves, et pas servir à résoudre les difficultés de la vie quotidienne.

— Excusez-moi, dit Edward. Je ne voulais pas vous blesser.

— Je ne suis pas blessée, rétorqua Kim, mais c'est quelque chose que je ressens très profondément. Je suis infirmière, et je vois trop de gens se bourrer de médicaments. Les laboratoires pharmaceutiques ont fini par faire croire aux gens qu'il y a une pilule pour chaque problème.

— Au fond, je suis d'accord avec vous, dit Edward, mais en tant que spécialiste des neurosciences, je considère maintenant le comportement et l'humeur comme des phénomènes biochimiques, et j'ai changé d'avis à l'égard des médicaments psychotropes dépourvus d'effets secondaires.

— Tous les médicaments ont des effets secondaires, rétorqua Kim.

— C'est vrai, mais certains de ces effets sont mineurs, et représentent un risque acceptable, eu égard à leurs avantages potentiels.

— Philosophiquement, je crois qu'on est là au cœur du problème, dit Kim.

— Oh... ça me rappelle ces deux livres que j'avais promis de vous prêter.

Il prit les volumes sur le siège arrière et les posa sur les genoux de Kim. Celle-ci se mit alors à les feuilleter et se plaignit, faussement boudeuse, qu'il n'y eût pas d'images. Edward éclata de rire.

— J'ai essayé de trouver votre ancêtre dans le livre consacré aux procès de Salem, mais il n'y a aucune Elizabeth Stewart dans l'index. Vous êtes sûre qu'elle a été exécutée ? Les auteurs ont fait, semble-t-il, des recherches approfondies.

Kim parcourut l'index. Effectivement, aucune Stewart n'y figurait.

Une demi-heure plus tard, ils pénétraient dans Salem et passèrent devant une maison d'époque. Edward se gara devant.

— Comment s'appelle cet endroit ? demanda-t-il.

— La Maison de la Sorcière. C'est une des principales attractions touristiques de la région.

— Elle date vraiment du XVIIe siècle, ou c'est une reconstitution à la Disneyland ?

— Non, elle est authentique, et elle a toujours été là. Il y a une autre maison du XVIIe, au Peabody-Essex Institute, mais elle a été déplacée et remontée.

Le premier étage formait un surplomb par rapport au rez-de-chaussée, et les carreaux des fenêtres étaient taillés en losange.

— C'est cool, dit Edward.

— Ça fait très ringard, ce mot-là. Dites plutôt que c'est stupéfiant.

— Eh bien d'accord, c'est stupéfiant, dit Edward, conciliant.

— Elle ressemble aussi beaucoup à la vieille maison que je vais vous montrer sur la propriété, dit Kim. Mais en fait, malgré son nom, aucune sorcière n'y a vécu. C'était la maison de Jonathan Corwin, l'un des magistrats qui ont effectué les auditions préliminaires.

— Je me souviens effectivement d'avoir vu ce nom dans *Les Possédées de Salem*, dit Edward. C'est vrai que ça rend l'histoire plus vivante quand on voit une maison pour de vrai. Dites-moi, votre propriété est loin ?

— Non, à environ dix minutes en voiture.

— Vous avez pris votre petit déjeuner, ce matin ?

— Simplement un fruit et un jus de fruits.

— Ça vous dirait, un café et un beignet ?

— Excellente idée.

Il était encore tôt, les hordes de touristes n'avaient pas envahi Salem, et ils trouvèrent facilement à se garer à côté des Salem Commons. Ils prirent des cafés à emporter et se mirent à déambuler dans le centre de la ville, jetant un coup d'œil au musée de la Sorcellerie et à différentes attractions touristiques. Dans Essex Street, une rue piétonne, ils remarquèrent le grand nombre de boutiques vendant des cartes postales et des souvenirs relatifs à l'affaire des sorcières de Salem.

— C'est une véritable industrie, dit Edward. Ça a un côté attrape-gogos.

— C'est vrai, ça banalise le supplice de ces femmes, dit Kim. Mais ça montre aussi à quel point les gens sont fascinés par cette affaire.

Au centre d'information du Parc national, Kim fut stupéfaite de découvrir l'abondante littérature consacrée aux sorcières de Salem. Après avoir feuilleté plusieurs livres, elle en acheta quelques-uns, expliquant à Edward qu'une fois intéressée par un sujet, elle avait pour habitude de s'y plonger à fond.

Ils reprirent ensuite la voiture, passèrent à nouveau devant la Maison de la Sorcière, puis tournèrent à droite dans Orne Road. En passant devant le cimetière de Greenlawn, Kim fit observer qu'il s'étendait sur un terrain appartenant autrefois aux Stewart.

Sur les indications de Kim, Edward tourna enfin à droite, sur un chemin de terre, s'efforçant en vain d'éviter tous les nids-de-poule.

— Vous êtes sûre que c'est par là?

— Oui, oui, tout à fait.

Quelques virages plus loin, ils se retrouvèrent face à une grille massive en fer forgé, encadrée de deux piliers en granit grossièrement taillés. Une haute grille en fer surmontée de pointes acérées disparaissait au loin dans la forêt dense, le long de la route.

— Plutôt imposant, fit Edward tandis que Kim bataillait avec le gros cadenas. Et pas très accueillant.

— C'était comme ça, à l'époque. Les gens riches voulaient donner d'eux une image seigneuriale.

Elle réussit finalement à débloquer le cadenas, et ouvrit la grille qui grinça de la façon la plus horrible.

Elle remonta en voiture. Après de nouveaux virages, ils débouchèrent sur une vaste prairie. Edward arrêta la voiture.

— Bon Dieu! s'exclama Edward. Je comprends pourquoi vous avez utilisé le terme « seigneurial ».

A l'extrémité de la prairie s'élevait en effet une énorme bâtisse de plusieurs étages, ornée de tourelles, de créneaux et de mâchicoulis. Le toit, recouvert d'ardoises en partie décorées, était hérissé de chiens-assis et d'une forêt de cheminées.

— Curieux mélange de styles, fit remarquer Edward. Ça

tient du château fort, du manoir Tudor et du château Renaissance. C'est vraiment étonnant.

— Dans la famille, on a toujours appelé ça « le château ».

— Quand vous aviez dit que c'était une immense bâtisse pleine de courants d'air, je ne l'imaginais pas comme ça.

— Au nord de Boston, il y a encore quelques-unes de ces grosses bâtisses, dit Kim. Certaines ont été divisées en appartements, mais ce marché-là est plutôt en régression. Vous comprenez pourquoi ça risque de nous coûter les yeux de la tête, à mon frère et à moi.

— Et où se trouve la vieille maison ? demanda Edward.

De son doigt tendu, Kim indiqua au loin, sur la droite, une maison sombre qu'on devinait à peine, nichée au milieu des arbres.

— Et ce bâtiment en pierre, sur la gauche, qu'est-ce que c'est ?

— Autrefois, c'était un moulin, expliqua Kim, mais il y a environ deux cents ans, on l'a transformé en écuries.

Edward se mit à rire.

— C'est incroyable comme vous dites ça. Pour moi, une maison qui a plus de cinquante ans est déjà une relique !

Edward redémarra, mais s'arrêta rapidement devant un muret qui disparaissait presque sous les mauvaises herbes.

— Et ça, qu'est-ce que c'est ?

— Le vieux cimetière de famille.

— Non, c'est vrai ? On peut aller jeter un œil ?

— Bien sûr.

Ils descendirent de voiture et passèrent par-dessus le mur, car l'entrée était obstruée par d'épais buissons de ronces.

— Il y a beaucoup de pierres tombales qui ont été cassées, dit Edward. (Il ramassa un morceau de marbre.) Et c'est récent.

— Du vandalisme, dit Kim. Comme personne ne vit ici, on ne peut pas faire grand-chose.

— Quel dommage !

Il se pencha sur une pierre tombale et lut l'inscription : *Nathaniel Stewart, mort en 1843.*

— La famille a utilisé ce cimetière jusqu'au milieu du XIXᵉ siècle, expliqua Kim.

Lentement, ils se mirent à parcourir le cimetière envahi d'herbes folles. Plus ils avançaient, plus les pierres tombales étaient sobres et les dates anciennes.

— Ronald Stewart est enterré ici ? demanda Edward.

— Oui, dit Kim. D'ailleurs voici sa tombe.

Elle lui montra une pierre toute simple, arrondie, sur laquelle étaient gravés, en bas-relief, une tête de mort et deux tibias entrecroisés, ainsi qu'une inscription : *Ci-gît le corps de Ronald Stewart, fils de John et Lydia Stewart, décédé le 1ᵉʳ octobre 1734 à l'âge de 81 ans.*

— Quatre-vingt-un ans ! s'exclama Edward. Bel âge ! Pour vivre aussi vieux, il a dû avoir l'intelligence de ne pas fréquenter les médecins. Avec leurs saignées et leur pharmacopée primitive, les médecins de cette époque-là étaient aussi dangereux que les maladies.

A côté de la tombe de Ronald, se trouvait celle de Rebecca Stewart. D'après l'inscription, il s'agissait de la femme de Ronald.

— Il a dû se remarier, dit Kim.

— Elizabeth est enterrée ici ? demanda Edward.

— Je ne sais pas. On ne m'a jamais montré sa tombe.

— Êtes-vous sûre que cette Elizabeth a vraiment existé ?

— Je le crois, mais je ne pourrais pas l'affirmer.

— Essayons de trouver sa tombe. Elle devrait être par ici.

Pendant quelques minutes, ils cherchèrent en silence, chacun dans un coin du petit cimetière.

— Edward ! lança soudain Kim.

— Vous l'avez trouvée ?

— Presque.

Edward alla la rejoindre, et elle lui montra une pierre tombale semblable à celle de Ronald. L'inscription leur apprit qu'il s'agissait de Jonathan Stewart, fils de Ronald et Elizabeth Stewart.

— Au moins, nous sommes sûrs de son existence, dit Kim.

Ils poursuivirent leurs recherches pendant une demi-heure encore, mais ne trouvèrent pas la tombe d'Elizabeth. Ils finirent par renoncer et retournèrent à la voiture. Quelques instants plus tard, ils s'arrêtaient devant la vieille maison, qu'elle appelait « le cottage ».

– C'est vrai qu'elle ressemble à la Maison de la Sorcière, dit Edward. Il y a la même cheminée centrale, si massive, le toit à pignons, les bardeaux et les carreaux en forme de losange. Et puis il y a aussi cet étage en encorbellement, qui est si curieux. Je me demande pourquoi ils faisaient ça.

– Je crois que personne ne le sait vraiment, dit Kim. La Ward House au Peabody-Essex Institute est bâtie de la même façon.

– Les consoles sous l'encorbellement sont beaucoup plus ornées que celles de la Maison de la Sorcière, dit Edward.

– Oui, celui qui les a tournées avait beaucoup de goût.

– C'est une maison charmante. Elle a beaucoup plus de cachet que le château.

Ils firent lentement le tour de la vieille bâtisse, admirant les détails d'architecture. A l'arrière se trouvait une construction plus petite. Edward demanda si elle était aussi vieille que le reste de la maison.

– Je crois, dit Kim. On m'a dit que c'était pour les animaux.

– Une minuscule étable, alors.

Ils firent le tour complet de la maison, puis Kim dut essayer plusieurs clés avant de trouver la bonne. La porte s'ouvrit avec les mêmes grincements que le portail de la propriété.

– On dirait une maison hantée, dit Edward.

– Ne dites pas ça !

– Vous n'allez quand même pas me dire que vous croyez aux fantômes !

– Disons que je les respecte, répondit Kim en riant. Alors passez le premier.

Ils s'avancèrent dans un petit vestibule. Devant, un escalier menant à l'étage. Sur les côtés, deux portes. La porte de droite menait à la cuisine, celle de gauche au salon.

— Par où on commence ? demanda Edward.

— C'est vous l'invité.

— Le salon, alors ?

Une grande cheminée de près de deux mètres de large frappait d'abord le regard, et l'on ne remarquait qu'ensuite le bric-à-brac entassé là, outils de jardin et meubles de la période coloniale, dont le plus remarquable était un lit à baldaquin qui possédait encore une partie de ses tentures brodées d'origine.

Edward s'avança jusqu'à la cheminée et leva les yeux dans le conduit.

— Elle est encore utilisable. (Il recula d'un pas.) Et vous avez vu ce rectangle plus pâle au-dessus du manteau de la cheminée ?

— Oui, je vois. On dirait qu'un tableau était accroché là.

— C'est exactement ce que je me disais. (Du bout du doigt, il essaya d'effacer le trait plus sombre. En vain.) Il a dû rester accroché là très longtemps pour que la fumée fasse une marque aussi nette.

Ils quittèrent le salon et gagnèrent l'étage. En haut de l'escalier, ils découvrirent une petite pièce, un bureau aménagé juste au-dessus du vestibule. Les chambres, elles, se trouvaient à l'aplomb de la cuisine et du salon, et possédaient chacune leur cheminée. Pour tout ameublement, ils ne trouvèrent que des lits et un rouet.

En redescendant à la cuisine, ils furent tous deux frappés par la taille de la cheminée, qui devait faire près de trois mètres de large. Sur la gauche du foyer se trouvait une crémaillère et sur la droite un four à pain.

— Vous vous imaginez faire la cuisine là-dedans ? demanda Edward.

— Pour rien au monde ! J'ai déjà suffisamment de mal dans une cuisine moderne.

— Les femmes de cette époque devaient avoir une grande

science du feu, dit Edward en guignant à l'intérieur du four. Je me demande comment elles estimaient la température. C'est très important pour la cuisson du pain.

Franchissant une porte, ils gagnèrent l'arrière de la maison, où Edward eut la surprise de découvrir une deuxième cuisine.

— J'imagine qu'ils devaient utiliser celle-ci pendant l'été, dit Kim. Avec la grande cheminée, la chaleur aurait été intenable.

— Bien vu, dit Edward.

Ils retournèrent dans la cuisine principale, qu'Edward se prit à contempler d'un air songeur.

— Qu'est-ce qui vous trotte dans la tête ? demanda Kim.

— Vous n'avez jamais songé à venir habiter ici ?

— Non, jamais. J'aurais l'impression de camper.

— C'est vrai, on ne pourrait pas y vivre dans l'état où elle est, mais il suffirait de peu de chose.

— Vous voulez dire en la rénovant ? Ce serait dommage de lui ôter tout son cachet.

— On pourrait la restaurer sans la défigurer. On pourrait par exemple installer une cuisine et une salle de bains modernes dans la partie arrière, qui de toute façon a été rajoutée. Pas besoin de toucher à la partie principale.

— Vous croyez vraiment ?

Kim promena le regard autour d'elle. C'était vrai, cette maison avait beaucoup de charme.

— En outre, dit Edward, vous allez devoir quitter l'appartement où vous vivez en ce moment. Et puis c'est dommage de laisser cette maison inoccupée. Tôt ou tard des vandales viendront faire des dégâts.

Kim et Edward parcoururent une nouvelle fois le cottage, discutant de la meilleure façon de le rendre habitable. L'enthousiasme d'Edward était communicatif, et Kim finit par être gagnée à son idée.

— C'est une occasion rêvée de faire quelque chose de votre héritage, dit Edward. Moi, à votre place, je n'hésiterais pas une seule seconde.

— Je vais y réfléchir, dit finalement Kim. L'idée est assez séduisante, mais il faudra que j'en parle à mon frère. Nous sommes copropriétaires.

— Il y a une chose qui m'intrigue : où pouvaient-ils entreposer leurs provisions ?

— Dans la cave, j'imagine, dit Kim.

— Je ne savais pas qu'il y en avait une. Quand nous faisions le tour de la maison, j'ai cherché à voir s'il y avait une porte menant à une cave, mais je n'ai rien vu.

Kim contourna la longue table et souleva un vieux tapis en sisal.

— On y accède par cette trappe.

Elle glissa un doigt dans un trou de la trappe et la souleva, révélant une échelle qui s'enfonçait dans l'obscurité.

— Je me souviens très bien de cet endroit, expliqua Kim, parce que quand on était petits, mon frère menaçait de m'enfermer dans la cave. Il adorait cette trappe.

— Charmant, votre frère ! Vous deviez être terrorisée.

— Bah, il n'avait pas vraiment l'intention de le faire. C'était simplement un jeu, il s'amusait à me faire peur. De toute façon, on n'avait pas le droit de venir au cottage.

— J'ai une lampe de poche dans la voiture. Je vais aller la chercher.

Muni de sa lampe torche, Edward descendit le premier, puis leva le visage vers Kim.

— Il faut vraiment que je descende ?

— Oui, oui, venez.

Elle se retrouva à ses côtés.

— Cette cave est froide et humide, fit observer Edward. Et ça sent le moisi.

— Inutile de s'attarder, dit Kim.

La cave était petite, car elle ne s'étendait que sous la cuisine. Le sol était en terre battue, et les murs de pierres non taillées, grossièrement appareillées. Sur le mur du fond étaient disposées des étagères en bois ou en pierre, qu'Edward éclaira du faisceau de sa lampe.

– Vous aviez raison. C'est là qu'ils gardaient leurs provisions.

– Qu'est-ce qu'ils entreposaient, à votre avis ?

– Oh, des pommes, du maïs, du blé, du seigle, dit Edward. Peut-être même des produits laitiers. Et les flèches de lard devaient être suspendues au plafond.

– Intéressant, dit Kim avec une politesse feinte. Vous en avez vu assez ?

Edward se pencha alors sur l'une des étagères, gratta un peu de crasse et l'effrita entre ses doigts.

– Elle est humide, dit-il. Je ne suis pas botaniste, mais je parie que c'est le milieu idéal pour la croissance de *claviceps purpurea*.

Intriguée, Kim demanda s'il y avait moyen de le prouver.

– Probablement, répondit Edward. Ça dépend si on y trouve des spores de *claviceps*. Si on pouvait prélever des échantillons, je demanderais à un de mes amis botanistes de faire l'expérience.

– Il devrait y avoir des sacs-poubelle au château, dit Kim.

– Eh bien allons-y.

Comme il faisait beau, ils franchirent à pied la grande prairie qui les séparait du château. L'herbe leur arrivait aux genoux et des nuées d'insectes les entouraient.

– De temps en temps, on aperçoit de l'eau entre les arbres. Qu'est-ce que c'est ? demanda Edward.

– C'est la Danvers. Autrefois, la prairie descendait jusqu'aux berges de la rivière.

Comme ils approchaient du château, Edward ne cacha pas sa stupéfaction.

– Cette bâtisse est encore plus grande que ce que j'imaginais. Et il y a même des fausses douves !

– On m'a dit qu'il s'inspirait du château de Chambord, expliqua Kim. Il est en forme de U, avec les appartements des invités dans une aile, et les chambres des domestiques dans l'autre.

Ils franchirent le pont jeté sur les fossés asséchés, et Kim

71

dut batailler pour ouvrir la porte comme elle l'avait fait pour la vieille maison. Pendant ce temps, Edward admirait les sculptures néogothiques du perron.

Un vestibule orné de boiseries en chêne, puis une entrée voûtée et enfin le salon, gigantesque pièce très haute de plafond, avec deux cheminées de style gothique. Entre les fenêtres hautes comme des vitraux de cathédrale, un escalier monumental, en haut duquel une verrière éclairait la pièce d'une curieuse lueur jaune.

Edward éclata de rire.

— C'est incroyable. Et puis je ne me doutais pas que c'était encore meublé.

— On n'a touché à rien, dit Kim.

— Quand est-ce que votre grand-père est mort? On a l'impression que le maître de maison est parti en vacances dans les années vingt et qu'il n'est jamais revenu.

— Il est mort au printemps dernier, dit Kim. C'était un excentrique, ce qui s'est manifesté surtout après la mort de sa femme, il y a près de quarante ans. Je crois qu'il n'a rien changé à la façon dont la maison était meublée à l'époque de ses parents. C'est son père qui l'a bâtie.

Edward se mit alors à parcourir le salon, admirant les meubles, les tableaux aux cadres dorés et les différents objets d'art. Avisant l'une des nombreuses armures, il demanda si elle était authentique. Kim haussa les épaules.

— Je n'en sais absolument rien.

Edward gagna alors la fenêtre et froissa le rideau entre ses doigts.

— Je n'ai jamais vu autant de tissu de toute ma vie, dit-il. Il doit y en avoir des kilomètres!

— C'est du damas de soie. Ils sont très anciens. On pourrait visiter le reste de la maison?

— Je vous en prie, fit Kim avec un grand geste de la main.

La bibliothèque était ornée de boiseries sombres, et possédait une mezzanine à laquelle on accédait par un escalier métallique en colimaçon. Quant aux rayonnages supérieurs, on les atteignait grâce à une échelle qui se déplaçait le long d'un rail. Tous les livres étaient reliés de cuir.

— Voilà ce que j'appelle une bibliothèque! s'exclama Edward. Là-dedans, je pourrais travailler!

Ils gagnèrent ensuite la salle à manger, aussi haute de plafond que le salon et également munie de deux cheminées. Sur les murs étaient accrochés des fanions ornés de figures héraldiques.

— Cet endroit a presque autant d'intérêt historique que la vieille maison, dit Edward. On dirait un musée.

— Les choses intéressantes du point de vue historique se trouvent dans la cave à vins et au grenier, dit Kim. Ces deux endroits sont remplis de papiers.

— Des journaux?

— Il y a des journaux, mais surtout de la correspondance et des documents.

— Allons jeter un coup d'œil, proposa Edward.

Le grenier se trouvait au-dessus du deuxième étage, mais ils eurent l'impression d'en grimper le double tant les étages étaient hauts. Kim eut du mal à ouvrir la porte qui n'avait pas été manœuvrée depuis des années.

Le grenier était immense car il occupait tout l'espace du U que formait le château, à l'exception des tourelles. Chaque tourelle, qui surplombait d'un étage le reste du bâtiment, possédait d'ailleurs son propre grenier. Le grenier principal était mansardé, et bien éclairé par ses multiples lucarnes.

Kim et Edward s'avancèrent au milieu de deux rangées de bureaux, secrétaires, malles et caisses de toutes tailles. Kim s'arrêtait au hasard et montrait à Edward que tout était rempli de dossiers, de livres de comptes, d'albums de photos, de vieux journaux et de paquets de lettres. Il y avait là une véritable mine de documents.

— Il y a de quoi remplir des wagons, dit Edward. Jusqu'où ça remonte?

— Jusqu'à l'époque de Ronald Stewart, répondit Kim. C'est lui qui a créé la société, et la plupart de ces papiers sont des documents comptables. Mais pas tous. Il y a aussi de la correspondance personnelle. Quand on était enfants, mon frère et moi, on cherchait les documents les plus anciens. Mais on n'avait pas le droit de venir ici, et quand mon grand-père s'en apercevait il était furieux.

— Il y en a autant dans la cave?

— Peut-être même plus. Venez, je vais vous montrer. De toute façon, ça vaut le coup d'aller visiter la cave. Elle est aussi impressionnante que le reste du château.

Dans la salle à manger, Kim ouvrit une lourde porte en chêne, découvrant un escalier en pierre. Edward comprit alors ce qu'avait voulu dire Kim, car la cave avait été bâtie comme des oubliettes d'un château médiéval. Les lampes avaient la forme de porte-flambeaux, et les bouteilles étaient rangées dans des petites pièces, qui, avec leurs portes métalliques équipées de barreaux, ressemblaient furieusement à des cachots.

— Le propriétaire avait le sens de l'humour, dit Edward tandis qu'ils s'avançaient dans le long couloir. Il ne manque plus que les instruments de torture, ici.

— Mon frère et moi on ne trouvait pas ça drôle du tout, dit Kim. Et mon grand-père n'avait pas besoin de nous interdire de descendre à la cave. Ça nous terrifiait.

— Tous ces bureaux et ces malles sont remplis de papiers, comme dans le grenier?

— Oui, tous.

Edward pénétra alors dans l'une des « cellules » encombrées de meubles et de casiers à bouteilles presque tous vides. Il prit l'une des rares qui restaient et regarda l'étiquette.

— Mon Dieu! Elle date de 1896! Elle doit valoir une fortune.

Kim fit la moue.

— Franchement, ça m'étonnerait. Le bouchon doit s'être désagrégé. Ça fait cinquante ans que personne ne s'en occupe.

Edward replaça la bouteille poussiéreuse dans son casier, ouvrit le tiroir d'un bureau et en tira une feuille de papier au hasard. Il s'agissait d'un document de douane datant du XIXᵉ siècle. Il en prit une autre. Un bordereau de chargement du XVIIIᵉ.

— J'ai l'impression que tout ça est très en désordre, dit-il.

— Hélas, oui. Chaque fois qu'on a rebâti une maison, jusqu'à cette dernière monstruosité, les papiers étaient réentreposés sans qu'on se donne la peine de les ranger.

En guise de démonstration, Kim ouvrit au hasard un secrétaire et en tira un document. Un autre bordereau de chargement. Elle le tendit à Edward en lui demandant de lire la date.

— Eh bien dites donc ! 1689 ! Trois ans seulement avant l'affaire des sorcières de Salem.

— Ça prouve bien ce que je disais. Les trois documents que nous avons pris couvrent plusieurs siècles.

— J'ai l'impression que c'est la signature de Ronald, dit Edward en tendant le papier à Kim.

Celle-ci acquiesça.

— J'ai une idée, dit Kim. Ce que vous m'avez raconté sur cette affaire de sorcellerie m'a intéressée, et me donne envie d'en savoir plus sur mon ancêtre, Elizabeth. Dans tous ces papiers, on pourrait peut-être trouver des renseignements sur elle.

— Par exemple, apprendre pourquoi elle n'est pas enterrée dans le cimetière familial ?

— Entre autres, dit Kim. Le secret qui l'entoure commence à m'intriguer. Et puis je me demande si elle a vraiment été exécutée. Vous-même m'avez dit qu'elle n'était pas citée dans le livre que vous m'avez donné. C'est quand même étonnant.

Edward promena le regard autour de lui.

— Avec la masse de documents qu'il y a ici, ça ne sera pas chose facile. Et puis vous risquez de perdre votre temps, parce que j'ai l'impression qu'il s'agit surtout de documents commerciaux.

— L'idée m'excite quand même. (Elle se mit à fouiller à nouveau dans le secrétaire où elle avait trouvé le bordereau du XVIIᵉ siècle.) Je crois que je vais y prendre beaucoup de plaisir. Ce sera l'occasion de partir à la découverte de mon passé.

Tandis que Kim fouillait le secrétaire, Edward poursuivit son exploration de la cave. Plusieurs ampoules ayant grillé dans les lampes en forme de porte-flambeaux, il alluma sa torche électrique. Dans la dernière petite pièce, au milieu d'un amoncellement de bureaux, de malles et de caisses, il avisa un vieux tableau posé contre le mur.

Pourquoi avoir réservé un si triste sort à celui-ci alors que de nombreux tableaux étaient accrochés au rez-de-chaussée du château? Il essuya la couche de poussière qui le recouvrait, et le faisceau de sa lampe révéla le visage d'une jeune femme.

Edward le tira du cachot et le posa contre le mur, dans le couloir. C'était effectivement le portrait d'une jeune femme, dont la robe décolletée indiquait l'époque à laquelle il avait été fait. Le style en était raide, un peu maladroit.

Du bout du doigt, il essuya la poussière recouvrant la plaque fixée sur le cadre, en bas, et braqua dessus le faisceau de sa lampe. Puis il souleva le tableau et l'amena dans la cellule où se trouvait Kim.

— Tenez, regardez ça, dit-il en posant le tableau contre un bureau et en l'éclairant avec sa lampe.

Sentant l'excitation d'Edward, Kim suivit des yeux le faisceau de lumière et lut le nom sur la plaque.

— Mon Dieu! C'est Elizabeth!

Ils portèrent alors le tableau dans le grand salon, où ils purent l'examiner.

— Ce qui est sidérant, dit Edward, c'est que vous lui ressemblez. Notamment parce que vous avez les mêmes yeux verts.

— Nous avons peut-être la même couleur d'yeux, mais Elizabeth était beaucoup plus belle que moi.

— Personnellement, je trouve que c'est le contraire, dit Edward.

Kim semblait fascinée par le visage de son ancêtre ignominieuse.

— C'est vrai qu'il y a des ressemblances, finit-elle par concéder. Nous avons les mêmes cheveux, et la même forme de visage.

— Vous pourriez être sœurs, renchérit Edward. Ce tableau est très beau; pourquoi diable était-il caché au fond de la cave? Il est beaucoup plus agréable que la plupart de ceux exposés dans cette maison.

— Oui, c'est curieux. Mon grand-père devait certainement connaître son existence, donc c'est intentionnel. Et puis c'était un véritable excentrique; il se moquait de l'opinion des autres, notamment de celle de ma mère. Lui et elle ne se sont jamais entendus.

— J'ai l'impression que ce tableau a la même taille que la marque que nous avons vue au-dessus de la cheminée, dans l'autre maison. Ça serait drôle d'aller vérifier.

Edward voulait se mettre en route tout de suite, mais Kim lui rappela alors les sacs-poubelle qu'ils étaient venus chercher. Ils en trouvèrent trois à la cuisine, munis d'un lien de fermeture.

Sur le chemin de la vieille maison, Kim insista pour porter le tableau : avec son cadre étroit en bois noir, il ne pesait presque rien.

— Il y a quelque chose d'étrange dans le fait d'avoir déniché ce tableau, dit Kim. J'ai l'impression d'avoir retrouvé une aïeule perdue depuis longtemps.

— Il faut reconnaître que c'est une sacrée coïncidence, puisque c'est justement à cause d'elle que nous nous trouvons ici.

Kim s'arrêta alors brusquement, tendit le portrait à bout de bras et se prit à contempler Elizabeth.

— Qu'y a-t-il? demanda Edward.

— Je pensais à notre ressemblance, et je me suis rappelé ce

qui lui est arrivé. C'est incroyable d'imaginer que quelqu'un a pu être pendu pour sorcellerie.

Kim avait l'impression de voir un nœud coulant accroché à une branche d'arbre. Elle allait mourir. Elle frissonna. Puis se raidit lorsqu'elle sentit la corde contre son cou.

— Ça va? demanda Edward en lui posant la main sur l'épaule.

Kim secoua la tête comme si elle s'éveillait d'un cauchemar.

— J'ai eu une pensée horrible. Je me voyais condamnée à la pendaison.

— Tenez, portez les sacs. Moi je vais prendre le tableau.

Ils échangèrent leurs fardeaux et poursuivirent leur chemin.

— Ça doit être la chaleur, dit Edward pour alléger un peu l'ambiance. Ou alors peut-être que vous avez faim. Votre imagination déborde.

— C'est vrai, reconnut Kim, j'ai été bouleversée par la découverte de ce tableau. C'est comme si Elizabeth cherchait à me parler par-delà les siècles, peut-être pour me demander d'obtenir sa réhabilitation.

Edward la considéra d'un air surpris.

— Vous plaisantez?

— Non. Vous avez dit que la découverte de ce tableau était une coïncidence. Moi, je ne le crois pas. Parce que c'est quand même stupéfiant. Ça ne peut pas être un simple hasard. Ça doit bien vouloir dire quelque chose.

— C'est une soudaine bouffée de superstition, ou bien vous êtes toujours comme ça?

— Je ne sais pas. J'essaye simplement de comprendre.

— Vous croyez aux perceptions extrasensorielles, ou au dialogue avec les morts?

— Je n'y ai jamais beaucoup réfléchi, répondit Kim. Et vous?

Edward se mit à rire.

— A votre façon de répondre à ma question par une autre

question, on dirait un psychiatre. Eh bien... je suis un scientifique, je ne crois pas au surnaturel. Je crois à ce qui peut être prouvé rationnellement et reproduit expérimentalement. Je ne suis ni religieux ni superstitieux, et, au risque de passer pour cynique, j'ajouterais que les deux me semblent liés.

— Je ne suis pas non plus très religieuse, dit Kim, mais je crois assez vaguement à des forces surnaturelles.

Ils arrivèrent au cottage. Edward éleva le tableau au-dessus de la cheminée : il cadrait parfaitement avec la tache plus claire sur le mur.

— Au moins, nous savons maintenant où il était accroché, dit Edward en posant le tableau sur l'appui de la cheminée.

— Je vais l'accrocher au même endroit, dit Kim. Elizabeth a le droit de revenir chez elle.

— Cela veut-il dire que vous avez décidé de rénover la maison ?

— Peut-être. Mais d'abord, il faut que j'en parle à ma famille, et notamment à mon frère.

— Personnellement, je pense que c'est une excellente idée.

Edward prit alors les sacs-poubelle et annonça son intention de se rendre à la cave. A la porte du salon, il s'immobilisa.

— Si je trouve des *claviceps purpurea* dans cette cave, dit-il en souriant, ça aura au moins l'avantage de détruire en partie l'aura de surnaturel qui flotte autour de cette histoire de sorcières de Salem.

Kim ne répondit pas. Elle était tétanisée par le portrait d'Elizabeth. Edward haussa les épaules, puis gagna la cuisine et descendit dans l'obscurité froide et humide de la cave.

3

Lundi 18 juillet 1994

Comme d'habitude, une atmosphère de frénésie régnait dans le laboratoire d'Edward Armstrong, à l'unité médicale de Harvard, sur Longfellow Avenue. Avec ces gens en blouse blanche courant en tous sens, au milieu d'équipements de pointe aux allures futuristes, on se serait cru dans un asile de fous. Mais les apparences étaient trompeuses, et les visiteurs avertis savaient bien qu'ici s'élaborait la science de demain.

Bien qu'il ne fût pas le seul scientifique de haut niveau à travailler dans ces bureaux et ces laboratoires, tout reposait en dernier ressort sur Edward. On le considérait comme un génie, aussi bien dans la chimie de synthèse que dans les neurosciences, et les candidatures affluaient à son laboratoire, que ce soit pour des emplois administratifs, des postes de chercheur ou des thèses de doctorat à diriger. Comme ces demandes étaient infiniment supérieures au nombre de postes dont il disposait, Edward avait pu s'entourer des éléments les plus brillants dans tous les domaines.

Les autres professeurs trouvaient qu'Edward en faisait trop. Non seulement il avait le plus grand nombre de chercheurs dans son équipe, mais il tenait à assurer lui-même un cours de chimie générale en premier cycle, y compris pendant l'été, ce qui était d'ordinaire réservé aux simples assistants. Il se sentait obligé, expliquait-il, de stimuler les jeunes esprits le plus tôt possible dans leurs études universitaires.

Après avoir donné l'un de ces fameux cours, Edward pénétra dans son laboratoire par l'une des portes latérales. Comme un gardien de zoo venu nourrir les animaux, il fut immédiatement assailli par ses étudiants en doctorat, qui tous travaillaient sur les mécanismes de la mémoire, domaine de recherche de prédilection d'Edward. Chacun avait une question à poser, à laquelle Edward répondit de façon hachée avant de les renvoyer à leur bureau ou à leur paillasse.

La dernière question expédiée, Edward put enfin se diriger vers sa table de travail. Il n'avait pas de bureau personnel, accessoire qu'il jugeait frivole et encombrant. Il se contentait d'un bout de table, de quelques chaises, d'un terminal d'ordinateur et d'un secrétaire où ranger ses dossiers. Chemin faisant, il rencontra sa plus proche assistante, Eleanor Youngman, une chercheuse qui travaillait avec lui depuis quatre ans.

— Vous avez un visiteur, lui annonça Eleanor. Il vous attend au secrétariat.

Edward jeta sur sa table les dossiers contenant ses cours et échangea sa veste en tweed contre une blouse blanche.

— Je n'ai pas le temps de recevoir de visiteurs, dit-il.

— J'ai bien peur que vous ne puissiez échapper à celui-ci.

Eleanor souriait comme si elle était sur le point d'éclater de rire. C'était une blonde ravissante originaire d'Oxnard, en Californie, et qu'on aurait fort bien imaginée passant ses journées à faire du surf sur une plage. Au lieu de cela, elle avait passé son doctorat en biochimie à l'âge de vingt-trois ans à l'université de Berkeley. Edward la tenait en haute estime, non seulement pour son intelligence mais aussi pour son engagement. Elle, de son côté, idolâtrait Edward, convaincue qu'il ferait avancer d'un pas décisif la compréhension des neurotransmetteurs et leur rôle dans l'émotion et la mémoire.

— Mais qui est-ce? demanda Edward.

— Stanton Lewis. Il me fait mourir de rire chaque fois qu'il vient ici. Cette fois, il m'a proposé d'investir dans une nouvelle revue de chimie qui devrait s'appeler *Bonding*, avec en page centrale la molécule du mois.

— Quel dragueur, celui-là! (Edward parcourut rapidement son courrier. Rien de très important.) Des problèmes, au labo?

— J'en ai peur. L'appareil d'électrophorèse capillaire qu'on utilisait pour la chromatographie capillaire électrokinétique micellaire, eh bien il fait encore des siennes. Vous voulez que j'appelle le technicien de chez Bio-rad?

— Non, je vais y jeter un œil moi-même. Et puis dites à Stanton de venir. Je réglerai les deux problèmes en même temps.

Edward fixa son dosimètre de radiations au revers de sa blouse, s'approcha de l'appareil de chromatographie et se mit à manipuler l'ordinateur qui commandait la machine.

Absorbé par son travail, il n'entendit pas Stanton approcher, et ne se rendit compte de sa présence que lorsque celui-ci lui administra une claque dans le dos.

— Salut, mon vieux! J'ai une surprise pour toi.

Il tendit à Edward une fine brochure munie d'une couverture en plastique.

— Qu'est-ce que c'est? demanda Edward en prenant la brochure.

— C'est ce que tu attendais: l'appel à la souscription publique de Genetrix.

Edward étouffa un petit rire.

— Tu es incorrigible!

Il mit la brochure de côté et retourna à son ordinateur.

— Alors, cette rencontre avec Kim? demanda Stanton.

— J'ai été ravi de faire la connaissance de ta cousine, dit Edward. Elle est fabuleuse.

— Vous avez couché ensemble?

Edward pivota sur ses talons.

— Tu trouves que c'est une question à poser?

— Dis donc, plutôt susceptible! lança Stanton avec un

grand sourire. En tout cas, ça veut dire que ça a bien marché, entre vous, sinon tu ne réagirais pas comme ça.

— Tu... tu tires des conclusions trop hâtives, bégaya Edward.

— Allez, laisse tomber. Je te connais. T'étais déjà comme ça à la fac. Quand il s'agit de recherche scientifique, tu es impérial, mais qu'une femme pointe le bout de son nez, et on dirait une nouille trop cuite! J'arrive pas à comprendre. Bon, allez, à moi tu peux le dire. Ça a bien marché, tous les deux, non?

— On a eu plaisir à faire connaissance, reconnut Edward. Et pour tout te dire, on a dîné ensemble vendredi soir.

— Parfait! Pour moi, c'est aussi bien que d'avoir couché ensemble.

— Ne sois pas grossier.

— Mais c'est vrai, s'écria Stanton. L'idée, c'était que tu me sois redevable, maintenant c'est fait. En contrepartie, mon cher ami, tu dois lire cet appel à la souscription publique.

Stanton prit la brochure à l'endroit où Edward l'avait négligemment jetée et la lui rendit.

Edward laissa échapper un grognement : il s'était laissé piéger.

— Bon, d'accord, je vais le lire, ton machin.

— Parfait. Il faut que tu saches un peu ce que c'est que cette société, parce que pour ta présence au conseil scienti-fique, je pourrais t'offrir 75 000 dollars par an plus des droits préférentiels de souscription.

— Mais je n'ai pas le temps d'assister à des réunions! s'emporta Edward.

— Qui te parle d'assister à des réunions? Je veux simple-ment que ton nom figure sur l'offre de souscription.

— Mais pourquoi? La biologie moléculaire et la bio-technologie, c'est pas de ma juridiction.

— Mais enfin, comment peut-on être aussi naïf! Tu es un scientifique célèbre. Peu importe que tu n'y connaisses rien en biologie moléculaire. C'est ton nom qui compte.

— Je n'irais quand même pas jusqu'à dire que je n'y connais rien, lança Edward avec irritation.

— Allez, sois pas susceptible comme ça! (Du doigt, il montra alors l'appareil sur lequel travaillait Edward.) Qu'est-ce que c'est que ce machin-là?

— Un appareil d'électrophorèse capillaire.

— Et ça sert à quoi?

— C'est une technologie de séparation relativement nouvelle, dit Edward. Ça sert à séparer et à identifier des composants.

Stanton pianota sur le capot en plastique de l'unité centrale.

— En quoi est-ce que c'est nouveau?

— En fait, ce n'est pas entièrement nouveau. Les principes de base sont les mêmes que ceux de l'électrophorèse conventionnelle, mais le diamètre étroit des capillaires rend inutile la présence d'un agent d'anticonvection, parce que la dissipation de la chaleur s'opère remarquablement bien.

Stanton leva la main comme s'il se protégeait d'une grêle de coups.

— Assez, assez, je me rends. Dis-moi seulement si ça marche.

— Ça marche très bien. (Il jeta un coup d'œil à l'appareil.) Enfin... en principe. Pour l'instant, il est détraqué.

— Il est branché, au moins? (Edward lui lança un regard furibond.) Oh, j'essayais seulement de me rendre utile, fit Stanton, mi-figue, mi-raisin.

Edward leva le capot de la machine et s'aperçut aussitôt que l'une des fioles d'échantillon bloquait le mouvement du carrousel.

— Ah! C'est agréable de diagnostiquer tout de suite la panne!

Il rajusta la fiole, et le carrousel se remit immédiatement en route. Il referma le capot.

— Donc, je compte sur toi: tu liras cette offre de souscription publique. Et tu y réfléchiras sérieusement.

— L'idée de gagner de l'argent sans rien faire ne m'enthousiasme pas, dit Edward.

— Mais pourquoi? Un athlète prête bien son nom à une marque de chaussures de sport. Pourquoi est-ce qu'un scientifique ne ferait pas la même chose?

— Bon, je vais y réfléchir.

— Je ne peux pas t'en demander plus pour l'instant. Quand tu auras lu la brochure, appelle-moi. Crois-moi, tu pourrais gagner beaucoup d'argent.

— Tu es venu en voiture? demanda Edward.

— Non, j'ai marché depuis Concord! Mais bien sûr, voyons, que je suis venu en voiture. C'est une piètre façon de changer de sujet, tu sais.

— Tu ne veux pas me faire un brin de conduite jusqu'au campus principal de Harvard? demanda Edward.

Cinq minutes plus tard, Edward prenait place dans la Mercedes 500 SEL de Stanton. Ils firent demi-tour et empruntèrent Storrow Drive.

— Je voudrais te demander quelque chose, dit Edward après quelques instants de silence. L'autre soir, au dîner, tu as évoqué l'ancêtre de Kim, Elizabeth Stewart. Est-ce que tu es sûr qu'elle a été pendue pour sorcellerie, ou bien n'est-ce qu'une légende familiale qui a fini par s'imposer?

— A vrai dire, je n'ai aucune preuve. Je n'ai fait que répéter ce que j'avais entendu.

— Je n'arrive pas à trouver son nom dans les ouvrages de référence sur la question.

— C'est ma tante qui m'a raconté cette histoire, précisa Stanton. D'après elle, les Stewart gardent le secret sur cette affaire depuis des lustres. Ce n'est donc pas une anecdote qu'ils auraient inventée pour se rendre intéressants.

— Bon, admettons que ce soit vrai, dit Edward. Pourquoi chercheraient-ils encore à dissimuler cette histoire? Ça fait si longtemps. Pendant une ou deux générations, je veux bien, mais pas pendant trois siècles!

Stanton haussa les épaules.

— Je n'en ai pas la moindre idée. Mais je n'aurais pas dû en parler. Ma tante va m'écorcher vif si elle apprend que j'ai raconté cette histoire en public.

— Au début, même Kim avait de la répugnance à en parler.

— C'est probablement à cause de sa mère, qui est aussi ma tante. Elle a toujours été très soucieuse de sa réputation, des convenances, et de toutes ces conneries. C'est une dame très comme il faut.

— Kim m'a emmené voir la propriété de famille, dit Edward. Nous avons même visité la maison où aurait vécu cette Elizabeth.

Stanton lança un regard admiratif à Edward.

— Ouah! Tu tires plus vite que ton ombre, toi!

— Ne t'emballe pas. C'était en tout bien tout honneur. J'ai trouvé cette histoire passionnante, et apparemment mon enthousiasme a gagné Kim.

— Je ne suis pas sûr que sa mère va apprécier.

— Je vais peut-être pouvoir aider la famille à mieux considérer cette affaire, dit Edward en ouvrant un sac posé sur ses genoux d'où il sortit l'un des sacs-poubelle ramenés de Salem. Il expliqua ensuite à Stanton ce qu'il contenait.

— Tu dois être tombé amoureux d'elle, dit Stanton. Sans ça, tu ne te donnerais pas tout ce mal.

— Mon hypothèse, c'est que les crises de délire à Salem étaient dues à l'ergot du seigle. Les gens liés à cette affaire, notamment les Stewart, devraient désormais être libérés de tout sentiment de culpabilité, de toute honte.

— Ça ne m'empêche pas de penser que tu dois quand même être amoureux, dit Stanton. Cette explication me paraît trop théorique pour être convaincante. Tu te rends compte, même en te promettant un pont d'or j'ai le plus grand mal à te faire lire une simple brochure!

Edward laissa échapper un soupir.

— Bon, d'accord. Je reconnais qu'en tant que spécialiste des neurosciences, je suis intrigué par l'hypothèse qu'un hal-

lucinogène ait pu être à l'origine de toute l'affaire des sorcières de Salem.

— Admettons. Je crois que là, je te comprends. De toute
façon, cette histoire des sorcières de Salem fascine tout le
monde. Pas besoin d'être un spécialiste des neurosciences.

— Ah, ah! L'homme d'affaires se mue en philosophe, fit
remarquer Edward en riant. Pourquoi, à ton avis, est-ce que
cette histoire fascine tout le monde?

— C'est comme les histoires de vampires, dit Stanton. Les
gens aiment ça. Pareil pour les pyramides d'Égypte : on se dit
que ça doit quand même être autre chose que des pierres
entassées les unes sur les autres, ça ouvre une porte sur le
surnaturel.

— Je ne suis pas forcément d'accord, dit Edward en ran-
geant son sac-poubelle dans sa serviette. En tant que scientifique, je ne recherche qu'une explication scientifique.

— Tu parles!

Stanton laissa Edward sur Divinity Avenue, à Cambridge,
et, avant qu'il ne claque la portière, lui recommanda une fois
encore de lire sa brochure.

Edward gagna le département de biologie, demanda à une
secrétaire où se trouvait le laboratoire de Kevin Scranton, et
finit par trouver son grand ami barbu dans son bureau.
Kevin et Edward avaient fait une partie de leurs études
ensemble à Wesleyan, mais ne s'étaient pas revus depuis le
retour d'Edward à Harvard.

Après dix minutes passées à évoquer le bon vieux temps,
Edward exposa l'objet de sa visite et donna à Kevin les trois
sacs d'échantillons.

— J'aimerais que tu voies si tu peux trouver des *claviceps
purpurea*.

Kevin ouvrit l'un des sacs et prit entre ses doigts un peu
de crasse noirâtre.

Edward lui expliqua alors comment il avait obtenu ces
échantillons et lui fit part de son hypothèse concernant
l'affaire des sorcières de Salem, sans toutefois mentionner le
nom de Stewart. Il devait bien cela à Kim.

— C'est intriguant, dit Kevin lorsque Edward eut terminé.

Il fit une petite boulette de crasse et la diposa sous son microscope.

— Je me suis dit que si on trouvait des spores de *claviceps*, ça ferait un bon petit papier pour *Science* ou pour *Nature*.

— Il y a plein de spores, là-dedans, dit Kevin en observant l'échantillon, mais ça n'a rien d'inhabituel.

— Quel est le meilleur moyen de savoir s'il y a ou non des *claviceps*? demanda Edward.

— Il y en a plusieurs. Quand veux-tu une réponse?

— Le plus tôt possible.

— L'analyse de l'ADN prendrait du temps, dit Kevin. Il doit y avoir entre trois et cinq mille espèces différentes de champignons dans chaque échantillon. Je crois que la meilleure méthode serait la culture de *claviceps*, mais ce n'est pas si facile que ça. Je vais quand même essayer.

Edward se leva.

— Je te remercie d'avance.

Kim portait des gants et dut repousser avec son avant-bras la mèche de cheveux qui lui barrait le front. La journée avait été éprouvante dans l'unité de soins intensifs, mais elle en avait l'habitude. Dans vingt minutes, son service prenait fin. Malheureusement, elle ne put goûter plus longtemps ce bref moment de répit, car Kinnard Monihan faisait son entrée avec un malade.

Kim et les autres infirmières qui n'étaient pas occupées procédèrent à l'admission du malade, aidées par Kinnard et une anesthésiste.

Tout en travaillant, Kim et Kinnard évitaient de se regarder, mais Kim se sentait troublée par sa présence, surtout lorsqu'il se retourna à ses côtés au chevet du patient. Âgé de vingt-huit ans, Kinnard était un homme de haute taille, dégingandé, aux traits anguleux. Il se déplaçait avec souplesse et légèreté, et faisait plus penser à un boxeur à l'entraînement qu'à un chirurgien dans son service.

Lorsque le patient fut installé, Kim se rendit au bureau central. Elle sentit alors une main se poser sur son bras et se retourna. Kinnard dardait sur elle un regard intense.

— Tu es encore fâchée? demanda Kinnard, qui n'avait jamais craint d'évoquer leurs problèmes intimes en plein travail.

Prise d'une bouffée d'angoisse, Kim détourna le regard.

— Ne me dis pas que tu refuses de me parler, s'écria Kinnard. Tu ne trouves pas que tu pousses un peu?

— Je t'avais prévenu, dit Kim, retrouvant sa voix. Je t'avais dit que ça se passerait très mal si tu persistais à vouloir faire cette partie de pêche, alors que nous avions prévu d'aller à Martha's Vineyard.

— On n'avait rien décidé. Et je n'avais pas prévu que le Dr Markey m'inviterait à sa partie de pêche.

— Si on n'avait rien décidé, rétorqua Kim, comment se fait-il que je me sois débrouillée pour avoir des jours libres? Et pourquoi aurais-je appelé les amis de ma famille pour leur demander si on pouvait utiliser leur bungalow?

— On n'en avait parlé qu'une fois.

— Deux fois. Et la deuxième fois, je t'avais parlé du bungalow.

— Écoute, dit Kinnard. Pour moi, cette partie de pêche était très importante. Le Dr Markey est l'adjoint du chef de service. Il y a peut-être eu un petit malentendu entre toi et moi, mais ta réaction me paraît excessive.

— Ce qui aggrave ton cas, c'est que tu n'as pas l'air de le regretter le moins du monde! lança Kim, rouge de colère.

— Je ne vais pas m'excuser alors que je n'ai pas du tout le sentiment d'avoir mal agi.

— Parfait, dit Kim en repartant vers le bureau central.

Une nouvelle fois, Kinnard s'interposa.

— Je regrette que tu sois à ce point fâchée, dit-il. Je pensais que tu serais calmée. Écoute, on pourrait en reparler samedi soir. Je ne suis pas de garde. On pourrait dîner ensemble et ensuite aller voir un spectacle.

— Désolée, mais j'ai déjà des projets.

Ce n'était pas vrai, et en prononçant ces mots, Kim se sentit mal à l'aise car elle détestait l'affrontement et savait qu'elle n'y était guère habile.

— Oh, je vois! lança Kinnard d'une voix sifflante. (Elle se rendit compte qu'elle avait touché un point sensible.) Si c'est ce que tu veux, on peut être deux à jouer à ce petit jeu. Il y a justement quelqu'un que j'avais envie d'inviter. C'est le moment ou jamais.

— Qui est-ce?

Kim regretta immédiatement sa question.

Trop tard. Kinnard lui adressa un sourire méchant et s'éloigna.

Furieuse d'avoir ainsi perdu la face, Kim se retira un moment dans une réserve. Elle tremblait. Un peu plus tard, calmée, elle s'apprêtait à retourner au travail lorsque la porte de la réserve s'ouvrit. Marsha Kingsley, sa colocataire, s'avança vers elle.

C'était un petit bout de femme à l'esprit pétillant, à la chevelure acajou ramenée en chignon lorsqu'elle travaillait.

— Sans le vouloir, j'ai entendu tout ce que vous vous êtes dit. C'est un enfoiré. Ne te laisse pas avoir par cet égocentrique.

La soudaine apparition de Marsha fit s'écrouler les défenses de Kim: les larmes se mirent à ruisseler sur ses joues.

— Je déteste les conflits, dit-elle.

— Je trouve au contraire que tu t'es remarquablement bien défendue, répondit-elle en lui tendant un mouchoir.

— Il ne voulait même pas s'excuser, tu te rends compte!

— Ce type est complètement insensible.

— Je ne sais pas ce que j'ai fait de mal, dit Kim. Jusqu'à ces derniers temps, je trouvais que ça marchait bien entre nous.

— Tu n'as rien fait de mal, dit Marsha. C'est lui qui est égoïste. Regarde la façon dont Edward se comporte. Lui, il t'envoie des fleurs tous les jours.

– Je n'ai pas besoin de fleurs tous les jours.

– Bien sûr que non, mais c'est l'intention qui compte. Kinnard se moque de ce que tu peux éprouver. Tu mérites mieux que ce type-là.

– Peut-être, dit Kim en se mouchant. En tout cas, il faut que ça change dans ma vie. Tu sais, je pense aller m'installer à Salem. Je pourrais retaper une vieille maison de famille dont j'ai hérité avec mon frère.

– C'est une excellente idée. Ça te fera du bien de changer de lieu, surtout que Kinnard vit à Beacon Hill, lui aussi.

– Je compte aller là-bas après le travail. Ça te dirait de venir avec moi ? Ça me ferait plaisir, et tu auras peut-être des idées pour la rénovation de la maison.

– D'accord, mais une autre fois, dit Marsha. Je dois voir des gens à l'appartement.

Après avoir rendu compte de son travail de la journée et transmis les consignes, Kim quitta l'hôpital. Il y avait un peu de circulation, mais tout s'arrangea dès qu'elle eut franchi le Tobin Bridge. Premier arrêt : la maison de ses parents à Marblehead Neck.

– Il y a quelqu'un ? s'écria Kim d'une voix forte en pénétrant dans le salon.

C'était une maison magnifique, évoquant un peu un château Renaissance, qui n'était pas sans rappeler le « château » de Salem, quoique plus petite et moins prétentieuse.

– Je suis sur la véranda, lança Joyce.

Kim suivit le long couloir et gagna la véranda où sa mère passait le plus clair de son temps. Donnant au sud sur la pelouse en terrasse, la pièce offrait une vue sur l'océan à couper le souffle.

– Tu as encore ta blouse, dit Joyce d'un ton de reproche que seule sa fille savait percevoir.

– J'arrive directement du travail, répondit Kim. Je voulais éviter les embouteillages.

– J'espère que tu n'as pas ramené de microbes de l'hôpital. Il ne manquerait plus que je retombe malade !

— Je ne travaille pas aux maladies infectieuses. Dans mon service, il y a probablement moins de bactéries qu'ici.

— Ne dis pas ça!

Les deux femmes ne se ressemblaient guère. Kim avait le visage et les cheveux de son père, tandis que Joyce avait un visage étroit, les yeux profondément enfoncés dans leurs orbites et le nez légèrement aquilin. Quant à ses cheveux, autrefois bruns, ils étaient à présent presque tous gris. Elle ne les avait jamais teints. Elle avait aussi la peau blanche comme le marbre, en dépit des rigueurs du plein été.

— Et moi je remarque que tu es toujours en robe de chambre, dit Kim en prenant place sur un canapé, face à la chaise longue de sa mère.

— Je n'avais aucune raison de m'habiller, dit Joyce. En plus, je ne me sentais pas bien.

— Ce qui veut dire que papa ne doit pas être là, dit Kim qui commençait à connaître les symptômes maternels.

— Ton père est parti hier soir à Londres, pour un court voyage d'affaires.

— C'est triste.

— Peu importe. De toute façon, quand il est là il m'ignore. Tu voulais le voir?

— Oui.

— Il sera de retour jeudi. Enfin... si ça lui convient.

Kim reconnut le ton de martyr qu'elle connaissait trop bien.

— Grace Traters est partie avec lui? demanda-t-elle.

Grace Traters était la dernière en date de ses secrétaires personnelles.

— Bien sûr que Grace est partie avec lui, dit Joyce. John est incapable de lacer ses chaussures sans elle.

— Mais si ça t'affecte à ce point, maman, pourquoi est-ce que tu continues à le tolérer?

— Je n'ai pas le choix.

Kim se mordit la langue pour ne pas éclater en reproches. D'un côté elle plaignait sa mère, mais d'un autre elle lui en voulait de jouer ainsi les victimes. Son père avait toujours eu des aventures, plus ou moins ouvertement, et cela depuis la plus tendre enfance de Kim.

Préférant changer de sujet, Kim s'enquit d'Elizabeth Stewart.

Les lunettes de Joyce tombèrent de son nez, où elles étaient juchées en équilibre précaire, et se balancèrent au bout de leur chaîne.

— Quelle étrange question, dit Joyce. Pourquoi m'interroges-tu à son sujet?

— Parce que je suis tombée sur un portrait d'elle, dans la cave de papy. C'était une découverte d'autant plus surprenante que nous avons les yeux de la même couleur. Je me suis rendu compte alors que je savais très peu de choses à son sujet. A-t-elle vraiment été pendue comme sorcière?

— Je préfère ne pas en parler.

— Mais enfin, maman, pourquoi?

— Tout simplement parce que c'est un sujet tabou.

— Tu devrais le rappeler à ton neveu Stanton. Il en a parlé récemment, au cours d'un dîner.

— Effectivement, je le lui rappellerai. Il n'aurait pas dû, c'est inexcusable!

— Mais pourquoi est-ce que c'est encore un sujet tabou, trois siècles après?

— C'était une affaire sordide. Il n'y a pas de quoi en être fier.

— Hier, j'ai fait des recherches sur les procès de Salem, dit Kim. Il y a beaucoup de documentation, mais le nom d'Elizabeth Stewart n'est jamais mentionné. Je commence à me demander si elle a vraiment été mêlée à cette histoire.

— D'après ce que je sais, oui, elle y a été mêlée. Mais laissons cela. Comment se fait-il que tu aies découvert ce tableau?

— Parce que je suis allée à la propriété, samedi. Je pense que je vais rénover le cottage et m'y installer.

— Mais pourquoi veux-tu faire une chose pareille? s'écria Joyce. Cette maison est beaucoup trop petite.

93

— Elle est charmante, rétorqua Kim, et de toute façon elle est plus grande que l'appartement dans lequel je vis en ce moment. Et puis j'ai envie de quitter Boston.

— J'ai l'impression qu'il faudrait beaucoup de travaux pour la rendre habitable.

— C'est aussi pour ça que je voulais en parler à papa. Mais apparemment, chaque fois que j'ai besoin de lui il n'est pas là.

— Je ne pense pas qu'il pourrait te donner des idées, dit Joyce. Tu devrais plutôt en parler à George Harris et Mark Stevens, l'entrepreneur et l'architecte qui se sont chargés de la rénovation de cette maison ; je n'ai eu qu'à me louer de leurs services. Ils travaillent en équipe, et – une chance pour toi – leurs bureaux sont à Salem. A part ça, tu devrais aussi en parler à Brian.

— Cela va sans dire.

— Tu n'as qu'à appeler ton frère d'ici, proposa Joyce. Pendant ce temps, moi, j'irai te chercher le numéro de l'entrepreneur et de l'architecte.

Joyce s'extirpa de sa chaise longue et disparut. Kim sourit en posant le téléphone sur ses genoux. Sa mère ne cessait jamais de l'étonner : à une immobilité contemplative pouvait succéder brutalement l'agitation la plus frénétique. Mais Kim se rendait bien compte qu'en fait sa mère s'ennuyait. A la différence de bien des amies de son âge, elle ne s'était jamais engagée dans une activité de bénévole.

Kim jeta un coup d'œil à sa montre. Quelle heure pouvait-il être à Londres ? Aucune importance, de toute façon : son frère était insomniaque, travaillait la nuit et dormait de temps à autre le jour, comme un oiseau de nuit.

Brian répondit à la première sonnerie. Après les salutations d'usage, Kim lui exposa son projet. Brian se montra enthousiaste et l'encouragea à le mener à bien. Seule question : que comptait-elle faire du château et de tout son mobilier ?

— Je n'y touche pas, répondit Kim. On verra ça à ton retour.

— Parfait.

— Où est papa? demanda Kim.

— Au Ritz.

— Et Grace?

— Pourquoi poser la question? Ils seront de retour jeudi.

Tandis que Kim prenait congé de son frère, Joyce faisait son apparition, un bout de papier à la main. Kim raccrocha et composa aussitôt le numéro que lui dicta sa mère.

— Qui dois-je demander? dit-elle.

— Mark Stevens. Il attend ton appel. Je lui ai parlé pendant que tu étais au téléphone avec Brian.

Même si elle éprouvait un certain agacement devant l'importune sollicitude de sa mère, Kim choisit de ne rien dire. Joyce cherchait seulement à se rendre utile, mais Kim se rappelait encore l'époque où elle devait se battre pour l'empêcher de faire ses devoirs d'école.

La conversation avec Mark Stevens fut des plus brèves. Il proposa à Kim de la retrouver devant la propriété une demi-heure plus tard. Elle accepta.

— Si vraiment tu es décidée à rénover cette vieille maison, alors tu es entre de bonnes mains, lui dit sa mère lorsqu'elle eut raccroché.

Kim se leva.

— Il faut que j'y aille.

Kim avait de la peine à dissimuler son irritation, d'autant que lui revenait en mémoire cette autre intrusion de sa mère dans sa vie privée, quand celle-ci avait demandé à Stanton de lui trouver un amant après lui avoir appris sa rupture avec Kinnard.

— Je t'accompagne jusqu'à la porte, dit Joyce.

— Inutile, maman.

— Mais si, mais si.

Elles marchèrent quelques instants en silence dans le long couloir.

— Quand tu parleras à ton père du cottage, je te conseille de ne pas évoquer Elizabeth Stewart. Ça ne ferait que l'énerver.

— Pourquoi est-ce que ça l'énerverait?

— Ne te fâche pas. Je tiens seulement à ce que la paix règne dans la famille.

— Mais c'est ridicule, dit sèchement Kim. Je ne comprends pas.

— Tout ce que je sais, c'est qu'Elizabeth était issue d'une famille de paysans pauvres d'Andover, dit Joyce. Elle n'était même pas membre officiel de l'Église.

— Comme si ça avait la moindre importance, de nos jours! En fait, quelques mois après les procès, certains juges et certains membres du jury ont présenté publiquement des excuses parce qu'ils s'étaient rendu compte que des innocentes avaient été pendues. Et voilà que trois cents ans plus tard, nous, nous refusons même de parler de notre ancêtre. C'est complètement absurde! Et pourquoi son nom ne figure-t-il dans aucun livre?

— Sans doute parce que la famille ne voulait pas qu'il y figure. A mon avis, la famille devait la croire coupable. Voilà pourquoi il ne vaut mieux pas remuer cette vieille histoire.

— Tout ça c'est de la foutaise! lança Kim.

Elle monta en voiture et quitta Marblehead Neck. Arrivée à Marblehead proprement dit, elle se força à ralentir. A la fois furieuse et mal à l'aise, elle avait roulé vite sans s'en rendre compte.

Lorsqu'elle s'arrêta enfin devant la grille de la propriété, une Ford Bronco était déjà garée le long de la route. Deux hommes en descendirent : l'un était trapu, musclé comme un haltérophile, et l'autre, presque obèse, semblait fournir un tel effort pour s'extraire de la voiture qu'il en perdait la respiration.

Le gros homme fit les présentations : il se nommait Mark Stevens, et l'haltérophile, George Harris. Kim leur serra la main.

Elle ouvrit ensuite la grille et remonta en voiture. Quelques instants plus tard, ils se rangeaient devant la vieille maison.

— Elle est fabuleuse ! s'écria Mark Stevens, tétanisé par le spectacle qui s'offrait à lui.

— Elle vous plaît ? demanda Kim, visiblement ravie.

— Ah, je l'adore !

Ils commencèrent par en faire le tour pour examiner l'extérieur. Kim exposa son idée d'installer une nouvelle cuisine et une salle de bains dans la partie rapportée, de façon à ne pas toucher à la partie principale.

— Il faudra installer le chauffage et l'air conditionné, dit Stevens, mais ça ne devrait pas poser de problème.

Après quoi, ils pénétrèrent à l'intérieur, et Kim leur fit visiter les lieux, y compris la cave. Les deux hommes semblèrent particulièrement intéressés par la façon dont étaient jointes les poutres et les solives.

— Le gros œuvre est magnifique et très solide, dit Stevens.

— Il faudrait beaucoup de travail pour la rénover ? demanda Kim.

— Non, pas énormément.

Stevens regarda George Harris qui acquiesça.

— Ça va devenir un petit cottage absolument extraordinaire, dit Stevens. Je suis fasciné.

— Est-ce que ça peut se faire sans toucher au caractère historique de la maison ? demanda Kim.

— Parfaitement. On peut dissimuler toutes les adductions d'eau et l'installation électrique dans l'appentis et dans la cave. On ne verra rien.

— On creusera une tranchée pour l'alimentation en eau et en électricité, dit George Harris. Toute la tuyauterie arrivera sous les fondations, de manière à ne rien modifier. La seule chose que je recommanderais, c'est de couler une chape de béton.

— Les travaux pourraient être terminés pour le 1er septembre ? demanda Kim.

Stevens et Harris échangèrent un regard. George Harris opina du chef.

— J'ai une suggestion à vous faire, dit Stevens. D'accord

pour que la salle de bains principale soit située dans l'appentis, ça me paraît une bonne idée. Mais on pourrait aussi installer un petit cabinet de toilette à l'étage, entre les deux chambres, sans causer le moindre dommage. Je pense que ce serait pratique.

— Effectivement, dit Kim. Quand pourriez-vous commencer ?

— Tout de suite, dit George Harris. Parce que si nous voulons avoir fini pour le 1er septembre, il faut nous y mettre dès demain.

— Nous avons déjà beaucoup travaillé pour votre père, dit Stevens. Nous ferions ce chantier exactement comme les autres. Je vais vous envoyer un devis.

— J'ai déjà pris ma décision, dit Kim. Votre enthousiasme m'a convaincue. Que vous faut-il pour commencer ?

— Votre accord verbal nous suffit pour l'instant, dit Stevens. On vous enverra le contrat plus tard.

— Parfait, dit Kim en serrant la main des deux hommes.

— Nous allons devoir rester pour prendre les premières mesures, dit Stevens.

— Je vous en prie. Quant aux meubles et aux objets qui s'y trouvent, vous pouvez les entreposer dans le garage de la grande maison, là-bas, celle qui ressemble à un château. La porte du garage est ouverte.

— Et pour la grille ? demanda Harris.

— Je vais la laisser ouverte, dit Kim.

Tandis que les deux hommes commençaient à procéder aux mesures, Kim se promenait autour de la maison, songeant déjà à la décoration, à la couleur dont elle peindrait les chambres, etc. Mais rapidement, la présence d'Elizabeth s'imposa à elle. Qu'avait-elle éprouvé en découvrant cette maison et en s'y installant ? La même excitation ?

Kim retourna à l'intérieur et annonça aux deux hommes que s'ils avaient besoin d'elle ils la trouveraient au château.

— Pour l'instant, je crois que nous n'avons pas d'autres questions à vous poser, répondit Stevens, mais demain il faudra qu'on discute. Pouvez-vous me donner votre numéro de téléphone ?

Kim lui donna son numéro personnel et celui de l'hôpital. Puis elle remonta en voiture et gagna le château. Le fait d'avoir pensé à Elizabeth lui avait brusquement donné envie d'aller fouiller dans les papiers de famille.

Elle laissa la porte d'entrée entrouverte, au cas où Stevens et Harris auraient besoin de la voir, puis hésita sur la direction à prendre : la cave ou le grenier ? Se rappelant alors le bordereau d'expédition datant du XVIIe siècle qu'ils avaient trouvé dans la cave, elle opta pour cette dernière.

Alors qu'elle descendait les marches de pierre, la lourde porte en chêne se referma derrière elle.

Kim s'immobilisa. Se retrouver toute seule dans cette vieille maison immense, ce n'était pas la même chose que la visiter avec Edward. De lointains craquements : la chaleur du jour faisait travailler la charpente et les huisseries. Elle leva les yeux vers la porte, craignant, de façon parfaitement irrationnelle, que quelqu'un l'ait refermée intentionnellement derrière elle.

– Tu es ridicule ! lança Kim à haute voix.

Pourtant, elle ne parvenait pas à détacher ses yeux de la porte. Elle remonta les marches et l'ouvrit. A nouveau, celle-ci se referma toute seule.

Maudissant son imagination, Kim redescendit et s'enfonça dans les profondeurs de la cave en fredonnant un petit air. Mais sa légèreté n'était que de façade. L'énorme bâtisse semblait peser sur ses épaules, rendant sa respiration difficile.

S'efforçant de ne pas se laisser envahir par la panique, Kim pénétra dans la cellule où elle avait trouvé le bordereau du XVIIe siècle, et entreprit une fouille systématique du secrétaire.

Elle ne tarda pas à prendre la mesure des difficultés qui l'attendaient. Les malles et les secrétaires se comptaient par dizaines, et celui-ci, comme les autres, était littéralement bourré de documents de toutes sortes. La plupart de ces papiers étaient écrits à la main, et difficiles à déchiffrer. Sur d'autres, il était impossible de trouver la date. Et pour ne rien arranger, les lampes porte-flambeaux ne dispensaient qu'une lumière des plus insuffisantes. Kim décida d'amener une lampe puissante lors de ses prochaines visites.

Après avoir fouillé entièrement un tiroir, elle renonça. La plupart des documents dataient de la fin du XVIII⁰ siècle. Elle se mit alors à ouvrir des tiroirs au hasard, prenant les papiers qui lui tombaient sous la main. C'est dans le tiroir du haut d'un bureau qu'elle fit sa première découverte intéressante.

Son attention fut attirée d'abord par une pile de bordereaux d'expédition datant du XVII⁰ siècle, un peu plus anciens que celui qu'elle avait montré à Edward le samedi précédent. Puis elle en trouva un paquet attaché avec un élastique. Ils étaient tous manuscrits, mais d'une écriture déliée, élégante, facile à lire, et tous datés. La plupart avaient trait à des chargements de fourrures, de bois, de poisson, de rhum, de sucre et de céréales. Au milieu du paquet, elle découvrit une enveloppe adressée à Ronald Stewart, dont l'écriture était différente, grossière, maladroite.

Kim prit l'enveloppe et gagna le couloir, où la lumière était meilleure. La lettre, datée du 21 juin 1679, était difficile à lire.

Monsieur,

Cela faict plusieurs jours que vostre lettre est arrivée. J'ai eu de nombreux entretiens avec ma famille à propos de votre inclination pour notre bien-aimée fille Elizabeth. Si telle est la volonté de Dieu, je vous accorde sa main, sous condition que vous me procuriez du travail et fassiez venir ma famille dans la ville de Salem. Nostre vie est sans cesse menacée ici à Andover par le fait des attaques d'Indiens, et nous en concevons une grande inquiétude. Je suis et je demeure, monsieur, vostre très humble et très dévoué serviteur,

James Flanagan.

Lentement, Kim remit la lettre dans l'enveloppe. Sans être particulièrement féministe, elle se sentait comme offensée par les termes de cette lettre. Elizabeth avait fait l'objet d'une transaction. La compassion qu'elle éprouvait pour son aïeule s'en trouvait décuplée.

Retournant dans la cellule, Kim reprit ses investigations, sans se soucier du temps qui s'écoulait. Elle trouva de nouveaux bordereaux d'expédition datant de la même époque, mais point de correspondance personnelle. Mais alors qu'elle s'attaquait au deuxième tiroir, elle entendit le bruit caractéristique de pas au-dessus d'elle.

Kim se figea sur place. La peur qui s'était emparée d'elle au début revint avec force.

Les bruits de pas décrurent puis se mêlèrent aux craquements de la maison elle-même Kim hésitait entre deux attitudes : soit se dissimuler au milieu des bureaux et des secrétaires, soit fuir la cave. Elle fini par choisir la seconde solution et sortit avec précaution de la cellule. Un coup d'œil à droite et à gauche : le couloir et le bas de l'escalier. Personne. A ce moment-là, elle entendit s'ouvrir la porte de la cave.

Paralysée par la peur, Kim observa la lente descente des chaussures noires... l'apparition du pantalon... puis la silhouette qui s'immobilisa. Un visage à moitié éclairé.

— Kim ? lança Edward. Vous êtes là ?

Pour toute réponse, Kim laissa échapper un bruyant soupir : jusque-là elle avait retenu sa respiration. Les jambes tremblantes, elle s'appuya au mur et répondit à Edward.

— Vous m'avez fait peur, dit-elle lorsqu'il l'eut rejointe.

— Excusez-moi. Je n'en avais pas l'intention.

— Pourquoi n'avez-vous pas appelé avant ?

— Mais je l'ai fait. Plusieurs fois. D'abord quand j'ai franchi la porte d'entrée, et ensuite dans le salon. La cave doit être bien isolée.

— Oui, certainement. Mais à part ça... que faites-vous ici ? Je ne vous attendais pas.

— J'ai appelé chez vous, et votre amie Marsha m'a dit que vous étiez allée revoir la vieille maison parce que vous songiez à vous y installer. Alors sans réfléchir, comme ça, j'ai décidé de venir. Comme c'est moi qui vous avais donné cette idée, je me sentais un peu responsable.

— C'est bien aimable à vous, dit Kim dont le cœur n'avait pas encore retrouvé son rythme normal.

— Excusez-moi encore de vous avoir fait peur.

— Bah, ce n'est rien. C'est ma faute, je me laisse emporter par mon imagination. J'ai entendu le bruit de vos pas dans le salon, et j'ai cru que c'était un fantôme.

Edward fit alors une horrible grimace et leva les deux mains comme si elles étaient armées de griffes. Kim lui donna une bourrade sur l'épaule et lui dit qu'il n'était pas drôle.

Tous deux semblaient soulagés. La tension avait disparu.

— Alors, vous avez commencé vos recherches à propos d'Elizabeth Stewart, dit Edward. Vous avez trouvé quelque chose?

— Oui.

Kim alla récupérer dans le tiroir du secrétaire la lettre de James Flanagan, et la lui tendit.

Edward s'approcha d'une lampe pour la lire plus commodément.

— Des attaques d'Indiens à Andover! s'écria-t-il. Vous vous rendez compte? C'est tellement difficile à imaginer, pour nous.

Edward termina sa lecture et rendit la lettre à Kim.

— C'est fascinant.

— Il n'y a rien qui vous gêne, dans cette lettre? demanda-t-elle.

— Non, pas particulièrement. Pourquoi?

— Eh bien moi, si. Je trouve le sort d'Elizabeth doublement tragique. Non seulement elle a été pendue pour sorcellerie, mais son père la traitait comme un objet de marchandage. C'est déplorable.

— Je crois que vous tirez des conclusions un peu rapides, dit Edward. Le choix tel que nous le connaissons n'existait pas au XVIIe siècle. La vie était plus dure, plus précaire. Pour survivre, les gens devaient s'entraider. Les intérêts individuels ne constituaient pas une priorité.

— Ça ne justifie pas de disposer ainsi de la vie de sa fille, rétorqua Kim. On a l'impression que son père la considère comme une vache ou un quelconque bien meuble.

— Je trouve que vous exagérez, dit Edward. Ce n'est pas parce qu'un arrangement était conclu entre Ronald Stewart et James Flanagan qu'Elizabeth n'avait pas son mot à dire ni qu'elle n'avait pas envie d'épouser Ronald. En outre, elle devait éprouver une grande satisfaction à l'idée de contribuer ainsi au bien-être de sa famille.

— Oui, peut-être. L'ennui, c'est que je sais comment cela a fini pour elle.

— Vous n'avez pas encore la preuve qu'elle ait été vraiment pendue.

— C'est vrai, reconnut Kim, mais il y a dans cette lettre des éléments qui auraient pu servir à l'accusation de sorcellerie. D'après ce que j'ai lu, à l'époque puritaine on n'était pas censé changer de condition sociale, et les gens qui le faisaient quand même étaient immédiatement soupçonnés de s'opposer aux volontés de Dieu. Or, là, nous voyons qu'Elizabeth, fille d'un paysan pauvre, allait épouser un riche marchand.

— Être soupçonné et être accusé, ça n'est quand même pas la même chose, dit Edward. Et comme je n'ai trouvé son nom dans aucun des livres que j'ai lus sur la question, je continue à être méfiant.

— D'après ma mère, c'est la famille qui aurait fait en sorte que son nom ne soit mentionné nulle part. Selon elle, la famille l'aurait même crue coupable.

— Ça, c'est nouveau. Mais pas impossible. Au XVIIe siècle, les gens croyaient à la sorcellerie. Peut-être qu'Elizabeth la pratiquait.

— Attendez un instant! Vous pensez qu'Elizabeth aurait

pu être vraiment une sorcière? Ce qu'on pouvait lui reprocher, c'est d'avoir changé de condition, mais je suis persuadée qu'elle ne se considérait pas elle-même comme une sorcière.

— Mais peut-être pratiquait-elle la magie, dit Edward. A l'époque, il existait la magie blanche et la magie noire. La blanche était utilisée pour le bien, pour soigner un être humain ou un animal par exemple. La noire, elle, servait à faire le mal, c'était ça la sorcellerie. Je suis sûr que, suivant les lieux ou les époques, on devait considérer telle potion ou tel sortilège comme relevant de l'une ou de l'autre forme de magie.

— Vous avez peut-être raison, dit Kim. (Elle demeura un instant songeuse.) Et puis non! J'ai comme l'intuition que ça ne s'est pas passé comme ça. Quelque chose me dit qu'Elizabeth était parfaitement innocente, et que c'est un coup terrible du destin qui l'a précipitée dans cette tragédie. Ça a dû être horrible pour elle, et le fait que sa mémoire ait été à ce point salie rend les choses plus injustes encore. (Kim promena son regard autour d'elle.) Peut-être qu'on trouvera l'explication dans un de ces bureaux ou un de ces secrétaires.

— La découverte de cette lettre me paraît être de bon augure. S'il y en a une, il doit y en avoir d'autres. Et à mon avis, si vous devez trouver quelque chose, ce sera dans la correspondance personnelle.

— Si seulement tout était classé par ordre chronologique!

— Et pour la vieille maison? demanda Edward. Vous avez pris une décision?

— Oui. Venez, je vais vous expliquer.

Laissant la voiture d'Edward devant le château, ils utilisèrent celle de Kim pour se rendre au cottage. Là, Kim expliqua à son compagnon qu'elle avait adopté son idée, et que la cuisine et la salle de bains seraient installées dans l'appentis. Puis elle lui parla de l'ajout d'un cabinet de toilette entre les deux chambres de l'étage.

— Je crois que vous allez avoir une maison magnifique, dit Edward alors qu'ils ressortaient. Je suis jaloux!

— Je pense déjà à la décoration, dit Kim joyeusement. Je crois que je vais prendre un congé sans solde après mes vacances.

— Vous comptez tout faire toute seule?

— Oui.

— Félicitations. Moi, j'en serais incapable.

Ils remontèrent dans la voiture de Kim.

— En fait, ma vocation c'était d'être architecte d'intérieur, déclara Kim en contemplant la maison d'un air songeur.

— Non, sans blague!

— Une vocation ratée. Quand j'étais petite, surtout au lycée, j'étais passionnée par l'art. A l'époque, j'avais plus l'allure d'une artiste fantasque que d'une lycéenne bien intégrée à sa classe.

— Je dois dire que moi non plus je n'étais guère intégré.

Ils prirent le chemin du château.

— Pourquoi n'êtes-vous pas devenue architecte d'intérieur? demanda Edward.

— Mes parents m'en ont dissuadée. Surtout mon père.

— Je ne comprends pas. Vendredi soir, au dîner, vous m'avez dit que vous et votre père n'aviez jamais été très proches.

— Nous n'étions pas proches, mais il avait quand même beaucoup d'influence sur moi, dit Kim. Je pensais que c'était ma faute si nous étions aussi éloignés. J'ai donc fait beaucoup d'efforts pour lui plaire, au point même d'entreprendre des études d'infirmière. Il voulait que je devienne infirmière ou professeur, il trouvait ça « convenable ». Ce qui, apparemment, n'était pas le cas du métier d'architecte d'intérieur.

— Les pères peuvent avoir beaucoup d'influence sur leurs enfants. Moi aussi j'avais très envie de plaire au mien. Quand j'y repense, c'était un peu fou. J'aurais dû l'ignorer. Seulement, il se moquait de moi à cause de mon bégaiement et de ma gaucherie dans les sports de compétition. Je devais le décevoir.

Ils arrivèrent devant le château, et Kim se rangea le long

de la voiture d'Edward. Ce dernier s'apprêtait à descendre lorsqu'il se ravisa.

— Vous avez dîné ? demanda-t-il.

Elle secoua la tête en signe de dénégation.

— Moi non plus. On pourrait essayer de trouver un petit restaurant à Salem, qu'est-ce que vous en dites ?

— D'accord.

Ils roulèrent quelque temps sans rien dire, puis Kim finit par rompre le silence.

— Mon manque d'assurance avec mes camarades de lycée, je l'attribue à ma relation avec mes parents. C'est aussi votre cas ?

— Sans aucun doute.

— C'est quand même fondamental, l'estime de soi, dit Kim, et chez les enfants c'est très fragile.

— Même chez les adultes, renchérit Edward. Et le manque d'estime de soi affecte le comportement, ce qui n'arrange rien. Le problème, c'est que ce processus peut devenir fonctionnellement autonome et déterminé biologiquement. C'est à ça que servent les médicaments : à briser le cercle vicieux.

— Vous pensez encore au Prozac ? demanda Kim.

— Indirectement, oui. Parce que chez certains patients, le Prozac peut avoir un effet positif sur l'estime de soi.

— Vous auriez pris du Prozac, au lycée, si vous aviez pu en avoir ?

— Oui. J'aurais vécu les choses différemment.

Kim jeta un coup d'œil rapide à Edward. Elle avait le sentiment qu'il venait de lui faire une confidence.

— Vous n'êtes pas obligé de me répondre, dit-elle, mais... avez-vous déjà pris du Prozac ?

— Ça ne me gêne pas de vous répondre. J'en ai pris il y a quelques années. Mon père venait de mourir, et j'étais un peu déprimé. Étant donné ma relation avec lui, c'était une réaction assez inattendue. Un collègue m'a alors suggéré de prendre du Prozac, et c'est ce que j'ai fait.

— Ça a guéri votre dépression ?

— Oui. Pas tout de suite, mais au bout d'un certain temps. Le plus intéressant, c'est que ça m'a donné beaucoup d'assurance. Je ne m'y attendais pas, alors ça n'a pas pu être un effet placebo. Et ça m'a plu.

— Pas d'effets secondaires ?

— Si, quelques-uns. Mais rien de bien terrible, et, en tout cas, supportables par rapport à la dépression.

— Intéressant, dit Kim avec sincérité.

— J'espère ne pas avoir choqué votre puritanisme pharmacologique, dit Edward en souriant.

— Ne dites pas de bêtises. Au contraire, j'apprécie votre franchise. En outre, au nom de quoi est-ce que je vous jugerais ? Je n'ai jamais pris de Prozac, mais quand j'étais au lycée j'ai suivi une psychothérapie. Disons que ça nous place sur un pied d'égalité.

Edward se mit à rire.

— Vous avez raison. Ça prouve que nous sommes tous les deux fous !

Ils trouvèrent un petit restaurant où l'on servait du poisson frais, mais il y avait tant de monde qu'ils durent s'installer au bar, sur des tabourets. Ils mangèrent de l'aiglefin au four arrosé de bière glacée, et terminèrent par un pudding indien à l'ancienne avec de la glace.

Après l'atmosphère bruyante du restaurant, ils goûtèrent le silence de la voiture qui les ramenait à la propriété. Pourtant, alors qu'ils franchissaient le portail, Kim sentait bien la nervosité d'Edward, qui recoiffait sans cesse une mèche rebelle sur son front.

— Quelque chose ne va pas ? demanda-t-elle.

— Euh... n... non.

Kim se rangea à côté de la voiture d'Edward, tira le frein à main, et attendit, sans couper le contact. Visiblement, il avait quelque chose à lui annoncer. Il finit par se décider, en bégayant :

— Euh... ça vous dirait de passer chez moi... en rentrant en ville ?

Kim mesurait le courage qu'il lui avait fallu pour formuler une telle demande, et elle n'avait nulle envie de le blesser. Par ailleurs, la voix de la raison lui chuchotait que le lendemain matin, elle aurait besoin d'être bien réveillée pour ses patients.

— Excusez-moi, mais il est un peu tard. Je suis levée depuis six heures ce matin, je suis épuisée.

Puis, voulant alléger l'atmosphère, elle ajouta :

— En outre, demain c'est l'école, et je n'ai pas fini mes devoirs.

— On pourrait rentrer rapidement, insista Edward. Il n'est guère plus de neuf heures.

Kim se sentait mal à l'aise.

— J'ai l'impression que les choses vont un peu trop vite pour moi, dit-elle. J'ai passé de très bons moments avec vous, mais je crois qu'il ne faut rien brusquer.

— Bien sûr... bien sûr. Moi aussi j'ai passé de bons moments avec vous.

— Je me sens bien avec vous, vous savez, dit Kim, et si ça correspond à votre emploi du temps, sachez que cette semaine je suis libre vendredi et samedi.

— On pourrait dîner ensemble jeudi soir, proposa Edward. Le lendemain, il n'y a pas école.

— Avec plaisir, répondit Kim en riant. Et je ferai en sorte d'avoir terminé tous mes devoirs.

4

Vendredi 22 juillet 1994

Kim ouvrit les yeux. Au début, elle se sentit désorientée. Où se trouvait-elle? Des volets inconnus diffractaient la lumière du matin. Tournant alors la tête, elle aperçut Edward qui dormait à côté d'elle, et tout lui revint en un éclair.

Kim ramena le drap autour de son cou. Elle ne se sentait pas à sa place dans ce lit. « Espèce d'hypocrite », se dit-elle. Elle se rappelait encore avoir dit à Edward, quelques jours auparavant, ne pas vouloir précipiter les choses, et elle se retrouvait là, nue, à ses côtés. Jamais une relation amoureuse ne s'était nouée aussi rapidement.

Kim voulut alors se glisser hors du lit sans le réveiller, mais le petit terrier d'Edward, un Jack Russell blanc, plutôt hargneux, gronda en lui montrant les dents.

Edward s'assit dans le lit et le chien s'éloigna. Avec un gros soupir, il retomba sur l'oreiller.

— Quelle heure est-il? demanda-t-il en fermant les yeux.

— Un peu plus de six heures, répondit Kim.

— Comment ça se fait que tu sois réveillée si tôt?

— J'ai l'habitude. C'est l'heure à laquelle je me lève, tous les jours.

— Mais il était près d'une heure quand on s'est couchés.

— Peu importe. Excuse-moi, je n'aurais pas dû rester.

Edward ouvrit les yeux et regarda Kim.

— Tu te sens mal à l'aise?

Kim hocha la tête.

— Excuse-moi, dit Edward. Je n'aurais pas dû t'entraîner là-dedans.

— Ce n'est pas ta faute.

— Mais tu n'avais pas envie de rester. Donc c'était ma faute.

L'espace d'un instant ils échangèrent un regard, puis sourirent.

— On se répète, dit Kim en étouffant un rire. Nous voilà encore à faire assaut d'excuses!

— Ce serait drôle si ce n'était pas aussi pitoyable, dit Edward. Quand même... on aurait pu faire des progrès!

Ils s'étreignirent un long moment, sans un mot, puis Edward rompit le silence:

— Tu te sens toujours mal à l'aise?

— Non. Parfois, le simple fait de parler, ça aide.

Un peu plus tard, alors qu'Edward prenait sa douche, Kim appela sa colocataire, Marsha, qui lui reprocha gentiment de ne pas l'avoir prévenue de son absence.

— C'est vrai, j'aurais dû appeler, reconnut Kim.

— J'imagine que tu as passé une bonne soirée, dit Marsha d'un air faussement ingénu.

— Oui, très bonne. Simplement, ça s'est terminé tard et j'avais peur de te réveiller.

— Oui, bien sûr, dit Marsha d'un ton sarcastique.

— Tu veux bien donner là manger à Sheba? fit alors Kim, visiblement désireuse de changer de sujet.

— Ton chat a déjà mangé. A part ça, ton père a appelé hier soir. Il veut que tu le rappelles quand tu pourras.

— Mon père? s'exclama Kim. Mais il n'appelle jamais!

— Je sais bien. Ça fait des années que je partage cet appartement avec toi, et c'est la première fois que je l'ai au téléphone.

Une fois sorti de sa douche, Edward, à la grande surprise de Kim qui le croyait prêt à se rendre directement à son laboratoire, proposa d'aller prendre le petit déjeuner sur Harvard Square.

— J'ai deux heures d'avance, expliqua Edward. Le labo peut attendre. Et puis, ç'a été la plus belle soirée de l'année, je n'ai pas envie de la voir se terminer tout de suite.

Souriante, Kim passa les mains autour du cou d'Edward et l'attira contre elle, en se haussant sur la pointe des pieds.

Ils prirent la voiture de Kim, car elle était mal garée. Edward la conduisit ensuite dans une gargote pour étudiants où ils se régalèrent d'œufs brouillés au bacon et de café.

— Qu'est-ce que tu comptes faire, aujourd'hui ? demanda Edward d'une voix forte, pour couvrir le brouhaha ambiant.

— Je vais à Salem. Ils ont commencé les travaux au cottage, et je veux voir comment ça se passe.

— Quand penses-tu revenir ?

— En début de soirée, répondit Kim.

— Tu veux qu'on se retrouve au Harvest Bar, vers huit heures ?

— Entendu.

Après le petit déjeuner, Edward demanda à Kim de le déposer au laboratoire de biologie de Harvard.

— Tu ne veux pas que je te ramène chez toi, pour que tu puisses prendre ta voiture ?

— Non, merci. Je ne saurais pas où me garer, ici, sur le campus principal. Pour aller au travail, je prendrai la navette. Je le fais souvent. C'est un des avantages d'habiter tout près de la place.

Après que Kim l'eut déposé au coin de Kirkland Street et de Divinity Avenue, Edward agita la main jusqu'à ce qu'elle ait disparu. Il était amoureux, et ce sentiment l'envahissait tout entier. Il avait envie de chanter. Kim éprouvait sûrement un peu d'affection pour lui. Pourvu que ça dure, se dit-il. Et puis, songeant aux fleurs qu'il lui envoyait tous les jours, il se demanda s'il n'en faisait pas trop. Il n'avait guère d'expérience dans ce domaine.

En arrivant au laboratoire de biologie, Edward jeta un

coup d'œil à sa montre : il n'était pas encore huit heures. Il allait devoir attendre Kevin Scranton. Ses craintes se révélèrent infondées : Kevin se trouvait déjà là.

— Content de te voir, dit Kevin. Je voulais t'appeler aujourd'hui.

— Tu as trouvé des *claviceps purpurea*?

— Non, pas de *claviceps*.

— Oh, flûte! s'écria Edward en se laissant tomber sur une chaise.

— N'aie pas l'air si consterné. Il n'y avait pas de *claviceps*, mais il y avait plein d'autres moisissures. L'une d'elles ressemble morphologiquement au *claviceps purpurea*, mais c'est une espèce inconnue.

— Non, sans blague! dit Edward, dont le visage s'éclaira.

— Ce n'est pas si surprenant, expliqua Kevin. (Edward se rembrunit.) On connaît environ cinquante mille espèces de champignons, mais on pense qu'en fait il en existe entre cent mille et deux cent cinquante mille.

— Ce serait donc une découverte de première importance, dit Edward ironiquement.

— Je ne porte pas de jugement de valeur, mais c'est une moisissure qui pourrait t'intéresser. Elle est de l'ordre des ascomycètes, comme les *claviceps purpurea*, et elle forme des indurations. Exactement comme les *claviceps*.

Kevin se pencha alors et déposa dans la paume tendue d'Edward des petits grains sombres.

— Explique-moi ce que sont ces indurations, fit Edward.

— Ce sont des spores de certains champignons. Mais ce ne sont pas de simples spores unicellulaires, parce que les indurations sont multicellulaires et contiennent des filaments fongueux, ou hyphes, ainsi que des réserves de nourriture.

— Pourquoi est-ce que ce serait censé m'intéresser? demanda Edward en reniflant l'une de ces graines minuscules et dépourvues d'odeur.

— Parce que c'est dans les indurations du *claviceps* que se trouvent les alcaloïdes bioactifs provoquant l'ergotisme.

112

— Houah! s'écria Edward en examinant avec plus d'intérêt les minuscules corps durs entre ses doigts. Est-ce qu'il y a une chance de trouver dans ces petits machins les mêmes alcaloïdes que dans les *claviceps?*

— Bonne question. A mon avis, oui. Il y a peu de champignons qui produisent des indurations. Visiblement, cette nouvelle espèce est d'une façon ou d'une autre reliée aux *claviceps purpurea.*

— Pourquoi on n'essaye pas? dit Edward.

— Qu'est-ce que tu veux dire? demanda Kevin d'un air soupçonneux.

— On pourrait préparer une petite mixture à partir de ces champignons et la goûter.

— Tu plaisantes, j'espère.

— Mais pas du tout, rétorqua Edward. J'aimerais bien savoir si cette nouvelle moisissure possède un alcaloïde doué d'un effet hallucinogène, et le meilleur moyen de le savoir, c'est d'essayer.

— Mais tu es complètement fou! s'exclama Kevin. Les mycotoxines peuvent être extrêmement virulentes, il n'y a qu'à voir le nombre de gens qui ont souffert d'ergotisme! La science en découvre sans cesse de nouvelles. Tu prendrais un risque effroyable.

— Où est passé ton goût de l'aventure? demanda Edward d'un air taquin. (Il se leva.) Est-ce que je peux utiliser ton laboratoire pour cette petite expérience?

— Je n'ai pas très envie de participer à cette histoire. Mais enfin... tu es vraiment sérieux?

— Tout à fait.

Kevin conduisit alors Edward à son laboratoire et lui demanda ce dont il avait besoin. Edward réclama un mortier et un pilon, de l'eau distillée, un acide faible pour précipiter l'alcaloïde, un papier-filtre, une petite fiole et une pipette millimétrée.

— C'est de la folie, répéta Kevin en rassemblant le matériel.

Edward commença par pulvériser les quelques indurations et, après extraction de la pulpe avec de l'eau distillée, obtint avec un acide faible une minuscule quantité de précipité blanc dont il isola quelques grains à l'aide du papier-filtre. Kevin, lui, observait toute cette préparation avec un mélange d'admiration et d'incrédulité.

— Ne me dis pas que tu vas avaler ça! dit-il, inquiet.

— Allez, je ne suis pas idiot!

— On s'y tromperait!

— Écoute, dit Edward, ce que je recherche, c'est un effet hallucinogène. Si ce produit possède un tel effet, ce sera à dose infinitésimale. Je ne compte en prendre que moins d'un microgramme.

Edward plongea une spatule dans le précipité et l'introduisit ensuite dans un litre d'eau distillée. Puis il agita vigoureusement la fiole.

— On pourrait triturer ce machin pendant six mois sans arriver à savoir s'il a des effets hallucinogènes, dit-il. De toute façon, à la fin, il faudrait faire des essais sur le cerveau humain. Alors comme le mien est disponible... Quand il s'agit de science, moi je suis un homme d'action.

— Tu as pensé à une possible toxicité rénale?

Edward leva les yeux au ciel.

— Mais c'est impossible! La substance la plus toxique que nous connaissions est la toxine du botulisme, et son seuil de toxicité est dix fois plus élevé que ce que je compte prendre. En outre, non seulement on est au microgramme avec cette substance inconnue, mais c'est un véritable cocktail, de sorte que la concentration du produit éventuellement toxique sera encore plus basse.

Edward demanda alors à Kevin de lui passer la pipette millimétrée, ce que ce dernier fit à contrecœur.

— Tu es sûr que tu ne veux pas faire toi aussi l'expérience? demanda Edward. Tu es peut-être en train de rater une expérience scientifique de première importance.

Et, en riant, il se mit à remplir la pipette.

– Non, merci bien. Mes cellules rénales et moi, on s'entend plutôt bien : inutile de se chamailler.

– A ta santé! lança alors Edward en déposant sur sa langue un millilitre de produit.

Puis il prit une gorgée d'eau, se rinça la bouche et avala.

– Alors? demanda Kevin d'un air inquiet, après quelques instants de silence.

– Un tout petit peu amer, répondit Edward en ouvrant et en fermant plusieurs fois la bouche, comme pour mieux savourer.

– Rien d'autre?

– Si, je commence à avoir la tête qui tourne.

– Je dirais qu'elle te tournait même avant de commencer, rétorqua Kevin.

– Je reconnais que cette petite expérience manque de rigueur scientifique, dit Edward en pouffant. Tout ce que je ressens pourrait provenir d'un effet placebo.

– Je n'aurais pas dû participer à cette histoire. Je tiens absolument à ce que cet après-midi tu ailles faire une analyse d'urine.

– Houuuu-aaa! dit soudain Edward. Il se passe quelque chose!

– Mon Dieu! Qu'est-ce qu'il y a?

– Je vois des couleurs qui tournent comme dans un kaléidoscope.

– Et allez donc!

Edward, le visage extatique, semblait en transe. Kevin le considéra avec inquiétude.

– Et maintenant j'entends des sons, comme s'ils venaient d'un synthétiseur. J'ai aussi la bouche un peu sèche. Et puis autre chose : j'éprouve une paresthésie dans les bras, comme si on me mordait ou qu'on me pinçait légèrement. Très étrange.

– Tu veux que j'appelle quelqu'un?

Edward s'avança alors et saisit Kevin par le bras avec une force surprenante.

– J'ai l'impression que la pièce est en train de bouger. J'éprouve aussi une légère sensation d'étouffement.

– Je vais demander de l'aide, lança Kevin, de plus en plus inquiet.

Il lorgna le téléphone, mais Edward resserra son étreinte.

– Ça va, ça va. Les couleurs sont en train de disparaître. Ça passe.

Edward ferma les yeux mais ne bougea pas et ne desserra nullement son étreinte.

Il finit pourtant par ouvrir les yeux et laissa échapper un soupir.

– Ouah !

Il se rendit compte alors qu'il tenait toujours fermement le bras de Kevin, et le lâcha. Puis il inspira profondément et rajusta sa veste.

– Je crois qu'on a notre réponse.

– C'était complètement idiot ! lança Kevin. Tes bouffonneries m'ont fait une de ces peurs ! J'étais près d'appeler les urgences.

– Calme-toi, dit Edward. Ce n'était pas si terrible que ça. Tu ne vas quand même pas faire toute une histoire pour une réaction psychédélique qui a duré une minute.

Kevin lui montra l'horloge murale.

– Comment ça, une minute ? Ça a bien duré vingt minutes, oui !

Edward regard l'horloge.

– Comme c'est curieux ! Ça a même modifié ma perception du temps.

– Comment te sens-tu ?

– Très bien ! Je dirais même, merveilleusement bien ! Je me sens... plein d'énergie, comme si je venais de me reposer. Et aussi clairvoyant, l'esprit particulièrement aiguisé. Je me sens même un petit peu euphorique, mais c'est peut-être parce que nous savons maintenant que ce nouveau champignon possède des effets hallucinogènes.

– Pourquoi « nous » ? demanda Kevin. C'est toi qui as

acquis cette certitude, pas moi. Je refuse d'endosser la moindre responsabilité dans cette folie.

— Je me demande si les alcaloïdes sont les mêmes que ceux du *clavicepts*. Je n'ai pas éprouvé le moindre signe de réduction de la circulation vasculaire périphérique, ce qui est un symptôme fréquent dans l'ergotisme.

— Au moins, promets-moi que tu te feras faire une analyse d'urine et une créatinine cet après-midi. Tu n'es peut-être pas inquiet, mais moi si.

— Si ça peu te rassurer, d'accord. En attendant, je voudrais avoir d'autres indurations. C'est possible?

— C'est possible, maintenant que nous avons trouvé le moyen de cultiver ce champignon, mais je ne peux pas t'en promettre beaucoup. Il n'est pas toujours facile d'amener le champignon à en produire.

— Eh bien, fais au mieux. N'oublie pas qu'on va en tirer une jolie petite communication scientifique.

Edward traversa rapidement le campus pour prendre la navette qui devait le conduire à la faculté de médecine. Il avait hâte de révéler à Kim que la théorie attribuant à un empoisonnement toute l'affaire des sorcières de Salem venait d'être vérifiée expérimentalement.

Curieuse de savoir pourquoi son père l'avait appelée, Kim fit le détour par Marblehead avant de se rendre à Salem. Il était encore tôt, et elle était persuadée que son père n'était pas encore parti à son bureau, à Boston.

Comme elle s'y attendait, elle le trouva à la cuisine, devant son café et les journaux du matin. John Stewart était un homme de haute taille, qui passait pour avoir été un véritable athlète lors de ses années d'université à Harvard. Son large visage était surmonté d'une crinière de cheveux autrefois aussi sombres et brillants que ceux de Kim. Avec le temps, ils avaient pris une teinte gris acier qui lui donnait l'allure typique des pères de famille de feuilleton télévisé.

— Bonjour, Kimmy, dit John sans lever les yeux de son journal.

Kim se dirigea vers le percolateur et se fit chauffer du lait pour un cappuccino.

— Ta voiture marche bien ? demanda-t-il en tournant bruyamment une page de son journal. J'espère que tu la fais entretenir régulièrement, comme je te l'ai conseillé.

Kim ne répondit pas. Elle avait l'habitude que son père la traite comme une petite fille, mais cela ne laissait pas de l'agacer.

— On m'a dit que tu avais appelé chez moi hier soir, dit-elle en s'asseyant près de la fenêtre donnant sur la mer.

John Stewart baissa son journal.

— Oui. Joyce m'a dit que tu t'intéressais à Elizabeth Stewart. Ça m'a étonné. Je t'ai appelée pour savoir pourquoi tu ennuyais ta mère avec ça.

— Je ne cherchais pas à l'ennuyer, répliqua Kim. Je voulais seulement obtenir des informations à son sujet. Par exemple, si elle avait été vraiment pendue pour sorcellerie, ou si ce n'était qu'une rumeur.

— Oui, elle a bien été pendue. Je peux te l'assurer. Je peux aussi te dire que la famille a fait tout ce qu'elle a pu pour enterrer cette histoire. Voilà pourquoi, de ton côté, il serait mieux que tu laisses tomber.

— Mais pourquoi un tel secret alors que ça s'est passé il y a trois cents ans ? C'est complètement absurde.

— Peu importe que tu trouves ça absurde. A l'époque, ç'a été une humiliation, et ça demeure une humiliation.

— Tu veux dire que toi aussi, papa, tu ressens ça comme une humiliation ?

— Euh... non, pas particulièrement, reconnut John. C'est ta mère. Ça la tracasse, alors il vaudrait mieux que tu ne perdes pas ton temps. Inutile d'ajouter à son fardeau.

Kim se mordit les lèvres pour ne pas lancer une réflexion cinglante à son père. Puis elle lui annonça que non seulement elle s'intéressait à Elizabeth, mais qu'elle éprouvait à son égard une sorte de compassion.

— Mais enfin pourquoi? demanda son père avec agacement.

— D'abord parce que j'ai trouvé son portrait enfoui dans la cave de papy. Elle avait les mêmes yeux que moi. Et puis je me suis rappelé ce qui lui est arrivé. Elle n'avait certainement pas mérité d'être pendue. Difficile de ne pas éprouver de la compassion pour elle, tu ne trouves pas?

— Je connaissais l'existence de ce portrait, dit John. Mais que faisais-tu dans cette cave?

— Rien de particulier. J'étais allée jeter un œil. Mais c'était une curieuse coïncidence de trouver ce tableau, parce que récemment j'ai lu un certain nombre de livres à propos des sorcières de Salem. C'est comme ça que j'ai appris que, peu de temps après les procès, des juges et des jurés avaient reconnu s'être trompés. Même à l'époque, on avait compris que des innocentes avaient été exécutées.

— Tout le monde n'était pas innocent, rétorqua John Stewart.

— Maman a insinué la même chose. Qu'est-ce qui te fait dire qu'Elizabeth aurait pu être coupable?

— Là, tu me pousses dans mes derniers retranchements, dit John. Je ne sais rien de particulier, mais mon père m'a dit que ça avait à voir avec l'occultisme.

— Quoi, par exemple? insista Kim.

— Je t'ai déjà dit que je n'en savais rien! lança John avec colère. Ça suffit comme ça, les questions!

« Et maintenant, monte dans ta chambre », ajouta silencieusement Kim. Quand donc son père admettrait-il qu'elle était à présent une adulte, et qu'il convenait de la traiter comme telle?

— Écoute, Kimmy, ajouta John d'un ton plus conciliant, plus paternaliste, si j'ai un conseil à te donner, c'est de ne pas remuer le passé. Ça ne peut que te causer des ennuis.

— Avec tout le respect que je te dois, papa, est-ce que tu pourrais m'expliquer en quoi ça pourrait me créer des ennuis?

John se mit à bégayer.

— Laisse-moi te dire ce que je pense, moi, le coupa Kim. Je crois que l'affaire d'Elizabeth a pu représenter une humiliation à l'époque des faits. Elle a même pu constituer une menace pour les affaires de Ronald, son mari, puisque c'est lui, ne l'oublions pas, qui a fondé la Maritime Limited, à l'origine de la fortune familiale, y compris de la nôtre. Mais qu'avec le temps on considère encore cette affaire comme une honte, voilà qui est absurde et qui est en plus une insulte à sa mémoire. Après tout, c'est notre ancêtre ; sans elle, nous ne serions pas là. Rien que pour ça, je trouve ahurissant que personne, depuis le temps, n'ait remis en cause cette attitude ridicule.

— Si tu n'arrives pas à le comprendre de ton seul point de vue égoïste, répliqua son père avec irritation, alors au moins pense à ta mère. Joyce se sent blessée par cette histoire, peu importe pourquoi. C'est comme ça, voilà tout. S'il ne te fallait qu'une seule raison pour ne pas remuer l'histoire d'Elizabeth, eh bien la voilà ! Cesse de harceler ta mère avec ça !

Kim avala une gorgée de cappuccino froid. Inutile de continuer à discuter avec son père. De toute façon, ça n'avait jamais mené à rien. Ils ne communiquaient que pour lui expliquer ce qu'il fallait faire. Il avait toujours confondu le rôle de père avec celui de pédagogue.

— Maman m'a aussi dit que tu avais un projet pour le cottage, dit alors son père, croyant voir dans un silence de Kim un retour à la raison. Qu'en est-il exactement ?

Kim lui annonça alors sa décision de rénover la vieille maison et d'aller s'y installer. Tandis qu'elle parlait, John se remit à jeter des coups d'œil à son journal. Lorsqu'elle eut terminé, sa seule question eut trait au château et aux affaires que son père y avait laissées.

— Je ne toucherai pas au château avant le retour de Brian, répondit Kim.

— Parfait, dit son père en reprenant ouvertement son *Wall Street Journal*.

— Où est maman ?

— En haut. Elle ne se sent pas bien et ne veut voir personne.

Quelques instants plus tard, Kim quittait la maison avec un mélange de tristesse, de pitié et de colère. En montant en voiture, elle se dit qu'elle haïssait le couple que formaient ses parents, et que jamais elle ne se laisserait piéger dans une telle situation.

Arrivée à Salem, elle se rendit directement au Peabody-Essex Institute, une association culturelle et historique logée dans un ensemble de bâtiments anciens, en plein centre de la ville. On y trouvait, entre autres choses, un grand nombre de documents relatifs à Salem et à sa région, notamment à tout ce qui touchait aux procès pour sorcellerie. La bibliothèque se trouvait dans un édifice datant du début du XIXe siècle, avec des plafonds hauts, des moulures et des boiseries en chêne sombre. Dans la grande salle silencieuse, des cheminées en marbre, des chandeliers, des tables en chêne patinées par le temps et des fauteuils en bois ; il y flottait une odeur de vieux livres.

La bibliothécaire, Grace Meehan, une femme âgée aux cheveux gris et au visage avenant, s'offrit immédiatement à aider Kim dans ses recherches. Elle lui montra comment trouver les différents documents relatifs aux procès de Salem, actes d'accusation, plaintes, mandats d'arrêt, dépositions, témoignages, procès-verbaux des audiences préliminaires, mandats de dépôt et ordres d'exécution, tous répertoriés soigneusement sur des fiches en carton à l'ancienne.

Kim se sentit encouragée par l'énorme quantité de documents disponibles. Cela expliquait le nombre de livres parus sur les sorcières de Salem. Cet institut était un véritable paradis pour les chercheurs.

Dès le départ de la bibliothécaire, Kim s'attaqua au catalogue. Elizabeth Stewart devait bien y figurer d'une manière ou d'une autre. Mais elle dut s'avouer rapidement vaincue. Nulle trace d'Elizabeth, ni d'aucun autre Stewart d'ailleurs.

Elle retourna donc voir la bibliothécaire.

— Ce nom ne m'est pas familier, répondit Mme Meehan. En quoi est-elle liée à l'affaire des sorcières de Salem ?

— On m'a dit qu'elle avait été jugée et pendue.

— Impossible, répondit sans hésiter la bibliothécaire. On peut dire que je connais parfaitement les documents relatifs aux procès, et je n'ai jamais vu apparaître le nom d'Elizabeth Stewart, ni comme témoin ni comme condamnée. Celles-ci étaient au nombre de vingt. Qui vous a dit qu'elle avait été accusée de sorcellerie ?

— C'est une histoire plutôt longue, répondit évasivement Kim.

— Eh bien en tout cas, ce n'était pas vrai. Il y a eu trop de recherches qui ont été faites sur ce sujet pour que le nom d'une seule victime ait pu échapper.

— Je vois.

Préférant ne pas polémiquer, Kim s'en retourna à la salle des fichiers.

Délaissant les documents relatifs aux procès, elle consulta le fichier généalogique des familles du comté de l'Essex. Cette fois, Kim trouva un grand nombre d'informations relatives aux Stewart, puisque à elle seule sa famille remplissait presque un tiroir entier du fichier.

Après une demi-heure de recherches, Kim trouva une brève référence à Elizabeth. Fille de James et Elisha Flanagan, elle était née le 4 mai 1665, et décédée le 19 juillet 1692. Aucune cause de décès n'était mentionnée. Un rapide calcul mental, et Kim s'aperçut que l'épouse de Ronald Stewart était morte à l'âge de vingt-sept ans !

Kim leva les yeux et laissa son regard errer par la fenêtre. Elle avait la chair de poule. Kim elle-même avait vingt-sept ans, et son anniversaire avait lieu en mai. Non pas le 4, mais le 6, tout proche de celui d'Elizabeth. Se rappelant alors leur ressemblance physique, et sa décision d'emménager dans la maison où Elizabeth avait vécu, Kim commença à se demander s'il s'agissait vraiment de coïncidences. N'y avait-il pas un sens à tout cela ?

Grace Meehan, la bibliothécaire, vint l'interrompre dans ses réflexions.

– Tenez, j'ai photocopié pour vous la liste des personnes qui ont été pendues pour sorcellerie. Y figurent aussi la date de leur exécution, avec le jour de la semaine, leur lieu de résidence, leur âge, et, le cas échéant, leur appartenance religieuse. Comme vous le voyez, la liste est très complète, et aucune Elizabeth Stewart n'y figure.

Kim remercia la bibliothécaire et prit la feuille qu'elle lui tendait. Après le départ de la vieille dame, elle jeta un coup d'œil à la liste, et son regard fut attiré par une date : mardi 19 juillet 1692. Cinq personnes avaient été pendues ce jour-là, qui était aussi le jour de la mort d'Elizabeth. Cela n'était pas forcément concluant, mais la coïncidence était troublante.

Mue par une soudaine intuition, Kim se rappela alors que le 19 juillet précédent était également un mardi, ce qui voulait dire que le calendrier était le même en 1692 et en 1994. Fallait-il y voir une nouvelle coïncidence ?

Kim revint au fichier généalogique et obtint un recueil dans lequel était consignée l'histoire de sa famille, au moins à ses débuts. Elle apprit ainsi qu'Elizabeth n'avait pas été la première femme de Ronald Stewart, et que celui-ci avait épousé en premières noces, en 1677, une certaine Hannah Hutchinson, dont il avait eu une fille, Joanna, née en 1678. Hannah était morte en janvier 1679, sans que soit signalée la cause de sa mort. Ronald, alors âgé de trente-neuf ans, épousa en 1682 Elizabeth Flanagan, dont il eut une fille, Sarah, née en 1682, et deux garçons, Jonathan et Daniel, nés respectivement en 1683 et 1689. En troisièmes noces, Ronald Stewart épousa en 1692 la jeune sœur d'Elizabeth, Rebecca Flanagan, dont il eut une fille, Rachel, née en 1693.

Kim reposa sur la table le recueil de documents et, une fois encore, laissa son regard errer dans le vide. Un doute commençait à s'insinuer dans son esprit. Ainsi, trois ans après la mort de sa première femme Hannah, Ronald avait épousé Elizabeth, puis, l'année même de la mort de cette dernière, sa sœur!

Kim éprouvait un certain malaise. Connaissant le caractère volage de son père, elle se demandait si Ronald n'avait pas agi comme lui, avec des conséquences plus désastreuses encore. Ronald n'aurait-il pas pu avoir une aventure avec Elizabeth alors qu'il était encore marié à Hannah, et une aventure avec Rebecca du vivant d'Elizabeth? Hannah était-elle morte dans des circonstances aussi troubles que celles qui avaient entouré la mort d'Elizabeth?

Mais Kim finit par chasser ces pensées de son esprit. Tout cela était ridicule. Elle avait dû regarder trop de feuilletons à la télévision!

En poursuivant son examen de l'arbre généalogique, Kim fit deux découvertes supplémentaires. D'abord, qu'à travers leur fils Jonathan, elle descendait bien de Ronald et Elizabeth Stewart. Ensuite, que le nom d'Elizabeth n'avait jamais réapparu dans la famille depuis trois cents ans. Cela ne pouvait en aucun cas être le fait du hasard. Qu'avait donc fait Elizabeth pour qu'un tel opprobre s'attache ainsi à elle?

Kim décida alors de se rendre au tribunal du comté, qui se trouvait dans Federal Street, non loin de la Maison de la Sorcière. C'était un bâtiment néoclassique d'aspect sévère, avec un fronton massif et de grosses colonnes doriques. Une fois à l'intérieur, elle demanda le service des archives.

A supposer que ce service existe, il n'était pas sûr que l'on y conserve des archives aussi anciennes, ni que le public puisse les consulter. Pourtant, dirigée vers le guichet demandé, elle se retrouva face à une femme d'âge indéterminé, somnolente, qui ne manifesta aucune surprise lorsque Kim voulut voir les documents judiciaires relatifs au dénommé Ronald Stewart, né en 1653.

L'employée pianota sur un terminal d'ordinateur, observa son écran quelques instants, puis se leva sans un mot et quitta la pièce. Kim se dit que tant de chercheurs avaient dû défiler à ce guichet pour demander ces documents que les employés devaient être à présent blasés.

Kim consulta sa montre : déjà dix heures et demie, et elle ne s'était pas encore rendue à la propriété.

La femme réapparut bientôt avec un dossier cartonné de couleur brune et le tendit à Kim.

– Vous ne pouvez pas l'emporter. (Du doigt, elle indiqua des tables en Formica et des fauteuils en plastique moulé.) Vous pouvez vous asseoir là si vous voulez.

Kim s'installa à une table et ouvrit le dossier. Il y avait un grand nombre de documents, tous rédigés à la main, mais d'une écriture élégante et relativement facile à lire.

De prime abord, il lui sembla ne découvrir que des actes relatifs aux poursuites engagées par Ronald contre ses débiteurs. Puis son attention fut attirée par une décision de justice relative à un testament.

Kim en prit connaissance avec la plus grande attention. Il s'agissait d'une décision du tribunal en faveur de Ronald, à propos d'un testament dont la validité était contestée par un certain Jacob Cheever, fils d'un premier mariage d'Hannah. (Kim apprit ainsi en passant qu'Hannah était bien plus âgée que Ronald.) Jacob Cheever accusait Ronald d'avoir contraint sa mère à modifier son testament, le privant ainsi de sa part légitime d'héritage. Apparemment, le tribunal en avait jugé autrement, et Ronald Stewart avait hérité de plusieurs milliers de livres, somme considérable à l'époque.

Kim s'émerveilla de ce que la vie au XVIIᵉ siècle ne fût pas différente de celle d'aujourd'hui. Elle pensait qu'au moins du point de vue du droit, les choses étaient plus simples en ce temps-là. La seule lecture de cette décision de justice lui prouvait qu'elle s'était trompée. En revanche, ses inquiétudes touchant au caractère de Ronald n'en furent qu'avivées.

Le document suivant était encore plus curieux. Il s'agissait d'un contrat en date du 11 février 1681, entre Ronald Stewart et Elizabeth Flanagan, dressé et signé avant leur mariage. Mais il ne s'agissait à proprement parler ni d'argent ni de biens mobiliers ou immobiliers. D'après ce contrat, en effet, Elizabeth recevait le droit, après son mariage, de posséder

125

des biens et de passer des contrats en son nom propre. Au bas du document, Ronald lui-même avait ajouté une explication, car Kim reconnut aussitôt l'élégante écriture qu'elle avait vue sur les documents comptables dénichés dans la cave du château. Ronald écrivait : « Au cas où mes activités de négociant me tiendraient de façon prolongée éloigné de la ville de Salem et la Maritime Limited, mon intention est que ma bien-aimée épouse Elizabeth Flanagan puisse administrer en toute légalité nos affaires communes. »

Kim dut relire le document dans son ensemble pour s'assurer qu'elle l'avait bien compris. Elle était sidérée. La nécessité d'un tel document légal pour qu'Elizabeth puisse passer des contrats en son nom lui rappelait à quel point le rôle des femmes dans la société était différent à l'époque puritaine. Leurs droits étaient sévèrement limités. La lettre du père d'Elizabeth adressée à Ronald Stewart, à propos de leur mariage, témoignait de la même situation.

Kim poursuivit ses recherches dans le dossier. Après de nouvelles poursuites contre des débiteurs récalcitrants, elle tomba sur un document plus intéressant. Il s'agissait d'une lettre de Ronald Stewart qui sollicitait une décision de rétrocession. Elle était datée du mardi 26 juillet 1692, soit une semaine après la mort d'Elizabeth.

Kim ignorait ce qu'était une « décision de rétrocession », mais elle ne tarda pas à l'apprendre. Ronald écrivait en effet : « Je supplie humblement la cour, au nom de Dieu, de bien vouloir me rendre l'élément de preuve concluant saisi en mon domicile par le shérif George Corwin, et utilisé contre mon épouse bien-aimée Elizabeth, lors de son procès pour sorcellerie devant la cour d'Oyer and Terminer, le 20 juin 1692. »

Annexée à la lettre, se trouvait la réponse du juge John Hathorne, en date du 3 août 1692, qui repoussait la demande : « La cour conseille au requérant Ronald Stewart d'adresser sa requête à Son Excellence le gouverneur du Commonwealth car, par décision de justice, l'élément de preuve réclamé a été transféré dans le comté du Suffolk. »

D'une certaine façon, Kim était satisfaite, car elle possédait désormais la preuve qu'Elizabeth avait été jugée et de toute évidence condamnée. Demeurait pourtant un motif d'agacement : en quoi pouvait bien consister ce fameux « élément de preuve concluant » ?

Kim réfléchit un moment ; la seule chose qui lui venait à l'esprit, c'est que cet élément de preuve avait à voir, d'une façon ou d'une autre, avec ces « pratiques occultes » dont avait parlé son père. Prise d'une soudaine inspiration, elle inscrivit sur un bout de papier la date du procès, et retourna voir l'employée à son guichet.

— Je voudrais voir les minutes du procès du 20 juin 1692 devant la cour d'Oyer and Terminer.

L'employée lui éclata littéralement de rire au nez, répéta sa demande et rit à nouveau. Interloquée, Kim lui demanda ce qui provoquait chez elle tant d'hilarité.

— C'est le mouton à cinq pattes que vous me demandez là, chère madame, répondit-elle comme si elle avait affaire à une demeurée. Le problème, c'est que ces minutes n'existent pas. Tout le monde le regrette, mais c'est comme ça. Il n'existe aucun procès-verbal des procès pour sorcellerie tenus devant la cour d'Oyer and Terminer. On ne trouve que de rares dépositions et témoignages, mais les minutes des procès proprement dites ont purement et simplement disparu.

— C'est bien dommage, dit Kim. Mais vous pourriez peut-être me renseigner. Savez-vous ce que veut dire un « élément de preuve concluant » ?

— Je ne suis pas juriste, répondit l'employée, mais attendez un instant, je vais me renseigner.

Elle disparut dans un bureau, et en revint quelques secondes plus tard en compagnie d'une femme plutôt forte, vêtue d'une toge de magistrat et portant de grosses lunettes sur un nez camus.

— Vous voulez savoir ce qu'est un « élément de preuve concluant » ? (Kim opina du chef.) Les mots sont assez explicites, dit la femme. Il s'agit d'un moyen irréfutable pour faire la preuve de quelque chose. En d'autres termes, un élément de preuve que l'on ne peut contester, ou dont on ne peut tirer qu'une seule interprétation.

— C'est bien ce que je me disais. Je vous remercie.

Kim fit alors des photocopies de la requête en rétrocession et de la réponse du juge, puis replaça les documents originaux dans le dossier et les remit à l'employée.

Elle quitta ensuite le tribunal et reprit le chemin de la propriété. Elle se sentait un peu coupable, parce qu'elle avait dit à Mark Stevens qu'elle serait là dans la matinée et qu'il était déjà près de midi. A la sortie du dernier virage, après le rideau d'arbres, elle aperçut des camions et des camionnettes garées près du cottage. Il y avait également un bulldozer et de grosses quantités de terre fraîchement retournée, mais pas âme qui vive.

Elle descendit de voiture. La chaleur de midi, la poussière et l'odeur de la terre fraîche avaient quelque chose d'oppressant. Mettant sa main en visière pour se protéger du soleil, Kim suivit du regard la longue tranchée qui traversait la prairie en direction du château. Au même moment, la porte de la maison s'ouvrit, et George Harris fit son apparition, le front ruisselant de sueur.

— Content de vous voir, madame. J'ai essayé plusieurs fois de vous appeler.

— Il y a quelque chose qui ne va pas? demanda Kim.

— Oui, en quelque sorte, répondit Harris d'un ton évasif. Mais le mieux serait que vous veniez voir.

Il lui fit alors signe de le suivre jusqu'au bulldozer.

— Nous avons dû interrompre les travaux, expliqua-t-il.

— Pourquoi?

Sans répondre, Harris lui montra la tranchée.

Craignant de voir s'effondrer le rebord en s'approchant trop près, Kim se pencha en avant et fut surprise par la profondeur de la tranchée, qui devait bien faire deux mètres cinquante. Des racines en hérissaient les flancs, comme des balais miniatures. George Harris lui demanda alors de regarder vers l'extrémité, à environ cinq mètres de la maison. Au fond, Kim aperçut le bout abîmé d'une caisse en bois.

— Voilà pourquoi nous avons dû nous arrêter, expliqua l'entrepreneur.

— Qu'est-ce que c'est?

— J'ai bien peur que ce ne soit un cercueil.

— Mon Dieu!

— Nous avons aussi trouvé une pierre tombale, très vieille, expliqua Harris en conduisant Kim de l'autre côté de la tranchée.

Dans l'herbe, derrière le remblai du talus, elle découvrit une dalle de marbre blanc, recouverte de terre.

— Elle n'était pas dressée, dit Harris. On l'avait mise à plat et recouverte de terre.

Il se pencha et nettoya la terre collée à la surface.

— Mon Dieu! s'écria Kim en secouant la tête d'un air incrédule. C'est Elizabeth!

— Quelqu'un de votre famille?

— Oui, dit Kim.

Elle examina la pierre tombale, semblable à celle de Ronald, et sur laquelle figuraient seulement son nom et ses dates de naissance et de mort.

— Vous vous doutiez qu'elle était enterrée là? demanda Harris.

— Pas du tout. Je ne me suis rendu compte que récemment qu'elle n'avait pas été inhumée dans le cimetière de famille.

— Qu'est-ce qu'on doit faire? Il faut une autorisation pour déplacer une tombe.

— Vous ne pourriez pas laisser le cercueil là où il est, et le contourner?

— Si, probablement. Il faudrait élargir la tranchée à cet endroit. A votre avis, on risque de trouver d'autres tombes?

— Je ne crois pas. Le cas d'Elizabeth était particulier.

— Excusez-moi de vous dire ça, mais vous êtes toute pâle. Vous vous sentez bien?

— Oui, oui, ça va, merci. Un peu bouleversée, c'est tout. Ça fait un drôle d'effet de tomber sur la tombe d'une de ses ancêtres.

— À nous aussi, vous savez. Surtout au conducteur du bulldozer. D'ailleurs, je vais aller le chercher. Il faut poser les canalisations avant de couler la chape.

George Harris disparut à l'intérieur de la maison, tandis que Kim retournait à la tranchée et examinait plus attentivement le cercueil. En dépit de ses trois siècles d'ensevelissement, le bois semblait en très bon état, même à l'endroit abîmé par la pelle du bulldozer.

Que faire de cette découverte inattendue? D'abord le portrait, à présent la tombe. Difficile de n'y voir que de simples coïncidences !

Un bruit de voiture. S'abritant à nouveau du soleil avec sa main en visière, Kim regarda s'approcher la voiture bien connue qui soulevait un panache de poussière. Bien connue, certes, mais à qui appartenait-elle... ? Soudain, elle se rappela : c'était celle de Kinnard.

Kim s'avança jusqu'à la voiture arrêtée à quelque distance et se pencha par la vitre du côté passager, restée ouverte.

— Quelle surprise ! s'exclama-t-elle. Qu'est-ce que tu fais ici ?

— Laisse-moi au moins le temps de m'extraire de cette boîte de conserve, répondit Kinnard en riant.

— Qu'est-ce que tu fais à Salem ? Comment savais-tu que j'étais ici ?

— C'est Marsha qui me l'a dit. Je l'ai vue dans le service, ce matin. Tu sais que je fais un remplacement à l'hôpital de Salem en août et en septembre, et je suis venu chercher un appartement en ville. Pas question que je loge pendant deux mois à l'hôpital ! Tu te rappelles quand même que je t'avais parlé de ce remplacement.

— J'ai dû oublier, dit Kim.

— Ça fait plusieurs mois que je t'en ai parlé.

— Puisque tu le dis.

Kim se sentait déjà suffisamment gênée, et n'avait aucune envie de se lancer dans une polémique.

— Tu as l'air en forme, dit Kinnard. J'ai l'impression que ça te réussit de fréquenter le Dr Edward Armstrong.

— Comment sais-tu qui je fréquente ?

— Les rumeurs de l'hôpital. Comme tu as choisi une célébrité du monde scientifique, ça s'est su. Ce qui est drôle, c'est que je le connais. J'ai travaillé dans son laboratoire quand j'ai quitté provisoirement la fac de médecine, en deuxième année, pour faire de la recherche.

Kim se sentit rougir. Kinnard cherchait à la mettre dans l'embarras, et, comme d'habitude, il y parvenait.

— Edward est un scientifique brillant, reprit Kinnard, mais il est un peu... bizarre. Enfin... je suis peut-être injuste. Je devrais plutôt dire que c'est un excentrique.

— Moi, je le trouve délicat et attentionné, rétorqua Kim.

— Oui, c'est vrai, j'ai entendu parler des fleurs qu'il t'envoie tous les jours. Personnellement, je trouve ça ridicule. Ce type ne doit pas se sentir très sûr de lui pour en arriver là.

Kim devint cramoisie. C'est Marsha qui avait dû lui parler des fleurs. Décidément, entre sa mère et sa colocataire, il ne restait plus grand-chose de secret dans sa vie.

— Au moins, Edward Armstrong ne te rendra pas furieuse en allant aux sports d'hiver, dit Kinnard. Il a de tels problèmes de coordination que grimper un escalier, pour lui, c'est déjà un exploit.

— Ce que tu es gamin ! répliqua sèchement Kim. Franchement, je te croyais plus mûr.

— Peu importe, dit Kinnard en éclatant d'un rire blessant. De mon côté, j'ai trouvé de plus verts pâturages comme on dit. Je commence moi aussi une nouvelle relation.

— Je suis heureuse pour toi, fit Kim d'un air sarcastique.

À ce moment, le bulldozer se remit en marche, et Kinnard se pencha pour l'observer à travers le pare-brise de sa voiture.

— Marsha m'a dit que tu allais retaper cette maison. Ce cher Dr Armstrong va venir vivre avec toi ?

131

Kim voulut nier mais, après un bref instant d'hésitation, n'en fit rien.

— On y songe. On n'a pas encore pris de décision.

— Alors, je vous souhaite bien du plaisir, lança Kinnard, sarcastique lui aussi.

Il fit une marche arrière sur plusieurs mètres, puis repartit dans une gerbe de terre et de graviers.

Après s'être abritée du déluge de gravillons, Kim songea à l'attitude de Kinnard. Elle avait compris depuis le début qu'il était venu dans la seule intention de la provoquer, mais elle avait été incapable de l'en empêcher. Elle retourna alors vers la maison, et ne retrouva son calme qu'en apercevant le cercueil d'Elizabeth au fond de la tranchée. Comparés aux ennuis qu'avait connus son aïeule au même âge, les siens semblaient décidément bien triviaux !

Au travail ! Kim se rendit en ville, et passa la plus grande partie de l'après-midi dans le bureau de l'architecte, Mark Stevens, pour discuter de l'aménagement de la cuisine et de la salle de bains. Ce fut un plaisir immense. C'était la première fois de sa vie qu'elle s'occupait sérieusement de créer un intérieur où elle vivrait. Comment avait-elle pu, jusqu'à présent, se laisser à ce point absorber par son métier ?

Vers sept heures et demie du soir, Mark Stevens et George Harris étaient épuisés, mais Kim semblait fraîche comme une rose. Les deux hommes durent avouer leur fatigue, et Kim convint qu'il était temps pour elle de rentrer. En l'accompagnant jusqu'à sa voiture, ils la remercièrent d'être venue et lui promirent que les travaux avanceraient rapidement.

Une fois à Cambridge, Kim ne perdit pas de temps à chercher une place et laissa sa voiture au parking de Chez Charles avant de se rendre à pied au Harvest Bar. L'endroit était bondé en ce vendredi soir, et la plupart des clients étaient là depuis plusieurs heures.

N'apercevant pas Edward tout de suite, Kim dut se faufiler dans la foule agglutinée autour du bar, et finit par le trouver à une petite table, berçant d'un air mélancolique un ballon de chardonnay. Dès qu'il la vit, son visage s'éclaira et il bondit sur ses pieds.

Il lui présenta une chaise, et Kim ne put s'empêcher de se dire que Kinnard aurait été incapable d'une telle galanterie.

— Je suis sûr qu'un verre de vin blanc te ferait du bien, dit Edward.

Elle acquiesça, puis l'observa commander les deux verres de vin après avoir longtemps cherché à attirer l'attention de la serveuse. Il bégayait plus que de coutume, et elle n'aurait pas su dire s'il était excité ou gêné.

— Tu as passé une bonne journée? demanda-t-il.

— Je n'ai pas arrêté de courir. Et toi?

— Ç'a été une journée extraordinaire! J'ai des nouvelles fabuleuses. A partir de la saleté ramassée dans la cave d'Elizabeth, on a réussi à cultiver un champignon qui s'est révélé avoir des effets hallucinogènes. Je crois qu'on a résolu le mystère des sorcières de Salem. La seule chose qu'on ne sait pas encore, c'est s'il s'agit d'ergotisme ou de quelque chose d'entièrement nouveau.

Edward lui raconta alors tout ce qui s'était passé au laboratoire de Kevin Scranton.

Kim ne cacha pas sa stupéfaction.

— Tu as pris une drogue sans savoir ce que c'était? Mais ce n'était pas dangereux?

— On dirait Kevin, dit Edward en riant. Vous êtes papa poule et maman poule, tous les deux! Non, ce n'était pas dangereux. La dose était trop faible. Mais vu la quantité infinitésimale que j'ai absorbée, tu imagines la capacité hallucinogène de ce nouveau champignon.

— Ça me paraît vraiment téméraire.

— Mais non. A la demande de Kevin, j'ai même fait faire cet après-midi une analyse d'urine et un dosage de créatinine dans le sang. Tout était normal. Je vais très bien, crois-moi. Mieux que ça même, je suis euphorique. Au début, j'espérais trouver dans ce nouveau champignon les mêmes alcaloïdes que dans le *claviceps*, ce qui aurait permis de rendre l'ergotisme responsable de toute l'affaire des sorcières de Salem. Mais maintenant j'espère y trouver des alcaloïdes spécifiques.

— Qu'est-ce que c'est que des alcaloïdes ? demanda Kim. Le terme m'est familier, mais je serais incapable d'en donner une définition.

— C'est un vaste groupe de composés présents dans les végétaux, et dans lesquels on trouve de l'azote. Si le nom t'est familier, c'est qu'il y en a beaucoup qui sont très communs, comme la caféine, la morphine et la nicotine. Comme tu peux l'imaginer, la plupart ont une action physiologique.

— Pourquoi est-ce que ça t'excite tellement d'en trouver de nouveaux, s'ils sont si communs ?

— Parce que j'ai déjà prouvé que les alcaloïdes présents dans ce nouveau champignon ont une action psychotrope. La découverte d'une nouvelle substance hallucinogène ouvre quantité de voies à la compréhension du cerveau, de son fonctionnement. Invariablement, de telles substances ressemblent aux neurotransmetteurs du cerveau et en imitent l'action.

— Quand sauras-tu s'il y a de nouveaux alcaloïdes ? demanda Kim.

— Bientôt. Et maintenant, à toi. Raconte-moi ta journée.

Kim lui fit alors le récit de tout ce qui s'était passé, depuis sa discussion avec son père, jusqu'aux décisions prises pour l'aménagement de la cuisine et de la salle de bains du cottage.

— Eh bien dis donc ! Tu ne t'es pas ennuyée. Et puis c'est incroyable, la découverte de cette tombe ! Tu dis que le cercueil était en bon état ?

— En tout cas d'après ce que j'ai vu. Il était enterré très profondément, à environ deux mètres cinquante. L'extrémité dépassait de la tranchée, et le bulldozer l'a un peu abîmé.

— Ça t'a bouleversée, cette découverte ?

— Un peu, oui, dit Kim avec un rire qui sonnait faux. Ça m'a fait bizarre de trouver la tombe d'Elizabeth si peu de temps après être tombée sur son portrait, dans la cave. J'ai eu à nouveau l'impression qu'Elizabeth cherchait à communiquer avec moi.

— Je crois qu'on a affaire à une nouvelle attaque de superstition!

En dépit de la gravité du sujet, Kim ne put réprimer un petit rire.

— Dis-moi, ajouta Edward d'un air taquin, tu as peur de croiser un chat noir, de passer sous une échelle, ou d'utiliser le nombre 13?

Kim hésita. Tout en étant un peu superstitieuse, elle n'y avait jamais beaucoup réfléchi.

— Ainsi donc, tu l'es! s'écria Edward. Eh bien, je peux te dire qu'au XVIIe siècle, tu aurais été considérée comme une sorcière. Parce que ce genre de croyances relevait de l'occultisme.

— Bon, d'accord, monsieur le gros malin. Je suis peut-être un peu superstitieuse. Mais je trouve qu'il y a trop de coïncidences touchant Elizabeth. Je me suis aussi rendu compte aujourd'hui que le calendrier de 1692 était le même que celui de cette année. Et puis Elizabeth est morte à mon âge. Et comme si ça ne suffisait pas, nous sommes nées à deux jours de distance, sous le même signe astrologique.

— Qu'est-ce que tu cherches à me dire?

— Est-ce que tu peux expliquer toutes ces coïncidences? demanda Kim.

— Bien sûr. C'est le hasard, et rien d'autre. C'est comme cette vieille histoire qui dit qu'avec suffisamment de singes et suffisamment de machines à écrire, on pourrait arriver à écrire *Hamlet*.

— Bon, je me rends, dit-elle en riant.

Elle avala une gorgée de vin.

— Excuse-moi, dit Edward, je ne suis qu'un scientifique.

— Je vais te raconter autre chose. La situation était compliquée, à l'époque. Ronald Stewart a été marié trois fois. Sa première femme est morte, lui laissant en héritage une jolie fortune, mais le testament a été contesté par le fils que sa femme avait eu d'un premier mariage. La plainte n'a pas abouti. Quelques années plus tard, il épouse Elizabeth, puis, après la mort de celle-ci, la même année, il épouse sa sœur.

— Et alors?

— Ça ne te paraît pas un peu louche, tout ça?

— Non. N'oublie pas que la vie était rude en ce temps-là. Ronald avait des enfants à élever. Et puis, épouser sa belle-sœur quand on devenait veuf n'avait rien d'anormal.

— Eh bien moi, je n'en suis pas si sûre, dit Kim. Je me suis posé plein de questions.

La serveuse fit alors son apparition et leur annonça que leur table était prête. Kim se montra agréablement surprise : elle ne savait pas qu'ils allaient dîner au Harvest, et elle était affamée.

Ils suivirent la serveuse jusque sur la terrasse, où elle les installa sous les arbres décorés de petites lumières blanches. Il faisait délicieusement frais, après la chaleur étouffante de la journée, il n'y avait pas un souffle de vent, et la bougie sur la table se consumait lentement.

En attendant qu'ils soient servis, Kim montra à Edward la copie de la requête de Ronald. Edward en prit connaissance avec beaucoup d'intérêt et félicita Kim de sa découverte, car ils possédaient enfin la preuve qu'Elizabeth avait bien été jugée pour sorcellerie. Kim exposa alors l'opinion de son père sur les pratiques occultes d'Elizabeth.

— C'est bien ce que je suggérais, lui rappela Edward.

— Tu crois donc que cet élément de preuve concluant avait à voir avec l'occultisme?

— Ça me paraît évident.

— Tu penses à quelque chose en particulier?

— Non, je ne m'y connais pas suffisamment en sorcellerie, répondit Edward.

— Ce pourrait être un livre, suggéra Kim. Ou quelque chose qu'elle aurait écrit.

— C'est possible. Ou bien un dessin, ou une image quelconque.

— Et pourquoi pas une poupée?

— Bonne idée, dit Edward. (Il demeura un instant silencieux.) Je sais ce que ça devait être!

136

— Quoi? demanda vivement Kim.

— Son balai!

Et il éclata de rire.

— Arrête, dit Kim en souriant. Je parle sérieusement.

Edward s'excusa, puis lui expliqua que cette histoire de balai de sorcière venait du Moyen Age, où des femmes utilisaient au cours de rituels sataniques des bâtons enduits d'une substance hallucinogène qu'elles plaçaient entre leurs jambes, au contact de leur sexe.

— Je vois, dit Kim. Je crois que j'en ai assez entendu.

On apporta leurs plats, et ils gardèrent le silence jusqu'au départ du serveur.

— Le problème, dit finalement Edward, c'est que cet élément de preuve aurait pu être n'importe quoi et qu'on ne peut le savoir qu'en trouvant sa description. Tu es allée voir les minutes du procès?

— Bien sûr, dit Kim, mais on m'a dit qu'il ne restait plus aucun document relatif aux procès qui se sont tenus devant la cour d'Oyer and Terminer.

— Dommage. Il ne te reste plus qu'à aller fouiller dans l'énorme masse de papiers entreposés au château.

— Oui, dit Kim sans enthousiasme. Et en plus, sans être sûre de trouver quelque chose.

Au cours du repas, leur conversation roula sur d'autres sujets, plus anodins. Au dessert, pourtant, Edward lui reparla de la tombe d'Elizabeth.

— Dans quel état était le corps? demanda-t-il.

— Je ne l'ai pas vu, répondit-elle, choquée par sa question. Le cercueil n'était pas ouvert. La pelleteuse n'avait fait que l'écorner un petit peu.

— On devrait l'ouvrir, dit Edward. J'aimerais prélever un petit échantillon sur le corps, s'il reste quelque chose à prélever. Si on trouvait des résidus de l'alcaloïde produit par ce nouveau champignon, on obtiendrait la preuve que le diable de Salem n'était qu'un champignon hallucinogène.

— Mais c'est incroyable ce que tu racontes! Pour moi, il n'est pas question de toucher au corps d'Elizabeth!

137

— Et nous voilà à nouveau en pleine superstition! Tu te rends compte qu'en disant ça, c'est comme si tu prenais position contre les autopsies?

— Là, c'est différent. Elle a déjà été enterrée.

— On exhume sans cesse des corps.

— Tu as peut-être raison, dit Kim, à regret.

— J'aimerais bien t'accompagner là-bas, demain. On verrait ça ensemble.

— Il faut une autorisation pour exhumer un corps, dit Kim.

— Apparemment, le bulldozer a déjà fait la plus grande partie du travail, fit remarquer Edward.

On apporta l'addition, qu'Edward régla. Kim le remercia et lui annonça que la prochaine fois elle l'inviterait, à quoi Edward répondit qu'il y avait là matière à discussion.

Au sortir du restaurant, Edward demanda à Kim de l'accompagner chez lui, mais elle lui rappela, en baissant les yeux, combien elle s'était sentie mal à l'aise, le matin même. Ils résolurent le problème, au moins temporairement, en décidant d'aller en discuter chez lui.

Un peu plus tard, installée sur le canapé, Kim demanda à Edward s'il se rappelait un étudiant nommé Kinnard Monihan, qui avait poursuivi des recherches dans son laboratoire quelque cinq ou six ans auparavant.

— Kinnard Monihan..., fit Edward en fronçant les sourcils. Tu sais, je vois passer beaucoup d'étudiants... Ah oui, je vois. Si je me souviens bien, il a poursuivi à l'hôpital général, en chirurgie.

— Oui, c'est lui. Tu te souviens bien de lui?

— Je me rappelle que j'ai été déçu lorsqu'il a fait chirurgie. C'était un type intelligent. Je l'aurais bien vu poursuivre dans la recherche. Pourquoi me demandes-tu ça?

— Parce qu'on s'est fréquentés pendant quelques années.

Elle s'apprêtait à raconter la visite de Kinnard à la propriété lorsque Edward l'interrompit:

— Vous étiez amants?

138

— Euh... oui, répondit Kim d'une voix hésitante.

Elle se rendit bien compte de l'effet que ses paroles avaient produit sur Edward : il s'était raidi, et recommençait à bégayer. Il fallut une demi-heure à Kim pour le calmer et lui faire comprendre que sa relation avec Kinnard était terminée. Elle finit même par s'excuser d'avoir prononcé son nom.

Pour changer de conversation, elle lui demanda s'il avait commencé à chercher un nouvel appartement. Edward avoua qu'il n'en avait pas encore eu le temps, et Kim lui rappela que le mois de septembre approchait.

La soirée avançait, et aucun d'eux n'avait encore évoqué la question cruciale : passerait-elle ou non la nuit chez lui. Le fait de ne pas en parler résolut la question : elle resta. Plus tard, alors qu'ils étaient allongés côte à côte dans le lit, Kim songea à ce qu'elle avait dit à Kinnard de la possibilité de vivre avec Edward. Elle ne l'avait dit que pour le provoquer, mais elle commençait à y songer sérieusement. Sa relation avec Edward s'épanouissait. Et puis, la « petite » maison n'était pas si petite que ça ; en plus elle était à l'écart du village. Peut-être même un peu trop isolée.

5

Samedi 23 juillet 1994

Kim s'éveilla lentement. Avant même d'avoir ouvert les yeux, elle entendit la voix d'Edward. D'abord elle l'incorpora à son rêve, puis elle finit par se rendre compte que la voix venait de l'autre pièce.

Avec une certaine difficulté, elle ouvrit les yeux. Elle s'assura d'abord qu'Edward ne se trouvait pas dans le lit, puis jeta un coup d'œil au réveil : 5 h 45.

Elle s'assit dans le lit, vaguement inquiète. La voix d'Edward trahissait l'excitation, mais ses propos demeuraient inintelligibles.

Quelques instants plus tard il fit son apparition, vêtu d'une robe de chambre. Alors qu'il pénétrait sur la pointe des pieds dans la salle de bains, Kim lui annonça qu'elle était éveillée. Il vint alors s'asseoir au bord du lit.

— J'ai de grandes nouvelles, chuchota-t-il.

— Je suis réveillée, répéta Kim. Tu peux parler normalement.

— J'étais en train de parler avec Eleanor.

— A six heures moins le quart ? Mais qui est cette Eleanor ?

— Une des chercheuses de mon laboratoire. C'est même mon bras droit.

— Ça me paraît bien tôt pour parler boutique, dit Kim qui

ne pouvait s'empêcher de penser à Grace Traters, la soi-disant assistante de son père.

— Elle a travaillé toute la nuit, expliqua Edward. Hier soir, Kevin a envoyé d'autres indurations issues du nouveau champignon. Eleanor a passé un échantillon au spectromètre de masse. Les alcaloïdes ne semblent pas être les mêmes que ceux des *claviceps purpurea*. Il semble qu'il y ait même trois alcaloïdes entièrement nouveaux.

— Je suis contente pour toi, dit Kim, qui, vu l'heure, se sentait incapable d'en dire plus.

— Le plus passionnant, c'est que je sais que l'un au moins de ces alcaloïdes a une action psychotrope. Ce qui pourrait être le cas des trois. (Il se frotta les mains, comme s'il allait se mettre tout de suite au travail.) Tu ne peux pas savoir à quel point cette découverte peut être importante. Il est possible qu'on ait là un nouveau médicament, voire toute une famille de nouveaux médicaments. Et même si on s'aperçoit qu'ils n'ont aucune utilité clinique, ils pourront sûrement servir d'outils pour la recherche.

— J'en suis très heureuse, dit Kim en se frottant les yeux.

Elle avait surtout envie d'aller à la salle de bains.

— C'est incroyable le rôle que joue le hasard dans la découverte de nouveaux médicaments, dit Edward. Tu te rends compte que c'est grâce aux sorcières de Salem qu'on aura peut-être trouvé un nouveau produit ! C'est encore plus fort que la façon dont on a découvert le Prozac.

— C'était par accident ?

— Oui, plutôt, répondit Edward en riant. Le chercheur responsable du programme testait des antihistaminiques pour mesurer leur effet sur la norépinéphrine, un neurotransmetteur. Par hasard, il en est arrivé au Prozac, qui n'est pas un antihistaminique et qui affecte la sérotonine, un autre neurotransmetteur, deux cents fois plus que la norépinéphrine.

— Étonnant, dit Kim qui en fait n'écoutait pas.

Avant le café du matin, elle n'était guère en mesure de s'intéresser à de tels sujets.

– J'ai hâte d'aller travailler sur ces nouveaux alcaloïdes, dit Edward.

– Tu préfères ne pas aller à Salem ce matin ?

– Non ! répondit-il sans hésitation. Je tiens absolument à voir cette tombe. Allez, viens ! comme de toute façon tu es réveillée, on y va !

Kim prit une douche, se sécha les cheveux, se maquilla et suivit Edward sur Harvard Square, où ils prirent un petit déjeuner fort gras mais délicieux. Puis ils rendirent directement dans une librairie pour y acheter des livres sur le puritanisme, car au cours de leur petit déjeuner, la discussion avait roulé sur ce sujet, et ils s'étaient rendu compte de leur ignorance. Il était déjà plus de neuf heures lorsqu'ils se mirent en route pour la côte nord.

Kim conduisait à nouveau, car ils avaient préféré ne pas laisser sa voiture sur le parking de l'immeuble d'Edward, réservé aux résidents. Il n'y avait guère de circulation, et ils arrivèrent à Salem un peu avant dix heures. Ils passèrent devant la Maison de la Sorcière.

Edward serra le bras de Kim.

– Tu as déjà visité cette maison ? demanda-t-il.

– Il y a longtemps. Pourquoi ? Ça t'intéresse ?

– Tu vas rire, mais oui, ça m'intéresse. Ça t'ennuie si on va y jeter un coup d'œil ?

– Pas du tout.

Ils se garèrent un peu plus loin, mais en revenant ils trouvèrent porte close : la Maison de la Sorcière n'ouvrait qu'à dix heures. Ils n'étaient d'ailleurs pas les seuls, car plusieurs familles et des couples attendaient comme eux l'heure des visites.

– C'est incroyable comme cette histoire des sorcières de Salem peut attirer les gens, fit observer Kim.

– Ton cousin Stanton a dit qu'elle fascinait les gens comme les histoires de vampires.

– Ça lui ressemble bien.

– Il a dit aussi que c'était comme une porte ouverte sur le

142

surnaturel. Je suis assez d'accord. La plupart des gens sont un peu superstitieux, et ces histoires de sorcières titillent leur imagination.

— C'est vrai. Mais il y a aussi quelque chose de pervers dans cette attirance, à cause des exécutions. Et je ne pense pas non plus que ce soit un hasard s'il y avait beaucoup plus de sorcières que de sorciers.

— Ne te laisse pas trop embarquer dans des considérations féministes, dit Edward. Je crois que s'il y avait plus de femmes impliquées dans cette affaire, c'est à cause du rôle des femmes dans la société de l'époque. Elles avaient évidemment, et beaucoup plus que les hommes, partie liée avec la naissance et la mort, la santé et la maladie, et ces aspects de la vie étaient auréolés de superstition et d'occultisme. Les gens n'avaient pas d'autres explications à leur disposition.

— Je crois que nous avons tous les deux raison, dit Kim. Je suis d'accord avec toi, mais au cours des quelques recherches que j'ai faites, j'ai été frappée par l'infériorité légale de la femme à l'époque d'Elizabeth. Les hommes avaient peur, et ils prenaient leur revanche sur les femmes. Il y avait de la mysoginie dans cette histoire.

A cet instant, la porte s'ouvrit. Une jeune femme en costume d'époque les accueillit, et leur annonça que la visite serait guidée.

— Je pensais qu'on pouvait déambuler tout seuls dans la maison, chuchota Edward à l'oreille de Kim.

— Moi aussi.

Ils écoutèrent la jeune femme détailler le mobilier de la pièce, et s'attarder sur la présence d'une bible dans sa boîte, accessoire obligé dans toutes les maisons de l'époque puritaine.

— Je commence à m'ennuyer, murmura Edward. On pourrait peut-être y aller.

— Je suis d'accord.

Lorsqu'ils furent dans la rue, Edward se retourna pour faire face au bâtiment.

— Je voulais entrer pour voir si ça ressemblait à ton cottage. C'est incroyable : on dirait qu'elles ont été construites à partir des mêmes plans.

— Comme tu l'as dit une fois, à cette époque on n'encourageait guère la singularité, dit Kim.

Ils remontèrent en voiture et gagnèrent la propriété. En arrivant sur les lieux, Edward fut stupéfait par la longueur de la tranchée, qui avait presque atteint le château. En l'examinant de plus près, ils s'aperçurent qu'elle s'enfonçait déjà sous les fondations du cottage.

— C'est là, dit Kim en lui montrant l'endroit où la tranchée s'élargissait considérablement.

— Quel coup de chance ! Ça m'a bien l'air d'être l'extrémité du cercueil. Et puis tu as raison : la tranchée doit bien faire deux mètres cinquante de profondeur, peut-être même plus.

— Ils n'ont beaucoup creusé qu'ici, près de la maison, expliqua Kim. Dans la prairie, elle est beaucoup moins profonde.

— C'est vrai, dit Edward en s'éloignant de la bâtisse.

— Où vas-tu ? Tu ne veux pas jeter un coup d'œil à la pierre tombale ?

— Je préfère d'abord examiner un peu le cercueil, répondit Edward en sautant dans la tranchée et en rebroussant chemin en direction du cottage.

Kim l'observait avec inquiétude, craignant d'avoir deviné ses intentions.

— Tu n'as pas peur que ça s'écroule ? dit-elle en entendant des petites pierres dégringoler tandis qu'elle s'approchait du bord.

Edward ne répondit pas, tout occupé, déjà, à examiner le cercueil.

— C'est bon signe, dit-il en effritant un peu de terre entre ses doigts. Il fait très frais en dessous, et la terre est très sèche.

Puis il glissa la main sous le couvercle du cercueil, à l'extrémité endommagée par la pelleteuse. Il tira d'un coup sec, l'arrachant en partie.

– Mon Dieu! murmura Kim.

– Tu veux bien aller chercher la lampe de poche dans la voiture? demanda Edward, qui guignait à l'intérieur.

Kim s'exécuta, bien qu'elle n'aimât guère la tournure que prenaient les événements. Elle tendit pourtant la lampe à Edward.

Celui-ci braqua le rayon lumineux.

– On a de la chance. Le corps a été momifié par le froid et la sécheresse. Même le linceul est intact.

– Je crois que ça suffit, maintenant, dit Kim.

Mais autant parler aux arbres. Edward ne l'écoutait pas. Il posa la lampe par terre et glissa les deux mains à l'intérieur du cercueil.

– Edward! s'écria-t-elle, horrifiée. Qu'est-ce que tu fais?

– Je vais tirer un peu le corps vers moi, expliqua-t-il.

Il saisit la tête et la tira légèrement en arrière. Rien ne bougea. Il appuya alors un pied contre la paroi de la tranchée et tira plus fort... jusqu'à se retrouver par terre, la tête momifée d'Elizabeth sur les genoux.

Kim crut défaillir. Elle détourna les yeux.

Edward se remit debout et examina la base du crâne qu'il tenait entre ses mains.

– J'ai l'impression que la nuque a dû se briser quand elle a été pendue. C'est étonnant, parce que à l'époque la pendaison ne consistait pas à briser la nuque du condamné mais à le laisser se débattre au bout de la corde jusqu'à suffocation.

Edward ramassa alors le couvercle du cercueil, et le remit en place en se servant d'une pierre comme marteau. Après quoi, la tête d'Elizabeth sous le bras, il remonta la tranchée jusqu'à un endroit moins profond d'où il put sortir plus facilement.

– Je ne trouve pas ça drôle, dit Kim lorsqu'il l'eut rejointe. (Elle refusait de regarder la tête.) Je veux que tu la remettes où elle était.

145

— Je le ferai, c'est promis. En attendant, je veux simplement faire un petit prélèvement. Allons voir si on trouve une boîte, à l'intérieur de la maison.

Exaspérée, Kim le précéda. Edward eut la chance de trouver rapidement une boîte à outils dans laquelle il plaça la tête, et qu'il déposa ensuite dans la voiture. De retour dans la maison, il lança d'un ton joyeux :

— Allez, on fait un tour!

— Je veux que tu remettes cette tête dans le cercueil dès que possible.

— Oui, oui, c'est promis, répéta Edward.

Désireux de changer de sujet, il gagna alors l'arrière de la maison et fit semblant de s'intéresser aux travaux. Kim le suivit. La rénovation était déjà bien avancée, et les ouvriers avaient déjà coulé la chape de béton au sous-sol.

— Heureusement que j'ai pris les moisissures avant les travaux, fit observer Edward.

Au premier étage, alors qu'ils regardaient la façon dont allait être aménagé le cabinet de toilette, ils entendirent une voiture s'arrêter devant la maison. Kim se pencha par la fenêtre. C'était son père.

— Oh, non! s'écria-t-elle.

Sentant l'angoisse qui l'étreignait, Edward lui demanda :

— Tu te sens gênée parce que je suis là?

— Bien sûr que non! C'est à cause de la tombe d'Elizabeth. Je t'en prie, ne dis pas que tu as pris sa tête. Je ne veux pas lui donner le moindre prétexte pour se mêler de cette histoire de rénovation.

Ils redescendirent et sortirent de la maison. John, le père de Kim, se tenait au bord de la tranchée et contemplait le cercueil. Kim fit les présentations. John Stewart se montra poli mais sec. Il prit sa fille à part.

— C'est vraiment un hasard malheureux que Harris soit tombé sur cette tombe. Je lui ai demandé de garder le silence, et je compte sur toi pour faire de même. Je ne veux pas que ta mère soit au courant. Ça la mettrait dans tous ses états. Il lui faudrait un mois pour s'en remettre.

— Je n'ai aucune raison d'en parler, répondit Kim.

— Je suis très étonné que cette tombe se trouve là. On m'avait dit qu'Elizabeth avait été enterrée dans une fosse commune, à l'ouest de Salem. Et ce bonhomme, là, il est au courant, pour la tombe ?

— Ce bonhomme, comme tu dis, s'appelle Edward Armstrong et... oui, il est au courant.

— Il me semblait que c'était tacite entre nous, et que tu ne devais parler d'elle à personne.

— Ce n'est pas moi qui en ai parlé, rétorqua Kim, c'est Stanton Lewis.

— La peste soit de la famille de ta mère ! grommela John en se dirigeant vers l'endroit où Edward les attendait patiemment.

— L'histoire d'Elizabeth Stewart doit demeurer confidentielle, dit John à Edward. Je compte sur votre discrétion.

— Bien sûr, dit Edward en songeant à la tête qui se trouvait à présent dans la voiture.

Apparemment satisfait, John se tourna vers la maison et, à la demande de Kim, daigna jeter un œil aux travaux en cours. La visite fut brève. Au moment de repartir, il eut un moment d'hésitation et se tourna vers Edward.

— Kim est quelqu'un de bien, c'est une fille raisonnable. Elle est aussi aimante et chaleureuse.

— Je le pense aussi, dit Edward.

John Stewart monta en voiture et démarra. Kim attendit que la voiture ait disparu derrière les arbres pour laisser éclater la colère.

— Il ne voit même pas à quel point c'est humiliant d'être traitée comme une adolescente... une « fille », non, mais tu te rends compte !

— Au moins, il a vanté tes qualités.

— Mes qualités, tu parles ! C'est lui qu'il complimentait. C'était sa façon de s'attribuer les mérites de ce que je suis devenue. Mais il n'y est pour rien. Il n'a jamais été là pour moi. Il ne s'est jamais douté qu'être un vrai père ou vrai mari, c'était autre chose qu'assurer simplement le gîte et le couvert.

Edward passa le bras autour des épaules de Kim.

— N'y pense plus. Ça ne sert à rien de remuer tout ça.

Elle se tourna vivement vers lui.

— J'ai eu une idée, cette nuit. Ça te dirait d'emménager avec moi, le 1er septembre ?

— C'est... euh... c'est très généreux de ta part, dit-il en bégayant.

— Je crois surtout que c'est une idée excellente. Il y a toute la place qu'on veut ici, et toi, de toute façon, il faut que tu trouves un nouvel appartement. Qu'est-ce que tu en dis ?

— M... merci. Je... je ne sais pas quoi répondre. Il... il faudrait peut-être qu'on en parle.

— Qu'on en parle ? répéta Kim, incrédule.

Elle ne s'attendait pas à voir sa proposition rejetée. Tous les jours, Edward continuait à lui envoyer des fleurs.

— J'ai simplement peur que ce ne soit un coup de tête de ta part, expliqua Edward. Je crains un peu que tu ne changes rapidement d'avis, et que tu ne saches plus comment revenir sur ta proposition.

— C'est vraiment la raison de tes réticences ? (Elle se dressa sur la pointe des pieds et le serra dans ses bras.) Bon, d'accord, on en parlera. Mais je ne changerai pas d'avis.

Un peu plus tard, après avoir épuisé le sujet de la rénovation de la maison, Kim proposa à Edward d'aller fouiller dans les vieux papiers du château. Il accepta et, une fois arrivés sur place, Kim suggéra d'opérer dans le grenier puisqu'ils avaient visité la cave la fois précédente.

Le grenier se révéla être une véritable fournaise, même après qu'ils eurent ouvert les lucarnes. Edward, d'ailleurs, ne tarda pas à manifester son ennui, renonçant à explorer le contenu d'un tiroir qu'il avait pourtant porté près de la lucarne pour y voir plus clair. Kim s'en aperçut et lui en fit la remarque.

— Je crois que j'ai l'esprit occupé par ces nouveaux alcaloïdes, dit Edward. J'ai hâte d'être de retour au laboratoire.

— Tu n'as qu'à retourner en ville en voiture, proposa Kim. Moi, je prendrai le train plus tard.

— Bonne idée. Mais c'est moi qui prendrai le train.

Après une courte discussion dont Edward eut le dernier mot car Kim n'avait aucun moyen de se rendre à la gare dans l'après-midi, ils regagnèrent le cottage et montèrent en voiture. A mi-parcours, Kim se rappela soudain que sur le siège arrière se trouvait la boîte à outils contenant la tête d'Elizabeth.

— Pas de problème, dit Edward. Je l'emporte.

— Dans le train?

— Pourquoi pas? Elle est dans une boîte.

— Je veux que tu la remettes aussitôt que possible, lui dit à nouveau Kim. Ils vont reboucher cette tranchée dès qu'ils auront posé les canalisations.

— Ça sera fait très rapidement. J'espère seulement qu'il y aura des échantillons utilisables. Dans le cas contraire, il faudrait que j'essaye le foie.

— Pas question! On ne touchera à ce cercueil que pour remettre la tête. N'oublie pas que mon père traîne dans les parages, et que par malchance il est en relation avec l'entrepreneur.

Kim laissa Edward devant l'escalier menant à la gare. Il prit la boîte à outils sur le siège arrière.

— On se retrouve pour dîner? proposa-t-il.

— Non, je ne crois pas, répondit Kim. Il faut que je rentre chez moi. J'ai de la lessive à faire et demain matin il faut que je me lève tôt pour aller travailler.

— Alors on se téléphone.

— Entendu.

Edward avait beau goûter la compagnie de Kim, il fut enchanté de retrouver son laboratoire, et surtout d'y trouver Eleanor, qu'il ne s'attendait pas à rencontrer là. Elle était rentrée, avait pris une douche et dormi quatre ou cinq heures. Elle expliqua qu'elle se sentait trop excitée pour rester chez elle.

Elle commença par lui montrer les résultats de la spectro-métrie de masse. Il lui semblait absolument sûr à présent qu'ils avaient affaire à trois nouveaux alcaloïdes. Après leur discussion du matin, elle avait analysé les résultats : en aucune manière ils ne pouvaient provenir de composés déjà connus.

— Reste-t-il des indurations ? demanda Edward.

— Quelques-unes. Kevin Scranton nous en a promis d'autres, mais il ne peut pas dire pour quand. Je ne voulais pas sacrifier celles que nous avions avant d'en avoir parlé avec vous. Comment comptez-vous séparer les alcaloïdes ? Avec des solvants organiques ?

— Utilisons l'électrophorèse capillaire, dit Edward. Si nécessaire, nous aurons recours à la chromatographie capil-laire électrokinétique micellaire.

— J'utilise un échantillon brut comme je l'ai fait avec le spectromètre de masse ? demanda Eleanor.

— Non. Extrayons plutôt les alcaloïdes avec de l'eau distil-lée et formons un précipité avec un acide faible. C'est ce que j'ai fait au laboratoire de biologie, et ça a bien marché. On obtiendra des échantillons plus purs, ce qui rendra plus facile le travail d'analyse structurelle.

Eleanor se dirigea vers la paillasse, mais Edward la retint par le bras.

— Avant de commencer, je voudrais que vous fassiez autre chose.

Et, de la boîte à outils, il tira vivement la tête momifiée d'Elizabeth. Eleanor recula d'un pas, horrifiée.

— Vous auriez pu me prévenir !

— C'est vrai, dit Edward en riant.

Il se mit alors à observer la tête avec attention. Elle était plutôt effrayante. La peau était brun foncé, presque acajou, d'une texture rappelant le cuir, rétractée sur les os des pom-mettes, révélant ainsi les dents en un sourire hideux. Les che-veux étaient secs, agglutinés comme de la paille de fer.

— Qu'est-ce que c'est ? demanda Eleanor. Une momie égyptienne ?

150

Edward lui raconta alors l'histoire d'Elizabeth, et lui expliqua qu'il espérait trouver un échantillon utilisable dans la boîte cranienne.

— Un échantillon que vous voudriez passer au spectromètre de masse? demanda Eleanor.

— Exactement. Ce serait vraiment le fin du fin, du point de vue scientifique, de pouvoir mettre en évidence des pics correspondant aux nouveaux alcaloïdes. Ça prouverait de façon irréfutable que cette femme a ingéré ce champignon.

Tandis qu'Eleanor se rendait au département de biologie cellulaire pour emprunter du matériel de dissection, Edward faisait face à la petite troupe d'étudiants en doctorat et d'assistants venus, comme tous les jours, l'assaillir de questions. Il répondit à chacun d'entre eux et les renvoya à leurs travaux. Eleanor fit son apparition alors qu'il en finissait avec le dernier.

— Un professeur d'anatomie m'a dit d'emporter tout l'attirail, annonça-t-elle en exhibant une scie électrique.

Edward se mit au travail. Il repoussa le cuir chevelu, exposant ainsi le crâne. Puis, avec la scie, il découpa une calotte dans la boîte crânienne. Ils regardèrent tous deux à l'intérieur. Il ne restait pas grand-chose : le cerveau s'était contracté et formait une masse durcie à l'arrière du crâne.

— Qu'en pensez-vous? demanda Edward en tapotant du bout de son scalpel la masse d'aspect pierreux.

— Coupez-en un morceau, je le ferai dissoudre dans quelque chose.

Edward s'exécuta. Une fois en possession de l'échantillon, ils essayèrent différents solvants, puis introduisirent les éléments ainsi obtenus dans le spectromètre de masse. Au deuxième échantillon, ils obtinrent ce qu'ils recherchaient : plusieurs pics correspondaient exactement à ceux des nouveaux alcaloïdes présents dans l'extrait brut qu'Eleanor avait analysé la nuit précédente.

— La science n'est-elle pas une chose magnifique? s'écria Edward.

— Oui, c'est excitant, reconnut Eleanor.

Edward retourna alors à son bureau pour téléphoner à Kim. Comme il s'y attendait, il tomba sur le répondeur. Après le bip, il confia à la machine qu'au sujet d'Elizabeth Stewart, le diable de Salem avait reçu une explication scientifique.

Il raccrocha et retourna auprès d'Eleanor. Il se sentait d'humeur joyeuse.

— Et maintenant, fini de s'amuser! annonça-t-il. Place à la science. Voyons si on peut séparer ces nouveaux alcaloïdes de façon à savoir exactement à quoi on a affaire.

— Je ne m'en sortirai jamais! lança Kim à voix haute en refermant avec la hanche le tiroir d'un secrétaire.

Elle avait chaud, se sentait sale et d'humeur massacrante. Après avoir conduit Edward au train, elle était retournée dans le grenier du château, et pendant quatre heures avait inspecté les lieux, depuis l'aile des domestiques jusqu'à celle des invités. Non seulement elle n'avait rien trouvé d'intéressant, mais rien non plus datant du XVIIe siècle.

Elle parcourut du regard le long alignement de secrétaires, bureaux, malles et caisses qui s'entassaient à perte de vue dans le grenier. Cette masse énorme avait quelque chose de décourageant. Le grenier était encore plus encombré que la cave, et il y régnait le même désordre : les sujets comme les époques se mélangeaient, et l'on y trouvait aussi bien de la correspondance commerciale que personnelle, des livres de comptes que des documents officiels. Seule méthode possible : tout éplucher page après page.

Elle se rendit compte alors combien elle avait eu de la chance de trouver par hasard, l'autre jour, la lettre de James Flanagan datant de 1679. La suite de ses recherches promettait d'être plus ardue.

Finalement, la faim, la fatigue et le découragement eurent raison de sa volonté; elle quitta le grenier, remonta en voiture et rentra à Boston.

6

Cinq heures du matin. Edward n'avait dormi que quatre heures. Lorsque l'excitation d'un nouveau travail s'emparait de lui, ses besoins de sommeil diminuaient, et là, son intuition scientifique lui disait qu'il était tombé sur quelque chose de réellement important.

Il bondit hors de son lit, ce qui fit aboyer Buffer de façon paroxystique. Le pauvre chien vivait dans un état de tension permanente, et Edward dut lui caresser doucement la tête pour le calmer.

Une fois expédiés les rituels du matin (y compris la promenade de Buffer), Edward se rendit au laboratoire. Il n'était pas encore sept heures, et pourtant il y trouva Eleanor.

– J'ai eu du mal à dormir, avoua-t-elle.

Ses longs cheveux blonds, d'ordinaire coiffés avec soin, étaient ce matin-là en bataille.

– Moi aussi, dit Edward.

Ils avaient travaillé samedi jusqu'à une heure du matin, et dimanche toute la journée. Le succès semblant à portée de main, Edward avait même annulé la soirée de dimanche qu'il devait passer avec Kim. Celle-ci avait compris ses raisons.

Finalement, le dimanche soir, un peu après minuit, Edward et Eleanor avaient mis au point une technique de séparation. Les principales difficultés venaient du fait que deux des alcaloïdes partageaient de nombreuses propriétés physiques. Il ne leur manquait plus à présent que d'autres échantillons, et, comme s'il avait entendu leur prière, Kevin Scranton avait appelé en leur disant qu'il leur ferait parvenir de nouvelles indurations le lundi matin.

— Je veux que tout soit prêt quand elles arriveront, dit Edward.

— A vos ordres, mon capitaine! lança Eleanor en claquant des talons et en imitant le salut militaire.

Edward voulut lui donner une tape sur la tête, mais elle était beaucoup plus agile que lui et parvint à l'éviter.

Ils avaient ensuite travaillé pendant plus d'une heure, jusqu'au moment où Eleanor lui avait posé la main sur le bras.

— C'est exprès que vous ignorez vos troupes?

Edward se redressa et découvrit ses nombreux étudiants qui erraient dans le laboratoire comme des âmes en peine, attendant d'être accueillis par leur patron. Il ne s'était même pas aperçu de leur présence, mais tous avaient une question à lui poser ou un problème à lui soumettre.

— Écoutez! lança Edward à la cantonade. Aujourd'hui, il faudra vous débrouiller seuls. Je suis complètement pris par une recherche qui ne peut pas attendre.

Avec des murmures, la petite foule se dispersa, mais Edward ne remarqua pas leurs réactions et retourna à son travail. Et quand il travaillait, son pouvoir de concentration était légendaire.

Quelques minutes plus tard, Eleanor lui tapota à nouveau le bras.

— Désolée de vous déranger, mais vous pensez à votre cours de neuf heures?

— Bon sang! Je l'avais complètement oublié, celui-là. Allez me chercher Ralph Carter, vous voulez bien?

Quelques instants plus tard, le dénommé Ralph Carter, l'un des maîtres de conférences du département, fit son apparition. C'était un homme mince, barbu, avec un visage rougeaud et curieusement large pour sa corpulence.

– Je voudrais que vous vous chargiez du cours élémentaire de biochimie, lui annonça Edward.

– Pendant combien de temps ? demanda Carter, que cette nouvelle, visiblement, n'enchantait guère.

– Je ne sais pas encore. Je vous le dirai plus tard.

Après le départ de Carter, Edward se tourna vers Eleanor.

– Je déteste cette espèce d'agressivité qui n'arrive pas à s'exprimer. C'est la première fois que je demande à quelqu'un de me remplacer pour un cours élémentaire de chimie.

– C'est que vous êtes un des seuls à enseigner avec plaisir en premier cycle.

Comme promis, les indurations arrivèrent peu après neuf heures. Edward ouvrit la fiole en verre dans laquelle elles se trouvaient et versa les petits grains dorés sur un morceau de papier-filtre.

– Quels vilains machins, fit observer Eleanor. On dirait presque des crottes de souris.

– Je dirais plutôt que ça ressemble à des graines dans du pain de seigle, dit Edward. Historiquement, la comparaison me paraît meilleure.

– Vous êtes prêt à vous mettre au travail ?

– On y va ! dit Edward.

Avant midi, ils avaient réussi à produire une petite quantité de chaque alcaloïde, qu'ils rangèrent dans trois tubes coniques étiquetés A, B et C. Extérieurement, rien ne différenciait ces alcaloïdes qui se présentaient sous la forme de poudre blanche.

– Quelle est l'étape suivante ? demanda Eleanor en élevant l'un des tubes à la lumière.

– Il faut trouver lesquels ont une action psychotrope. Ensuite, c'est sur ceux-là qu'on travaillera.

– Pour les tests, on pourrait utiliser des préparations ganglionnaires d'*aplasia fasciata*. On saurait lesquels ont une action sur les cellules nerveuses.

Edward secoua la tête.

– Ce n'est pas suffisant. Je veux savoir lequel ou lesquels

155

entraînent des réactions hallucinogènes, et je veux le savoir rapidement. Pour ça, il nous faut un cerveau humain.

— On ne peut pas utiliser de volontaires rémunérés ! s'écria Eleanor. Ce serait tout à fait contraire à l'éthique médicale.

— Vous avez raison. Mais je n'ai pas l'intention d'utiliser des volontaires rémunérés. Je crois que vous et moi suffirons.

— Je ne suis pas sûre de vouloir me livrer à une telle expérience, dit Eleanor, un peu inquiète.

— Excusez-moi, dit une voix derrière eux.

Ils se retournèrent. Cindy, l'une des secrétaires du département, se tenait devant eux.

— Désolée de vous déranger, docteur Armstrong, mais un certain Dr Stanton Lewis se trouve dans mon bureau et voudrait vous voir.

— Dites-lui que je suis occupé.

Mais à peine la secrétaire avait-elle tourné les talons qu'il se ravisa :

— Finalement... dites-lui de venir.

— Je n'aime pas cette lueur qui danse dans vos yeux, dit Eleanor tandis qu'ils attendaient l'arrivée de Lewis.

— Elle est parfaitement innocente, rétorqua Edward en souriant. Mais bien sûr, si M. Lewis tient absolument à participer à nos recherches, ce n'est pas moi qui m'y opposerai. Non... sérieusement, j'ai très envie de lui parler de ce qu'on est en train de faire pour l'instant.

Stanton Lewis fit irruption dans le laboratoire avec sa jovialité habituelle. Il semblait particulièrement heureux de trouver Edward et Eleanor ensemble.

— Ah, voilà mes deux amis préférés... mais pour différentes parties de mon cerveau.

Il rit tout seul de sa plaisanterie, mais Eleanor saisit la balle au bond en lui disant ignorer que sa sexualité avait ainsi viré de bord.

— Qu'est-ce que vous voulez dire ? demanda Lewis, visiblement interloqué.

— Simplement que, de toute évidence, ce sont mes qualités intellectuelles qui vous attirent, et que votre cerveau instinctuel se tourne donc vers Edward.

Edward pouffa. Stanton avait la repartie facile et il ne l'avait jamais vu pris de court. Mais Stanton éclata lui aussi de rire et assura Eleanor que son intelligence l'avait toujours rendu aveugle à ses autres charmes.

Après quoi il se tourna vers Edward.

— Et maintenant, assez ri. Que penses-tu de l'offre de souscription publique pour Genetrix ?

— Je n'ai pas encore eu le temps de la lire, avoua Edward.

— Tu avais promis, fit Lewis d'un ton faussement menaçant. Je vais devoir dire à ma cousine de ne plus te fréquenter, parce qu'on ne peut pas avoir confiance en toi.

— Qui est donc cette cousine ? demanda Eleanor en administrant à Edward une petite tape dans les côtes.

Le visage d'Edward s'empourpra, et il se mit à bégayer un peu, ce qui ne lui arrivait presque jamais au laboratoire.

— Non, c'est... c'est vrai, je n'ai pas... eu le temps de la lire. Il s'est passé ici des choses qui pourraient t'intéresser.

— Il vaudrait mieux pour toi que ce soit vrai. (Stanton lui donna une claque dans le dos et assura qu'il plaisantait à propos de Kim.) Jamais je n'interviendrai dans votre relation, les deux tourtereaux. Ma tante m'a dit que le vieux Stewart vous avait surpris à Salem. J'espère quand même que ce n'était pas en flagrant délit !

Edward se mit à tousser nerveusement et fit signe à Stanton de prendre une chaise. Puis, se hâtant de changer de sujet, il lui raconta l'histoire du champignon, la découverte des nouveaux alcaloïdes, et la possibilité qu'au moins l'un d'eux possède des propriétés psychotropes. Pour appuyer ses dires, il lui tendit même les trois tubes à essai, que Stanton s'empressa de reposer sur la paillasse.

— Quelle histoire ! Mais en quoi est-ce que ça pourrait m'intéresser ? Je suis un type pratique, moi. Je ne suis pas du genre, comme vous autres chercheurs, à m'exciter pour des plantes exotiques aux propriétés ésotériques.

– Je crois que ces alcaloïdes pourraient avoir leur utilité, expliqua Edward. On est peut-être sur le point de découvrir une nouvelle classe de médicaments psychotropes qui auraient au moins des applications pour la recherche.

Stanton se redressa sur son siège, visiblement intéressé.

– De nouveaux médicaments ? Ça, ça peut être intéressant. Il y a des chances, à ton avis, qu'ils aient une utilité clinique ?

– Oui, je crois. Surtout si l'on tient compte des techniques de modification moléculaire qui existent à présent en chimie synthétique. Et puis, après l'épisode hallucinatoire quand j'ai ingéré de l'extrait cru, je me sens étrangement plein d'énergie et j'ai l'esprit particulièrement clair. Je crois que ces drogues peuvent avoir d'autres effets que simplement hallucinogènes.

– Mais ça pourrait être quelque chose de gigantesque ! s'écria Stanton Lewis dont la fibre de chevalier d'industrie venait d'être subitement touchée. Tu pourrais gagner beaucoup d'argent.

– C'est bien ce qu'on se disait, renchérit Edward. Mais ce qui nous intéresse avant tout, c'est en quoi un nouveau groupe de médicaments psychotropes pourrait faire avancer la science. Tout le monde s'attend à des découvertes majeures dans la compréhension du cerveau. Qui sait ? Ça pourrait être le cas. Et à ce moment-là, il faudra trouver un moyen de financer la production de ce médicament à grande échelle. Les chercheurs du monde entier vont en réclamer.

– Parfait, parfait ! s'exclama Stanton. Je suis très heureux de te voir poursuivre des buts aussi nobles, mais pourquoi ne pas concilier les deux ?

– Ça ne m'intéresse pas de devenir millionnaire, répondit Edward. Tu devrais le savoir, depuis le temps.

– Millionnaire ? lança Stanton avec dérision. Si cette nouvelle molécule se révèle efficace dans le traitement de la dépression, de l'anxiété ou autre, alors elle peut valoir un milliard de dollars !

Edward s'apprêtait à objecter à Stanton que leurs systèmes

de valeurs n'étaient pas les mêmes lorsqu'il s'interrompit au beau milieu de sa phrase. Il lui demanda s'il avait bien dit « un milliard ».

— Mais oui. J'ai bien dit que cette molécule pourrait valoir un milliard de dollars. Je n'exagère pas. On a bien vu avec le Librium, le Valium, et maintenant le Prozac, à quel point la société a un besoin insatiable de médicaments psychotropes cliniquement efficaces.

Le regard d'Edward se mit à errer au loin, entre les bâtiments de la faculté de médecine de Harvard. Lorsqu'il reprit la parole, sa voix semblait étrangement neutre, comme détachée de lui-même.

— D'après toi, qu'est-ce qu'il faudrait faire pour exploiter une telle découverte ?

— Pas grand-chose, répondit Stanton. Tout ce qu'il faut, c'est créer une société et faire breveter le médicament. C'est aussi simple que ça. Mais jusque-là, il faut garder le secret le plus absolu.

— Rien n'a filtré de nos recherches, dit Edward de la même voix égarée. Cela fait quelques jours seulement qu'Eleanor et moi savons que nous avons affaire à quelque chose d'entièrement nouveau.

Il ne parla pas de Kim, par crainte que la conversation ne revînt sur elle.

— Je dirais que moins il y a de gens au courant, mieux ça vaut, dit Stanton. Quant à moi, je pourrais créer une société, simplement au cas où les choses prendraient tournure.

Edward se massa les paupières, puis le visage tout entier, comme s'il s'éveillait d'une transe.

— Je crois qu'on se précipite, là. Eleanor et moi avons beaucoup de travail à effectuer avant même de savoir sur quoi on est tombés.

— Quelle est l'étape suivante ? demanda Stanton.

— Bonne question. (Il gagna une armoire vitrée.) Nous étions justement en train d'en parler avant ton arrivée. La première chose à faire, c'est de déterminer lequel de ces composants a des propriétés psychotropes.

Edward ramena trois fioles, introduisit dans chacune une minuscule quantité d'alcaloïde et les remplit d'eau distillée, puis il agita vivement.

— Comment comptes-tu procéder? demanda Stanton qui commençait pourtant à se douter des intentions d'Edward.

D'un tiroir, Edward tira trois pipettes millimétrées.

— Quelqu'un veut essayer avec moi?

Ni Stanton ni Eleanor ne répondirent.

— Bande de poules mouillées, dit Edward en riant. Mais non, je plaisante. En fait, je voulais seulement que vous soyez présents au cas où. C'est moi qui vais faire le cobaye.

Stanton se tourna vers Eleanor.

— Ce type est fou, ou quoi?

Eleanor savait bien que non seulement Edward n'était pas fou, mais qu'en matière de biochimie, personne ne pouvait lui en remontrer.

— Vous êtes sûr que c'est sans danger, n'est-ce pas? demanda-t-elle.

— Ce n'est pas pire que de tirer quelques bouffées sur un joint, répondit-il. Un millilitre doit contenir au mieux quelques millionièmes de gramme. En outre, j'ai ingéré de l'extrait cru sans aucun effet secondaire. En fait, c'était même plutôt agréable. Et là, on a un produit relativement pur.

— D'accord! lança Eleanor. Donnez-moi une de ces pipettes.

— Vous êtes sûre? demanda Edward. Je ne vous oblige à rien, vous savez. Ça m'est égal de prendre les trois.

— Tout à fait sûre, dit Eleanor en prenant une pipette.

— Et toi, Stanton? demanda Edward. Tu as la chance de participer à une découverte scientifique. Et puis, si tu veux vraiment que je lise ton satané appel à souscription, tu me dois bien ça.

— J'imagine que si deux cinglés m'affirment que c'est sans danger, je ne risque rien. A part ça, tu as intérêt à lire cet appel à souscription, sans ça j'ai quelques petits copains dans la mafia qui pourraient bien venir te rendre visite. (Il prit une pipette.)

160

– Que chacun choisisse son poison, dit Edward en indiquant les fioles.

– Retire ça ou je m'en vais! fit Stanton.

Edward se mit à rire. Pour avoir souvent vécu la situation inverse, il goûtait fort la déconfiture de Stanton.

Stanton laissa Eleanor choisir en premier, puis prit l'un des flacons.

– J'ai l'impression de jouer à une sorte de roulette russe pharmacologique, dit-il.

– Votre intelligence vous perdra, dit Eleanor en riant.

– La preuve que je ne suis pas si intelligent que ça, rétorqua Stanton, c'est que je me suis laissé embobiner.

– Honneur aux dames, dit Edward.

Eleanor remplit la pipette et déposa un millilitre de liquide sur sa langue. Edward l'encouragea à le faire passer avec un grand verre d'eau.

Les deux hommes l'observèrent en silence. Les minutes s'écoulèrent. Finalement, Eleanor haussa les épaules.

– Rien. Sauf que mon pouls s'est un petit peu accéléré.

– Ça, c'est simplement la terreur, dit Stanton.

– A toi, dit Edward.

Stanton remplit sa pipette.

– Quand je pense que pour obtenir ta présence à un conseil scientifique je suis obligé de commettre un crime!

Il déposa lui aussi une minuscule quantité de liquide sur sa langue et avala un verre d'eau.

– C'est amer, mais je ne ressens rien.

– Attends quelques secondes pour que ça ait le temps de circuler, dit Edward.

Il remplit à son tour sa pipette. Il commençait à se demander si ce n'était pas un autre composé, soluble dans l'eau, qui avait entraîné ses hallucinations lors de la première expérience.

– J'ai un peu la tête qui tourne, dit Stanton.

– Bien, dit Edward, un peu rassuré parce qu'il avait éprouvé le même symptôme avec l'extrait cru. Rien d'autre?

Brusquement, Stanton se raidit et fit une grimace, tandis que ses yeux parcouraient la pièce avec affolement.

— Qu'est-ce que tu vois ? demanda Edward.

— Des couleurs ! Je vois des couleurs qui bougent !

Il commença à décrire les couleurs en détail, mais s'interrompit brutalement avec un cri de terreur et bondit sur ses pieds en agitant frénétiquement les bras.

— Que se passe-t-il ? demanda Edward.

— Je suis dévoré par des bestioles !

Il continua de chasser d'imaginaires insectes jusqu'au moment où il sembla étouffer.

— Et maintenant ? demanda Edward.

— J'ai la poitrine oppressée, dit Stanton d'une voix rauque. Je n'arrive plus à déglutir.

Edward saisit Stanton par le bras, tandis qu'Eleanor commençait à composer un numéro de téléphone. Mais Edward l'interrompit : Stanton venait soudain de se calmer. Il ferma les yeux et un sourire apparut sur son visage. Edward le fit asseoir dans son fauteuil.

Stanton répondit alors aux questions avec lenteur, comme à regret. Il se disait occupé, et n'avait pas envie qu'on le bouscule. Quand Edward lui demanda ce qu'il faisait, Stanton répondit seulement : « Des choses. »

Au bout de vingt minutes, le sourire de Stanton s'évanouit. Il sembla dormir pendant quelques minutes, puis ouvrit lentement les yeux.

Il avala sa salive avec une difficulté évidente.

— J'ai la bouche sèche comme du papier de verre. J'ai besoin de boire quelque chose.

Edward lui tendit un verre d'eau qu'il but goûlument avant d'en réclamer un deuxième.

— Ça a fait deux, trois minutes bien remplies, dit Stanton. C'était même plutôt amusant.

— Ça a plutôt duré vingt minutes, fit observer Edward.

— Ah bon, tu es sûr ?

— Comment tu te sens ? demanda Edward.

— Merveilleusement calme.

— Clairvoyant, peut-être?

— Le terme est excellent. J'ai l'impression de me souvenir de tas de choses avec une clarté stupéfiante.

— C'est exactement ce que j'ai éprouvé, dit Edward. Et la sensation d'étouffement?

— Quelle sensation d'étouffement?

— Tu disais que tu avais l'impression d'étouffer. Tu te disais également dévoré par des insectes.

— Je ne m'en souviens pas du tout.

— Bon, peu importe. L'important, c'est de savoir que le composé B a des effets hallucinogènes. Voyons le dernier, à présent.

Edward avala sa dose. Ils attendirent plusieurs minutes, mais rien ne se produisit.

— Bon, dit enfin Edward. On sait désormais sur lequel de ces alcaloïdes on va travailler.

— On pourrait peut-être mettre ce machin en bouteilles et le vendre tel quel, dit Stanton en plaisantant. Ça aurait plu à la génération des années soixante, ça. Je me sens bien, presque euphorique. Il faut dire que c'est peut-être aussi une réaction de soulagement. J'avoue que j'étais terrifié.

— Moi aussi j'ai éprouvé une sorte d'euphorie, dit Edward, c'est donc un effet de cet alcaloïde. C'est encourageant. Je crois qu'on a affaire à une drogue hallucinogène qui a des effets calmants et amnésiants.

— Et la sensation de clairvoyance? demanda Stanton.

— J'aimerais bien qu'elle soit due à une activation générale des fonctions cérébrales, dit Edward. Si c'était le cas, elle pourrait avoir également des effets antidépresseurs.

— Comme il est doux d'entendre de tels propos, dit Stanton. Bon, quelle est l'étape suivante?

— D'abord, s'occuper de la chimie de ce composé. C'est-à-dire de sa structure et de ses propriétés physiques. Une fois déterminée la structure, nous travaillerons à la synthèse du produit pour ne pas avoir à dépendre du champignon pour

163

l'extraire. Nous passerons alors à sa fonction physiologique et aux études de toxicité.

— Toxicité ? répéta Stanton, livide.

— Tu n'as absorbé qu'une dose infinitésimale, lui rappela Edward d'un ton rassurant. Ne t'inquiète pas. Tu n'auras pas de problème.

— Comment vas-tu analyser les effets physiologiques du produit ? demanda Stanton.

— Par une approche à différents niveaux. N'oublie pas que la plupart des molécules qui ont un effet hallucinogène fonctionnent en imitant l'un des neurotransmetteurs du cerveau. Le LSD, par exemple, s'apparente à la sérotonine. Nous commencerons nos études avec des neurones unicellulaires, puis nous passerons aux synaptosomes, qui sont des préparations de cerveau vivant centrifugées, et nous terminerons par des systèmes neurocellulaires intacts, comme les ganglions d'un animal inférieur.

— Pas d'animaux vivants ? demanda Stanton.

— En fin de parcours, si. Probablement des souris et des rats. Et peut-être aussi quelques singes. Mais on n'en est pas là. Il faut aussi explorer le niveau moléculaire. Il faut mettre en évidence les sites de liaison et la transduction du message à l'intérieur de la cellule.

— Ça pourrait prendre des années, fit observer Stanton.

— Il y a effectivement beaucoup à faire, reconnut Edward qui se tourna vers Eleanor en souriant. (Celle-ci acquiesça.) Mais c'est terriblement excitant. Ça pourrait être la découverte de ma vie.

— Bon, eh bien tiens-moi informé, dit Stanton en se levant. (Il fit quelques pas hésitants pour éprouver son équilibre.) Je dois dire que je me sens dans une forme éblouissante.

Stanton avait déjà gagné la porte du laboratoire lorsqu'il se ravisa et revint sur ses pas. Edward et Eleanor, eux, étaient retournés à leur travail.

— N'oublie pas que tu as promis de lire cette offre de

souscription ; je ne te lâcherai pas, même si tu es surchargé de travail.

— Oui, oui, je la lirai, dit Edward. Seulement, je n'ai pas dit quand.

Stanton fit le geste de se tirer une balle dans la tête.

— Kim, téléphone pour toi, lui dit la secrétaire.

— Prends le message, répondit Kim, occupée à aider une autre infirmière au chevet d'un patient.

— Non, va prendre ton appel, lui dit sa collègue. Maintenant je peux me débrouiller seule.

— Tu es sûre ?

L'infirmière opina du chef.

Kim traversa la grande salle de soins intensifs, encombrée de lits. Toute la journée, les patients n'avaient cessé d'arriver. Elle prit le combiné, pensant qu'il s'agissait du laboratoire d'analyses ou de la banque de sang où elle avait déjà appelé.

— J'espère que je ne vous dérange pas, dit une voix.

— Qui est à l'appareil ? demanda Kim.

— George Harris, votre entrepreneur de Salem. Vous m'avez laissé un message.

— Excusez-moi, je n'avais pas reconnu votre voix.

— C'est plutôt moi qui m'excuse, parce que j'ai mis longtemps à vous rappeler. J'étais sur le chantier, chez vous. Que puis-je faire pour vous ?

— Je voulais savoir quand vous comptiez fermer la tranchée.

La veille, en effet, elle avait songé avec une certaine angoisse que la tranchée pouvait être comblée avant qu'ils aient replacé la tête d'Elizabeth dans son cercueil.

— Probablement demain matin, dit Harris.

— Si tôt ? s'exclama Kim.

— On est en train de poser les canalisations, en ce moment. Pourquoi, il y a un problème ?

— Non, non, se hâta de dire Kim. Je voulais simplement savoir. Tout se passe bien, à part ça ?

— Très bien.

Kim écourta la conversation et, aussitôt après avoir raccroché, appela Edward.

Il ne fut pas facile à joindre. D'abord, la secrétaire refusa
de le rechercher, proposant à Kim de laisser un message et
l'assurant qu'il la rappellerait. Kim insista et finit par obtenir
gain de cause.

— Ah, je suis content que tu appelles! s'écria Edward. J'ai
de bonnes nouvelles à t'annoncer : non seulement on a réussi
à séparer les alcaloïdes, mais on sait maintenant lequel a des
effets psychotropes.

— Je suis contente pour toi, mais il y a un problème. Il faut
remettre la tête d'Elizabeth dans le cercueil.

— On pourra faire ça en fin de semaine, dit Edward.

— Ce sera trop tard. Je viens de parler à l'entrepreneur, et
il m'a dit qu'ils allaient reboucher la tranchée demain matin.

— Oh, zut! Ici, les choses avancent à toute allure. Je n'ai
pas du tout envie de m'absenter. Ils ne pourraient pas
attendre et reboucher cette tranchée la semaine prochaine?

— Je ne l'ai pas demandé, et je ne veux pas le faire. Il me
faudrait une raison, et ça ne pourrait être que le cercueil.
L'entrepreneur est en contact avec mon père, et je ne veux
pas qu'il se doute qu'on a violé la tombe d'Elizabeth.

— Et merde!

Il y eut un moment de gêne.

— Tu m'avais promis que tu remettrais cette tête dès que
possible, dit enfin Kim.

— Oui, simplement ça tombe mal. (Un moment de
silence.) Ça t'ennuierait de le faire, toi?

— Je ne sais pas si j'en serais capable. Je n'ai même pas
voulu la voir, alors... la toucher.

— Tu n'y es pas obligée, dit Edward. Il suffirait de glisser
la boîte à l'intérieur du cercueil.

— Edward, tu m'avais promis!

— Je t'en prie! Je te le rendrai un jour ou l'autre. Je suis tellement occupé en ce moment. On a commencé à analyser la
structure.

— Bon... d'accord.

Kim avait toujours eu le plus grand mal à dire non quand on lui demandait un service. Après tout, cela ne l'ennuyait pas d'aller à Salem, et peut-être ne serait-ce pas si terrible de glisser la boîte dans le cercueil.

— Comment est-ce que je vais récupérer cette boîte? demanda-t-elle.

— Pour te faciliter les choses, je vais te l'envoyer par coursier; tu l'auras avant d'avoir quitté ton travail. Ça te va?

— Merci.

— Appelle-moi ici, au labo, à ton retour. Je serai là au moins jusqu'à minuit. Peut-être plus tard.

Kim retourna travailler, mais elle était préoccupée. L'angoisse qu'elle avait éprouvée en apprenant que la tranchée allait être rebouchée le lendemain ne se dissiperait, elle le savait, qu'une fois la tête remise dans le cercueil.

Tout en circulant entre les lits des malades, Kim se maudissait d'avoir permis à Edward de l'emporter. Plus elle y pensait, plus cette affaire lui déplaisait. Et puis autant, au téléphone, l'idée de remettre la boîte en carton dans le cercueil, sans l'ouvrir, lui avait paru raisonnable, autant en y repensant elle se rendait compte qu'elle ne pourrait s'y résoudre. Il lui faudrait remettre la tombe en l'état, et donc replacer la tête sans la boîte. L'idée seule la faisait frémir.

Finalement, les exigences de son travail lui firent oublier pour quelque temps le problème. Il fallait s'occuper des patients, et les heures défilaient. Un peu plus tard, alors qu'elle effectuait une intraveineuse assez délicate, le réceptionniste du service lui tapota l'épaule.

— Il y a un paquet pour toi, dit-il en montrant un coursier qui attendait près du bureau. Il faut signer un reçu.

Le coursier semblait impressionné par l'ambiance de l'unité de soins intensifs. Il serrait contre sa poitrine une planchette de reçus et tenait sous le bras une boîte en carton attachée par un élastique. Le cœur de Kim se mit à battre violemment.

— A la réception centrale ils lui ont dit de l'apporter au service courrier, expliqua le réceptionniste, mais il devait te le remettre en mains propres.

— D'accord, d'accord, dit Kim, nerveusement.

Le réceptionniste sur ses talons, elle se dirigea alors vers le bureau. Soudain, elle vit Kinnard émerger au-dessus de celui-ci. Il était occupé à rédiger une ordonnance, et jeta un coup d'œil au reçu que tenait le coursier.

— Qu'est-ce que c'est que ça ? demanda-t-il.

Kim prit la planchette du coursier et se hâta de signer le reçu.

— C'est une remise en mains propres, dit le réceptionniste.

— Ça, je le vois bien, dit Kinnard. Et je vois aussi que ça vient du laboratoire du Dr Edward Armstrong. Mais qu'est-ce qu'il peut y avoir à l'intérieur ?

— Ce n'est pas dit sur le reçu, expliqua le réceptionniste.

— Donne-moi cette boîte, dit sèchement Kim en se penchant par-dessus le bureau pour la saisir.

Mais Kinnard recula en souriant.

— C'est de la part d'un des nombreux admirateurs de Mlle Stewart, dit-il à l'adresse du réceptionniste. Sans doute des friandises. C'est plutôt malin de mettre ça dans une boîte de papier pour ordinateur.

— C'est la première fois que quelqu'un du service reçoit un paquet directement par coursier, dit le réceptionniste.

— Donne-moi cette boîte, exigea de nouveau Kim, qui imaginait déjà la boîte tomber à terre, laissant échapper la tête.

Kinnard secoua alors le paquet en écoutant attentivement. On entendit distinctement la tête ballotter.

— Ça ne peut pas être des bonbons, ou alors c'est un ballon de football en chocolat, dit Kinnard avec une grimace comique. Qu'en pensez-vous ? ajouta-t-il en secouant à nouveau la boîte près de l'oreille de l'employé.

Mortifiée, Kim fit le tour du bureau et chercha à s'emparer du paquet, mais Kinnard l'éleva à bout de bras, hors de sa portée.

Marsha Kingsley, qui, comme d'autres infirmières, avait assisté à la scène, vint au secours de son amie. Elle se glissa derrière Kinnard et lui baissa les bras. Il ne résista pas, et Kim put reprendre son paquet.

Sentant l'exaspération de Kim, Marsha la conduisit dans la salle de repos. De là, elles entendirent Kinnard qui riait avec le réceptionniste.

— Il a l'humour plutôt lourdingue, ce con d'Irlandais. Il mériterait qu'on lui botte le cul!

— Merci de ton aide, Marsha, dit Kim, encore tremblante.

— Je sais pas ce qu'il a, ce type. Il en tient une couche! Tu ne mérites pas d'être traitée comme ça.

— Il est jaloux parce que je fréquente Edward.

— Ah, parce que tu le défends! Eh bien moi, je ne crois pas à son numéro d'amoureux transi. Pas du tout. Ce n'est qu'un don Juan.

— Avec qui il sort? demanda Kim.

— La nouvelle blonde qui est en électroradiologie.

— Magnifique! fit Kim d'un ton sarcastique.

— Mais il n'a pas de chance, parce qu'on raconte partout à l'hôpital que c'est elle qui a servi de modèle à toutes les blagues sur la « ravissante idiote ».

— Il faut quand même reconnaître qu'elle est très belle, dit Kim d'un ton rêveur.

— Et alors?

— Tu as raison, soupira Kim. Je crois que je ne supporte pas les conflits, c'est tout.

— Il faut dire qu'avec Kinnard, tu as été servie. Regarde la différence avec Edward. Lui, au moins, il ne se comporte pas comme si sa relation avec toi était un dû.

— Tu as raison, répéta Kim.

Après son travail, Kim mit la boîte dans le coffre de sa voiture et hésita un instant sur ce qu'elle allait faire. Se rendre au capitole, comme prévu, ou bien gagner directement la propriété ? Et pourquoi pas les deux, puisque de toute façon, pour remettre la tête d'Elizabeth dans le cercueil, il fallait attendre le départ des ouvriers !

Laissant sa voiture au garage de l'hôpital, Kim gagna à pied Beacon Hill, au sommet de laquelle se dressait le capitole du Massachusetts, surmonté d'une coupole dorée. Après sa journée d'enfermement, elle goûta la douce chaleur de l'été, la petite brise marine et l'odeur de sel qui flottait dans l'air. On entendait même le cri des mouettes.

A l'accueil, on la dirigea vers le service des archives du Massachusetts. Après avoir attendu son tour, Kim montra à l'employé, un homme corpulent qui répondait au nom de William MacDonald, la requête de Ronald Stewart et la réponse négative du juge Hathorne.

— Très intéressant, dit MacDonald. J'adore tous ces vieux papiers. Où avez-vous trouvé celui-ci ?

— Au tribunal du comté de l'Essex.

— Et que puis-je pour vous, madame ?

— Vous voyez là que le juge Hathorne suggère à Ronald Stewart de s'adresser au gouverneur, puisque l'élément de preuve réclamé a été transféré dans le comté du Suffolk. J'aimerais connaître la réponse du gouverneur. En fait, ce qui m'intéresse, c'est de connaître la nature de ce fameux élément de preuve. Curieusement, on n'en fait mention ni dans la requête ni dans la décision du juge.

— Ce devait être le gouverneur Phips, dit MacDonald en souriant. Il faut vous dire que l'histoire, c'est ma marotte. Voyons si on trouve trace de ce Ronald Stewart dans l'ordinateur.

Ne pouvant pas voir l'écran du terminal, Kim se prit à observer le visage de l'employé. Malheureusement, il secouait la tête à chaque entrée.

— Pas de Ronald Stewart ! déclara-t-il enfin. (Il relut la décision du juge d'un air perplexe.) Je ne vois pas quoi faire d'autre. J'ai essayé un renvoi Ronald Stewart-gouverneur Phips, mais ça n'a rien donné. Le problème, c'est que toutes les requêtes du XVIIᵉ siècle n'ont pas été conservées, et celles qui l'ont été ne sont pas toutes correctement indexées ni cataloguées. Il y en avait tellement ! A l'époque, c'était comme maintenant : les gens n'arrêtaient pas de se faire des procès.

– Et par la date ? suggéra Kim. Le 3 août 1692. Il y aurait moyen de trouver quelque chose ?

– J'ai bien peur que non. Désolé.

Kim remercia l'archiviste et quitta le capitole, un peu découragée.

« Pourquoi Ronald Stewart n'a-t-il pas mentionné la nature de cet élément de preuve ? » se demandait-elle en descendant Beacon Hill. Fallait-il y voir une signification particulière, voire un message à elle adressée ?

Kim laissa échapper un soupir. Plus elle songeait à ce mystérieux élément de preuve, plus elle se sentait intriguée. Elle en vint même à se dire que cela renforçait son intuition, à savoir qu'Elizabeth cherchait à communiquer avec elle.

Dans Cambridge Street, Kim prit la direction du garage Mass General, où elle récupéra sa voiture.

Elle se mit en route pour Salem, mais à cette heure, elle se retrouva en plein embouteillage.

Coincée sur Storrow Drive, elle songeait à la blonde que fréquentait Kinnard, et dut bien reconnaître qu'elle en éprouvait du dépit. Ses pensées la ramenèrent tout naturellement à Edward et à leur prochaine vie commune au cottage, et c'est avec une certaine jubilation qu'elle imagina ce qu'éprouveraient son père et Kinnard en apprenant la nouvelle.

Puis Kim se rappela la tête d'Elizabeth, dans son coffre ; la conduite d'Edward lui parut d'autant plus surprenante qu'il avait promis de s'occuper de tout. Cela ne cadrait plus avec les attentions dont il l'entourait depuis le début.

– Qu'est-ce qu'il y a ? demanda Edward d'un ton irrité. Est-ce qu'il faut vraiment que je vous prenne par la main toute la journée ?

171

Jaya Dawar, de Bangalore, en Inde, à qui il s'adressait de la sorte, était un de ses plus brillants étudiants en doctorat. Il n'était arrivé à Harvard que le 1er juillet, et il éprouvait encore de nombreuses difficultés à commencer sa thèse.

— Je me disais que vous pourriez me recommander un certain nombre de lectures, dit Dawar.

— Je vous recommande la bibliothèque tout entière ! lança Edward en indiquant du doigt la direction de la Countway Medical Library. Elle n'est qu'à cent mètres d'ici. Vous savez, il vient un moment dans la vie où il faut savoir couper le cordon ombilical ! Apprenez à travailler un peu seul !

Jaya Dawar s'éloigna, la tête baissée.

Edward, lui, reporta son attention sur les minuscules cristaux qu'il était en train d'examiner.

— Je devrais peut-être me charger de ce nouvel alcaloïde, suggéra Eleanor d'une voix hésitante. Vous pourriez me guider, jeter un œil de temps en temps.

— Et me priver de ce plaisir ? rétorqua Edward en abandonnant un instant son microscope.

— Je m'inquiète seulement pour vos responsabilités habituelles. Beaucoup de gens ici comptent sur vous pour leur travail. J'ai aussi entendu les étudiants de premier cycle se plaindre de votre absence de ce matin.

— Ralph connaît sa partie, dit Edward. Quant à sa façon d'enseigner, eh bien il s'améliorera.

— Ralph n'aime pas enseigner.

— Écoutez, je vous remercie de l'intérêt que vous portez à tout ça, mais je ne veux pas laisser échapper ma chance. On tient quelque chose, là, avec cet alcaloïde. Je le sens. Ce n'est quand même pas tous les jours qu'on tombe sur une molécule qui peut valoir un milliard de dollars.

— On n'est pas du tout sûrs que ce composé va rapporter quelque chose, objecta Eleanor. Au point où nous en sommes, c'est une simple hypothèse.

— Plus on travaillera, plus tôt on le saura. Pendant un bout de temps, les étudiants devront se débrouiller sans moi. Qui sait ? Peut-être que ça leur fera du bien.

172

En approchant de la propriété, l'angoisse de Kim ne fit que croître. Avec la tête d'Elizabeth dans sa voiture, c'était comme si la frénésie de 1692 jetait sur le présent son ombre maléfique.

Constatant que la grille était restée entrouverte, elle craignit que les ouvriers ne fussent encore là. Ses craintes se révélèrent fondées, car elle aperçut bientôt deux voitures garées devant le cottage.

Elle rangea la sienne à côté et descendit. Aussitôt, George Harris et Mark Stevens firent leur apparition sur le seuil de la maison, visiblement ravis de la voir.

— Quelle bonne surprise! dit Stevens. Nous pensions vous appeler tout à l'heure, mais c'est encore mieux que vous soyez là. Nous avons plein de questions à discuter avec vous.

Pendant une demi-heure, Kim visita le chantier en compagnie des deux hommes, et se montra sidérée par la rapidité avec laquelle avançaient les travaux. Stevens avait apporté avec lui des échantillons de faïences pour la cuisine et la salle de bains, et, grâce à son sens des couleurs et à son goût pour la décoration d'intérieur, elle n'eut aucun mal à prendre une décision. Harris et Stevens ne cachèrent pas leur admiration, tandis que Kim se surprenait elle-même. Cette capacité à prendre des décisions lui venait d'une confiance en elle acquise au fil des ans. Lors de sa première année d'université, elle avait été incapable de choisir la couleur de son couvre-lit.

Après en avoir fini avec l'intérieur, ils firent le tour du cottage. Kim déclara alors qu'elle voulait pour l'appentis les mêmes fenêtres à carreaux en losange que dans le reste de la maison.

— Il faudra les faire faire sur mesure, dit George Harris. Ça reviendra beaucoup plus cher.

— Tant pis, répondit Kim sans hésiter.

Elle voulait aussi qu'on répare les ardoises du toit, mais sans utiliser des matériaux modernes, comme l'avait suggéré l'entrepreneur. Stevens convint que le résultat serait infiniment meilleur. Kim demanda aussi qu'on enlève les dalles goudronnées sur l'appentis et qu'on les remplace par des ardoises.

Contournant la maison, ils arrivèrent devant la tranchée où reposaient à présent un conduit d'évacuation des eaux usées, une conduite d'alimentation en eau, une ligne électrique, une ligne de téléphone et un câble de télévision. Kim fut soulagée en apercevant le coin du cercueil qui émergeait de la glaise.

— Et la tranchée ? demanda-t-elle.

— Elle sera comblée demain, répondit Harris.

Kim sentit un frisson lui parcourir l'échine en songeant à ce qui se serait passé si elle n'avait pas eu la bonne idée de l'appeler le matin même.

— Est-ce que ce sera terminé le 1er septembre, à votre avis ? demanda Kim.

Stevens se tourna vers Harris.

— Ça devrait être bon, répondit ce dernier, sauf problèmes imprévus. Je vais commander les nouvelles fenêtres demain. Si on ne les reçoit pas à temps, on pourra toujours mettre des fenêtres provisoires.

Après le départ de l'architecte et de l'entrepreneur, Kim retourna à l'intérieur de la maison pour y chercher un marteau, puis récupéra la boîte en carton dans le coffre de la voiture.

Nerveuse, elle suivit la tranchée jusqu'à un endroit moins profond qui lui permettait d'y descendre. Elle se faisait l'effet d'un voleur dans la nuit, et s'arrêtait sans cesse pour guetter l'arrivée de quelque voiture.

Une fois dans la tranchée, alors qu'elle remontait en direction du cercueil, elle éprouva une violente sensation de claustrophobie. Les parois semblaient l'enserrer de façon menaçante, et elle craignait même qu'elles ne s'effondrent brusquement sur elle.

Puis, d'une main tremblante, elle inséra l'extrémité fendue du marteau entre les planches du cercueil et tira.

Que faire, à présent? Mettre la tête dans le cercueil, ou tout simplement la boîte, sans l'ouvrir? Elle n'hésita pas longtemps.

Elle ouvrit la boîte et regarda à l'intérieur. Le visage était tourné vers elle, au milieu d'un matelas de cheveux séchés. Dans ce visage parcheminé, dans ce regard perdu au fond des orbites proéminentes, elle chercha à retrouver le plaisant portrait qu'elle faisait restaurer et réencadrer. Mais les deux images étaient si différentes qu'il semblait impossible qu'il s'agît là de la même personne.

Retenant sa respiration, Kim plongea la main dans la boîte et prit la tête. Elle frissonna, comme si elle venait de toucher la mort elle-même. Puis elle se demanda à nouveau ce qui s'était réellement passé, trois cents ans auparavant. Qu'avait donc pu faire Elizabeth pour mériter un sort aussi cruel?

Se retournant alors avec précaution pour ne pas se prendre les pieds dans les câbles ou les tuyaux, elle replaça la tête dans le cercueil. Du bout des doigts elle sentit du tissu et quelque chose de dur, mais n'osa pas regarder de quoi il s'agissait. Fébrilement, elle remit en place l'extrémité du cercueil et l'ajusta à l'aide du marteau.

Elle ramassa ensuite la boîte et l'élastique et remonta le long de la tranchée. Elle ne commença à se détendre un peu que lorsqu'elle eut remis la boîte dans le coffre de la voiture. Enfin!

Elle revint à la tranchée pour s'assurer qu'elle n'avait pas laissé derrière elle d'indice compromettant. On distinguait nettement ses empreintes de pas, mais cela ne devrait pas poser de problème.

Les mains sur les hanches, Kim se prit alors à contempler le cottage et songea à ce que pouvait être la vie en ces temps où l'on redoutait la sorcellerie, et où la malheureuse Elizabeth avalait, sans le savoir, ces grains empoisonnés. Grâce à ses nombreuses lectures, elle connaissait à présent beaucoup de choses sur l'épisode des sorcières de Salem. La plupart des jeunes femmes qui avaient dû être empoisonnées de la même façon qu'Elizabeth étaient qualifiées d'« affligées », et c'étaient elles qui avaient dénoncé les sorcières.

Kim reporta le regard sur le cercueil. Ces jeunes « affligées » n'étaient pas considérées comme des sorcières, sauf Mary Warren, qui avait d'ailleurs fini par être acquittée. Mais pourquoi avoir condamné Elizabeth ? Avait-elle refusé de dénoncer celle qui l'avait affligée ? Ou bien pratiquait-elle réellement les sciences occultes, comme son père l'avait laissé entendre ?

Kim secoua la tête en soupirant. Il n'y avait aucune réponse à ces questions. Tout ramenait à ce mystérieux élément de preuve concluant. Son regard dériva alors vers le château, et elle imagina l'amoncellement de secrétaires, de malles et de caisses dans le grenier et dans la cave.

Un rapide coup d'œil à sa montre : il restait encore plusieurs heures de jour. Mue par une subite impulsion, elle grimpa en voiture et gagna le château.

En pénétrant à l'intérieur, elle se mit à siffloter, pour se tenir compagnie. Au pied de l'escalier, elle hésita. Le grenier était incontestablement plus agréable que la cave, mais sa dernière visite là-haut s'était révélée particulièrement infructueuse : après cinq heures de recherches, elle n'avait trouvé aucun document du XVIIe siècle.

Elle rebroussa donc chemin, gagna la salle à manger et ouvrit la lourde porte en chêne de la cave à vin. En bas, dans le couloir central, elle jeta un regard dans chacune des cellules. Comme tout était entassé dans le plus grand désordre, elle se dit qu'il convenait d'opérer de façon rationnelle et décida de commencer par la cellule du fond, en classant les papiers par époque et par matière.

Mais en repassant devant l'une de ces cellules, elle s'immobilisa brusquement. Il y avait là l'habituel bric-à-brac de secrétaires, bureaux, malles et caisses mais, posée au-dessus d'un des bureaux, elle reconnut une boîte en bois d'aspect familier. Elle ressemblait à la boîte à bible de la Maison de la Sorcière, de ces boîtes qui, d'après la guide, étaient présentes dans toutes les maisons de l'époque puritaine.

Elle pénétra dans la cellule et promena les doigts sur le couvercle de la boîte, laissant des traits parallèles dans la poussière. Le bois était dépourvu d'ornement et parfaitement lisse. De toute évidence, cette boîte était très ancienne. Kim l'ouvrit.

A l'intérieur se trouvait une bible reliée en cuir épais. Elle la prit et découvrit dessous des enveloppes et des papiers. Elle porta alors la bible dans le couloir, là où la lumière était meilleure, l'ouvrit, et lut que le livre avait été imprimé à Londres en 1635. Elle feuilleta les pages dans l'espoir de découvrir des papiers, mais ne trouva rien.

Elle s'apprêtait à remettre la bible dans sa boîte lorsque le dos s'ouvrit, révélant une inscription manuscrite sur la dernière page : *Ce livre appartient à Ronald Stewart, 1663.* L'écriture, élégante, était celle de Ronald. Il avait dû écrire ces quelques mots encore enfant.

Les dernières pages n'étaient pas imprimées ; seul y figurait, en haut, le mot *Memorandum.* Sur la première, elle reconnut à nouveau l'écriture de Ronald. Il avait consigné là les dates des mariages, naissances et morts dans sa famille. Du bout du doigt, elle parcourut les colonnes jusqu'au mariage de Ronald avec Rebecca, le samedi 1er octobre 1692.

Kim fut sidérée. Cela voulait dire que Ronald avait épousé la sœur d'Elizabeth dix semaines seulement après la mort de cette dernière ! Quelle hâte ! Une fois encore, Kim se demanda si cela avait un rapport avec l'exécution d'Elizabeth. Difficile, en effet, de ne pas imaginer que Ronald et Rebecca avaient déjà une liaison du vivant d'Elizabeth.

Encouragée par sa découverte, Kim alla prendre les papiers et les enveloppes restés dans la boîte. Elle commença par les enveloppes, mais toutes se révélèrent décevantes : il n'y avait là que de la correspondance commerciale qui s'échelonnait entre 1810 et 1837.

Elle entreprit alors l'examen des papiers, feuille à feuille. Là non plus, rien d'intéressant, jusqu'à ce qu'elle tombe sur une liasse pliée en trois, portant les traces d'un sceau à la cire.

Il s'agissait de l'acte de vente d'une série de terres dénommées Northfields Property.

Sur la deuxième page figurait une carte qu'elle reconnut tout de suite. Il y avait là, outre l'actuelle propriété des Stewart, un terrain occupé à présent par le Country Club de Kernwood et le cimetière de Greenlawn. Les terres s'étendaient également au-delà de la rivière, la Danvers, appelée à l'époque la Wooleston River, et incluaient même des terrains de Beverly. Au nord-ouest, elles englobaient une partie des localités actuelles de Peabody et Danvers, identifiées sur la carte comme le « village de Salem ».

En tournant la page, Kim découvrit alors la signature de l'acheteur : Elizabeth Flanagan Stewart, et une date : 3 février 1692.

Pourquoi l'acquéreur était-il Elizabeth et non Ronald ? Il y avait bien ce document, découvert au tribunal du comté de l'Essex, dans lequel il était stipulé qu'Elizabeth avait le droit de passer un contrat en son nom propre. Mais pourquoi, en l'occurrence, avait-elle signé l'acte de vente, alors qu'il s'agissait d'une gigantesque étendue de terrain, qui devait coûter une fortune ?

Au dos de l'acte de vente, se trouvait attachée une autre feuille de papier, plus petite et d'une écriture différente. Kim reconnut la signature : celle du juge Jonathan Corwin, qui occupait à l'époque ce qui allait devenir la Maison de la Sorcière.

En orientant la lettre vers la lumière pour mieux la déchiffrer, Kim découvrit qu'il s'agissait d'une décision du juge déboutant le dénommé Thomas Putnam, lequel avait demandé l'annulation de la vente de Northfields sous le prétexte que la signature d'Elizabeth était illégale. Dans sa conclusion, le juge écrivait : « La légalité de ladite contractante se fonde sur le contrat passé entre Ronald Stewart et Elizabeth Flanagan en date du 11 février 1681. »

« Mon Dieu », murmura Kim qui avait l'impression de regarder par une fenêtre à l'intérieur du XVIIᵉ siècle. Ses lectures lui avaient rendu familier le nom de Thomas Putnam. C'était l'un des principaux protagonistes de la lutte de factions qui avait déchiré le village de Salem avant l'affaire des sorcières, lutte dans laquelle de nombreux historiens voyaient l'origine inavouée du drame. La femme et la fille de Thomas Putnam, elles-mêmes affligées, avaient porté une grande partie des accusations de sorcellerie. Visiblement, d'après le contenu de sa requête, Thomas Putnam ne devait pas avoir eu connaissance du contrat prémarital passé entre Ronald et Elizabeth.

Kim replia lentement les papiers. Elle venait d'apprendre quelque chose d'important. De toute évidence, Thomas Putnam avait été furieux de voir qu'Elizabeth achetait les terres qu'il convoitait, et, vu son rôle dans l'affaire des sorcières, son inimitié avait dû peser de tout son poids.

L'élément de preuve utilisé contre Elizabeth lors de son procès avait-il quelque rapport avec l'acquisition de ces terres ? Après tout, étant donné la place impartie aux femmes à l'époque puritaine, le fait qu'Elizabeth ait acheté des terres n'avait pas dû être considéré d'un bon œil. Cet élément de preuve tendait peut-être à démontrer qu'Elizabeth était une virago, et donc anormale. Mais elle avait beau y réfléchir, Kim ne parvenait pas à s'imaginer de quoi il pouvait bien s'agir.

Elle déposa l'acte de vente et la décision de justice sur la bible et entreprit d'examiner les autres papiers que contenait la boîte. A son grand plaisir, elle découvrit un nouveau document datant du XVIIe siècle, mais son enthousiasme retomba lorsqu'elle en prit connaissance. Il s'agissait d'un contrat entre Ronald Stewart et un certain Olaf Sagerholm, de Göteborg, en Suède. D'après les termes du contrat, Olaf Sagerholm s'engageait à construire un navire rapide d'un dessin nouveau, baptisé frégate. Le navire devait mesurer cent vingt-huit pieds de long, trente-quatre pieds et six pouces de large, dix-neuf pieds et trois pouces de tirant d'eau, une fois chargé. Le document était daté du 12 décembre 1691.

Kim remit la bible et les papiers dans la boîte, qu'elle porta sur une console, au pied de l'escalier menant à la salle à manger. Elle projetait d'utiliser cette boîte pour y déposer tous les documents concernant Ronald et Elizabeth. Elle retourna donc à la cellule où elle avait trouvé la lettre de James Flanagan, prit celle-ci et la mit dans la boîte.

Après quoi, elle entreprit de fouiller le bureau sur lequel elle avait trouvé la bible. Au bout de plusieurs heures de recherche, fatiguée, courbatue, elle déclara forfait. Elle n'avait rien trouvé d'intéressant. Un coup d'œil à sa montre lui apprit qu'il n'était pas loin de huit heures. Le moment était venu de rentrer à Boston.

Le voyage de retour fut infiniment plus facile que l'aller, et elle pénétra en ville sans encombre. Alors qu'elle se trouvait sur Storrow Drive, elle changea brusquement d'avis et prit la sortie de Fenway. Plutôt que de lui téléphoner, elle venait de décider d'aller voir Edward à son laboratoire.

Elle franchit le contrôle de sécurité de la faculté de médecine grâce à sa carte d'identité de l'hôpital général du Massachusetts, puis se dirigea directement vers le laboratoire d'Edward, qu'elle connaissait pour l'avoir brièvement visité une fois avec lui après un de leurs dîners. Le bureau du département était plongé dans l'obscurité, et elle tapa sur le verre dépoli d'une porte qui donnait directement sur le laboratoire.

Pas de réponse. Elle cogna plus fort. Elle essaya même la poignée, mais la porte était verrouillée. Au troisième coup, elle aperçut une silhouette en transparence.

La porte s'ouvrit, révélant une belle blonde, dont la blouse blanche trop large ne parvenait pas à dissimuler les courbes voluptueuses.

— Oui ? demanda Eleanor en toisant Kim.

— Je voudrais voir le Dr Edward Armstrong.

— Il ne reçoit personne. Les bureaux seront ouverts demain matin, dit-elle en commençant à refermer la porte.

— Je crois qu'il voudra bien me voir, dit Kim d'une voix hésitante.

— Ah bon? Vraiment? demanda sèchement Eleanor. Comment vous appelez-vous? Vous êtes étudiante?

— Non, je ne suis pas étudiante. (La question lui paraissait absurde puisqu'elle portait encore son uniforme d'infirmière.) Je m'appelle Kimberly Stewart.

Sans un mot, Eleanor lui referma la porte au nez. Kim attendit. Quelques instants plus tard, la porte se rouvrit.

— Kim! s'écria Edward. Mais qu'est-ce que tu fais ici?

Kim expliqua qu'elle avait préféré passer plutôt que de téléphoner, et s'excusa d'être peut-être venue à un mauvais moment.

— Pas du tout. Je suis très occupé, mais ça ne fait rien. Tiens, entre.

Kim suivit Edward qui se dirigeait vers sa table de travail.

— Qui m'a ouvert la porte? demanda Kim.

— Eleanor, répondit Edward par-dessus son épaule.

— Elle n'était guère aimable.

— Eleanor? Tu as dû te tromper. Elle s'entend bien avec tout le monde. Ici, le seul ours mal léché, c'est moi. Mais il faut dire que tous les deux, nous sommes un peu sur les nerfs. On travaille sans arrêt depuis samedi dernier. En fait, Eleanor, elle, travaille depuis vendredi soir. On n'a pris que quelques heures de sommeil.

Arrivé devant son bureau, Edward ôta une pile de revues d'une chaise et fit signe à Kim de s'asseoir. Lui-même prit place dans son fauteuil de bureau.

Kim étudia le visage d'Edward. Il avait les traits tirés comme s'il avait bu une dizaine de tasses de café dans la journée, et mâchait nerveusement un chewing-gum. Il avait aussi les yeux cernés et une barbe de deux jours ombrait ses joues et son menton.

— Pourquoi cette activité frénétique? demanda Kim.

— A cause du nouvel alcaloïde. On commence déjà à apprendre des choses dessus, et ça s'annonce très prometteur.

— Je suis contente pour toi, mais pourquoi faut-il te presser à ce point? Tu as des délais à tenir?

— Non, c'est simplement l'excitation de la découverte, répondit Edward. Cet alcaloïde pourrait être un médicament de premier ordre. Quand on n'a pas fait de recherche, c'est difficile de comprendre l'excitation qu'on éprouve quand on découvre quelque chose comme ça. C'est l'enthousiasme permanent. Tout ce qu'on apprend semble positif. C'est incroyable.

— Tu peux me dire ce que tu as découvert, demanda Kim, ou bien est-ce que c'est secret ?

Edward s'avança dans son fauteuil et baissa la voix. Kim regarda autour d'elle, mais il n'y avait personne dans le laboratoire ; même Eleanor semblait hors de vue.

— On est tombés sur un composé psychotrope, actif par voie orale, et qui pénètre dans le cerveau comme un couteau dans le beurre. Il est si puissant qu'il agit dès le microgramme.

— Tu crois que c'est ce composé qui a intoxiqué les gens dans l'affaire des sorcières de Salem ? demanda Kim que ses pensées ramenaient toujours à Elizabeth.

— Sans aucun doute. C'est le diable de Salem incarné.

— Mais ceux qui ont mangé ces céréales ont été empoisonnés. Ce sont ces femmes qu'on appelle les « affligées », et elles ont été victimes de crises terribles. Pourquoi est-ce que cette drogue te paraît aussi excitante que ça ?

— Elle est hallucinogène, c'est sûr. Mais Eleanor et moi sommes persuadés qu'elle a d'autres propriétés. On pense qu'elle est calmante, stimulante, et qu'elle peut même accroître les capacités de la mémoire.

— Comment en as-tu appris autant en si peu de temps ?

Edward se mit à rire d'un air un peu gêné.

— On n'est encore certains de rien, reconnut-il. Pour beaucoup de chercheurs, le travail que nous avons accompli jusqu'ici manquerait de rigueur scientifique. Nous avons surtout cherché à vérifier l'action de cet alcaloïde. Évidemment, ces expériences ne sont pas très fiables, mais les résultats sont déjà stupéfiants. Par exemple, nous avons découvert que cette drogue semble calmer les rats stressés beaucoup mieux que l'imipramine, pourtant connue pour ses remarquables propriétés antidépressives.

— Tu penses donc que ça pourrait être un hallucinogène antidépresseur ?

— Entre autres choses, oui.

— Pas d'effets secondaires ? demanda Kim qui ne parvenait toujours pas à comprendre l'excitation d'Edward.

Celui-ci se mit à rire de nouveau.

— Nous ne nous sommes pas inquiétés des hallucinations chez les rats. Mais plus sérieusement, à part les hallucinations, nous n'avons pas rencontré de problèmes. Nous avons injecté à des souris des doses relativement fortes, et elles sont heureuses comme des coqs en pâte. Nous avons introduit des doses encore plus fortes dans des cultures de neurones, et il n'y a pas eu le moindre problème. C'est incroyable, mais il semble qu'il n'y ait absolument aucune toxicité.

Tout en écoutant Edward, Kim commençait à se sentir mortifiée qu'il ne lui ait pas encore demandé comment s'était passée sa visite à Salem, et comment elle s'était débrouillée avec la tête d'Elizabeth. Finalement, profitant d'une pause dans le récit enfiévré d'Edward, elle aborda elle-même le sujet.

— C'est bien, dit simplement Edward en apprenant que la tête avait été replacée dans le cercueil, je suis content que ce soit terminé.

Kim allait enchaîner sur ce qu'elle avait ressenti en ces pénibles instants lorsque Eleanor fit son apparition, une feuille d'ordinateur à la main. Elle ne sembla même pas remarquer la présence de Kim, et Edward ne songea pas plus à faire les présentations. Il semblait surtout ravi par les résultats que lui communiquait Eleanor. Pour finir, il lui prodigua quelques encouragements accompagnés d'une tape dans le dos, et Eleanor disparut aussi soudainement qu'elle était apparue.

— Où en étions-nous ? demanda Edward en se retournant vers Kim.

— Bonnes nouvelles? demanda Kim.

— Oui, excellentes. Nous avons commencé à déterminer la structure du composé, et Eleanor vient de confirmer notre première impression qu'il s'agit d'une molécule tétracyclique avec de multiples chaînes latérales.

— Mais comment peut-on voir ça? demanda Kim, impressionnée.

— Tu veux vraiment savoir?

— Si ce n'est pas trop compliqué pour moi, oui.

— D'abord, il fallait déterminer le poids moléculaire grâce à une chromatographie classique. Ça, c'était facile. Puis on a fait éclater la molécule avec des réactifs spéciaux. Ensuite, on a essayé d'identifier au moins quelques-uns de ces fragments par la chromatographie, l'électrophorèse et la spectrométrie de masse.

— Je suis déjà dépassée, avoua Kim. J'ai déjà entendu ces termes-là, mais je ne sais pas exactement à quoi ils correspondent.

— Ce n'est pas compliqué, dit Edward en se levant. Les concepts de base ne sont pas difficiles à comprendre. Ce sont les résultats qui peuvent être difficiles à analyser. Viens, je vais te montrer les appareils.

Il prit Kim par la main et la força à se lever.

Avec enthousiasme, il promena Kim, un peu réticente, tout autour de son laboratoire, pour lui montrer le spectromètre de masse, l'unité de chromatographie liquide à haute résolution, et l'appareil d'électrophorèse capillaire. Mais de tout cela, Kim retint surtout le goût d'Edward pour l'enseignement.

Ouvrant alors une porte, Edward fit entrer Kim dans une pièce où se trouvait un gros cylindre d'environ un mètre vingt de haut et soixante centimètres de large, hérissé de fils et de câbles électriques comme une tête de Méduse.

— C'est notre machine à résonance magnétique nucléaire, déclara Edward avec fierté. Pour notre recherche actuelle, c'est de première importance. Il ne suffit pas de savoir combien d'atomes de carbone, d'hydrogène, d'oxygène et de nitrogène il y a dans un composé. Il faut connaître aussi son orientation en trois dimensions. C'est à ça que sert cette machine.

— Très impressionnant, dit Kim un peu évasivement.

— Laisse-moi te montrer un autre appareil, dit Edward, qui, visiblement, ne se rendait pas compte de l'humeur de sa compagne.

Il la conduisit dans une autre pièce dans laquelle régnait un capharnaüm indescriptible d'appareils électroniques, de fils électriques et de tubes cathodiques.

— Intéressant, dit-elle.

— Tu sais ce que c'est?

— Euh... non.

— C'est une unité de diffraction à rayons X, expliqua Edward avec le même enthousiasme. Ça complète ce qu'on fait avec la résonance magnétique nucléaire. On va l'utiliser pour le nouvel alcaloïde parce qu'il cristallise facilement sous forme de sel.

— Eh bien, tu as du pain sur la planche!

— C'est vrai, mais c'est aussi terriblement excitant. Pour l'instant, nous utilisons tout notre arsenal d'analyse, et les résultats n'arrêtent pas de tomber. On va déterminer la structure très rapidement, notamment grâce aux nouveaux logiciels dont sont équipés tous ces appareils.

— Bonne chance, dit Kim, qui, de toutes les explications d'Edward, avait surtout retenu l'enthousiasme qu'il y mettait.

— Et que s'est-il passé d'autre à Salem? demanda soudain Edward. Comment avance la rénovation du cottage?

Kim demeura un instant interdite par cette brusque volte-face.

— Euh... très bien. Cette maison va être délicieuse.

— Tu y es restée longtemps. Tu as de nouveau fouillé dans les papiers de famille?

— Oui, j'y ai passé quelques heures.

— Tu as trouvé de nouvelles informations à propos d'Elizabeth? Tu sais qu'elle m'intéresse de plus en plus, ton ancêtre? J'ai l'impression d'être en dette vis-à-vis d'elle. Sans elle, je ne serais jamais tombé sur ce nouvel alcaloïde.

— Oui, j'ai appris des choses nouvelles.

Elle raconta alors à Edward sa visite au capitole, et lui parla du contrat de vente qui avait suscité l'ire du dénommé Thomas Putnam.

— C'est peut-être l'information la plus importante que tu aies dénichée jusque-là, dit Edward. D'après mes quelques lectures sur le sujet, il semble qu'il valait mieux ne pas se brouiller avec ce Thomas Putnam.

— C'est aussi ce que je me suis dit. Sa fille, Ann, a été l'une des premières « affligées », et elle a accusé plusieurs femmes de sorcellerie. Le problème, c'est que je n'arrive pas à voir quel rapport il peut y avoir entre une éventuelle vengeance de Thomas Putnam et ce fameux élément de preuve concluant.

— Ces Putnam étaient peut-être suffisamment malveillants pour avoir dissimulé quelque chose chez Elizabeth.

— C'est possible, reconnut Kim, mais ça ne nous dit en rien ce que ça pouvait être. Et puis, j'ai quand même l'impression qu'il s'agit de quelque chose qu'Elizabeth avait fabriqué elle-même.

— Peut-être. Mais le seul indice en ta possession, c'est la requête de Ronald disant que cette preuve avait été saisie chez lui. A mon avis, c'est quelque chose qui devait être lié à la sorcellerie, sans équivoque possible.

— En parlant de Ronald, dit Kim, j'ai appris quelque chose qui n'a fait que renforcer mes soupçons. Il s'est remarié dix semaines seulement après la mort d'Elizabeth. Le moins qu'on puisse dire, c'est que son deuil a été des plus courts. Rebecca et lui devaient avoir une liaison.

— Peut-être, dit Edward, visiblement peu convaincu. Mais moi, je continue à penser que la vie était extrêmement difficile à l'époque. Ronald avait quatre enfants à élever et un négoce en plein essor. Il ne devait pas avoir le choix. Il ne pouvait probablement pas s'offrir le luxe d'une longue période de deuil.

Kim acquiesça, mais elle non plus ne semblait pas convaincue. En même temps, elle se demandait à quel point son attitude envers Ronald pouvait avoir été influencée par l'attitude de son propre père envers sa mère.

Eleanor apparut à nouveau, de façon aussi soudaine que la fois précédente, et se lança dans une discussion animée avec Edward. Après son départ, Kim annonça son intention de s'en aller.

– Je t'accompagne à ta voiture, proposa Edward.

Tandis qu'ils marchaient à l'extérieur, Kim sentit se modifier le comportement d'Edward. Il devenait plus nerveux, et Kim se dit qu'il s'apprêtait à lui dire quelque chose. Sachant d'expérience que cela ne servait à rien, elle ne chercha pas à l'encourager.

Il se décida à parler lorsqu'ils furent arrivés devant la voiture.

– J'ai beaucoup réfléchi à ta proposition de venir vivre avec toi au cottage, dit-il en jouant avec un gravier du bout de sa chaussure.

Il s'interrompit, mettant Kim au supplice.

– Eh bien..., reprit-il, si tu es toujours d'accord, j'acccepte avec plaisir.

– Mais bien sûr que je suis toujours d'accord, s'écria-t-elle, soulagée.

Elle le serra dans ses bras.

– On pourrait y aller en fin de semaine et voir ensemble pour les meubles. Je ne sais pas si tu voudras beaucoup des choses qu'il y a chez moi en ce moment.

– Ce serait bien, dit Kim.

Ils se séparèrent avec une certaine gaucherie, puis Kim monta en voiture. Elle ouvrit la vitre et Edward se pencha à l'intérieur.

– Excuse-moi d'être à ce point préoccupé par ce nouvel alcaloïde.

– Je comprends, dit Kim. Je vois bien ton excitation. Je suis très impressionnée par ton enthousiasme.

Et Kim partit en direction de Beacon Hill, infiniment plus joyeuse qu'une heure auparavant.

7

Au cours de la semaine, l'enthousiasme d'Edward ne fit que croître. Les informations relatives au nouvel alcaloïde s'accumulaient à une vitesse prodigieuse. Eleanor et lui ne dormaient pas plus de quatre ou cinq heures par nuit. Ils passaient au laboratoire le plus clair de leur temps, et ni l'un ni l'autre n'avaient jamais autant travaillé de toute leur vie.

Edward insistant pour faire tout lui-même, il refaisait le travail d'Eleanor pour s'assurer qu'aucune erreur n'avait été commise. De la même façon, il demandait à Eleanor de vérifier les résultats auxquels lui-même était parvenu.

Edward n'avait plus la moindre seconde à consacrer à autre chose qu'à son nouvel alcaloïde. En dépit des conseils d'Eleanor et de la grogne grandissante des étudiants de premier cycle, il n'avait donné aucun cours. Il ne s'était pas non plus occupé de ses étudiants en doctorat, dont certains voyaient leurs travaux interrompus, sans les conseils dont il était auparavant prodigue.

Edward s'en moquait éperdument. Comme un artiste hanté par sa création, il était hypnotisé par cette nouvelle drogue et totalement imperméable à son environnement. Illuminé, il voyait la structure de l'alcaloïde, atome après atome, émerger des brumes du temps où il était demeuré enseveli.

Le mercredi matin vit une victoire magnifique de la chimie organique : Edward détermina complètement la structure à quatre anneaux du cœur de l'alcaloïde. Le mercredi après-midi, toutes les chaînes latérales étaient identifiées, à la fois du point de vue de leur constitution et de leur point d'attache au cœur du composé. En plaisantant, Edward décrivit la molécule comme une pomme hérissée de vers.

C'étaient surtout ces chaînes latérales qui fascinaient Edward. Il y en avait cinq. L'une était tétracyclique comme le cœur et ressemblait au LSD. Une autre possédait deux anneaux et ressemblait à une drogue, la scopolamine. Les trois dernières ressemblaient aux principaux neurotransmetteurs du cerveau : la norépinéphrine, la dopamine et la sérotonine.

Aux petites heures du jeudi matin, Edward et Eleanor se virent offrir leur récompense : sur l'écran de l'ordinateur, en trois dimensions virtuelles, apparut l'image de la molécule dans son entier. Ce résultat avait été rendu possible par les capacités du superordinateur, mais aussi par l'action combinée du nouveau logiciel de structure et des discussions passionnées entre Edward et Eleanor qui, chacun à leur tour, s'étaient faits les avocats du diable.

Hypnotisés, tous deux observaient en silence l'image de la molécule tourner lentement sur l'écran. Les couleurs étaient éblouissantes. Les nuages d'électrons apparaissaient en diverses nuances de bleu cobalt, les atomes de carbone en rouge, ceux d'oxygène en vert et ceux d'azote en jaune.

Recourbant les doigts comme un virtuose qui s'apprête à jouer une sonate de Beethoven sur un Steinway, Edward s'assit devant son terminal relié au superordinateur. Tandis que, sur l'écran, l'image tremblait légèrement tout en poursuivant sa lente rotation, Edward entreprit de travailler la molécule, séparant les deux chaînes latérales qu'il savait intuitivement être responsables des effets hallucinogènes : celle qui ressemblait au LSD et celle qui ressemblait à la scopolamine.

A son grand plaisir, il parvint à séparer la chaîne latérale

LSD presque entièrement, mis à part un minuscule agrégat de deux atomes de carbone, mais sans altérer de façon significative ni sa structure en trois dimensions ni la distribution des charges électriques. En eût-il été autrement que la bio-activité de la drogue aurait été considérablement affectée.

Il en alla différemment avec la chaîne latérale semblable à la scopolamine. Il parvint d'abord à en détacher une partie en la laissant intacte, mais lorsqu'il voulut en ôter une plus grande quantité, la molécule se replia sur elle-même, modifiant complètement sa forme en trois dimensions.

Après en avoir séparé la plus grande partie possible, Edward chargea les données moléculaires dans l'ordinateur de son laboratoire. L'image, à présent, n'était pas aussi spectaculaire, mais par certains côtés plus intéressante. Edward et Eleanor contemplaient à présent une hypothétique nouvelle drogue formée par la manipulation informatique d'un composé naturel.

Par son travail sur l'ordinateur, Edward cherchait à éliminer les effets secondaires de types hallucinogène et toxique pour le système parasympathique, c'est-à-dire, dans le dernier cas, la sécheresse de la bouche, la dilatation des pupilles et l'amnésie partielle dont Stanton et lui avaient fait l'expérience.

Le marathon se poursuivit jusque dans la nuit du jeudi, où Edward mit au point un procédé ingénieux pour formuler le médicament hypothétique à partir de réactifs courants. Vendredi matin, il réussissait à produire une fiole entière de la nouvelle drogue.

— Alors, qu'est-ce que vous en dites? demanda Edward.

Eleanor et lui étaient épuisés, mais ni l'un ni l'autre n'avaient un seul instant songé à dormir.

— Je pense que vous avez accompli une véritable prouesse en matière de chimie.

— Je ne cherchais pas un compliment, répondit Edward en bâillant. Ce que je voudrais savoir, c'est ce qu'il faudrait faire en premier.

— Je suis la prudente de l'équipe. Je dirais qu'il faudrait se faire une idée de la toxicité du produit.

— Eh bien, allons-y!

Il se leva pesamment et tendit la main à Eleanor pour l'aider à faire de même. Puis, ensemble, ils retournèrent au travail.

Grisés par leurs succès et impatients de voir se concrétiser rapidement des résultats, ils négligèrent l'habituel protocole scientifique. Comme ils l'avaient fait pour l'alcaloïde naturel, ils se dispensèrent d'études sérieuses et forcément longues.

Pour commencer, ils ajoutèrent différentes concentrations de produit à des cultures de tissus, notamment de rein et de cellules nerveuses. A des doses relativement élevées, ils constatèrent avec plaisir l'absence d'effets toxiques. Ils placèrent ensuite ces cultures dans un incubateur, de façon à y avoir facilement accès.

Puis ils firent une préparation de ganglions à partir d'*aplasia fasciata* en insérant de minuscules électrodes dans des cellules nerveuses spontanément excitées. Connectant alors les électrodes à un amplificateur, ils créèrent une image de l'activité des cellules sur un tube cathodique. Lentement, ils ajoutèrent leur drogue au liquide de perfusion, et constatèrent qu'elle possédait effectivement des propriétés bioactives, sans pour autant augmenter ni ralentir l'activité spontanée. En fait, le produit semblait même la stabiliser.

Comme tout semblait se dérouler de la façon la plus satisfaisante, Eleanor entreprit d'administrer le nouveau médicament à un certain nombre de rats stressés, tandis qu'Edward faisait de même dans une préparation fraîche de synapses. Eleanor fut la première à obtenir des résultats, et constata que le produit modifié possédait des propriétés calmantes sur les rats plus importantes encore que l'alcaloïde naturel.

Edward, lui, mit plus de temps à obtenir ses résultats. Il découvrit que le nouveau médicament affectait les trois neurotransmetteurs, mais pas de façon identique. La sérotonine était plus affectée que la norépinéphrine, qui l'était elle-même plus que la dopamine. Il s'aperçut aussi, avec une certaine surprise, que le produit semblait former un lien lâche avec le glutamate et l'acide gamma-aminobutyrique, deux des principaux agents inhibiteurs du cerveau.

— C'est fantastique! s'écria-t-il. (Il prit sur son bureau les feuillets informatiques où se trouvaient consignés les résultats de leurs recherches, et les laissa retomber comme des confettis.) D'après ces données, ce médicament a des possibilités extraordinaires. Je suis prêt à parier que c'est à la fois un antidépresseur et un anxiolytique, et qu'il pourrait donc révolutionner la psychopharmacologie. Ça pourrait même être comparable à la découverte de la pénicilline.

— Il y a pourtant ces effets hallucinogènes, dit Eleanor.

— Je n'en suis pas si sûr, rétorqua Edward. Je pense que ces effets ont disparu depuis qu'on a ôté la chaîne latérale semblable au LSD. Mais je suis d'accord avec vous, il faut s'en assurer.

— Vérifions les cultures de tissus, proposa Eleanor.

Elle savait qu'Edward allait vouloir prendre lui-même ce médicament, car c'était le seul moyen de déterminer s'il avait ou non des effets hallucinogènes.

Ils retirèrent les cultures de tissus de l'incubateur et les examinèrent au microscope. Toutes semblaient saines. Aucune ne paraissait avoir été endommagée par le nouveau médicament, pas même celles à qui l'on avait administré de fortes doses.

— Il ne semble y avoir aucun effet toxique, dit Edward, rayonnant.

— Si je ne l'avais pas vu de mes propres yeux, je ne l'aurais pas cru, dit Eleanor.

Ils retournèrent à la paillasse d'Edward et préparèrent plusieurs solutions de concentration croissante. La première correspondait approximativement à la dose d'alcaloïde non modifié que Stanton avait absorbée. Edward fut le premier à en prendre, et comme rien ne se produisait, Eleanor l'imita. Aucun effet.

Encouragés par ces bons résultats, ils augmentèrent les doses jusqu'à un milligramme, sachant pertinemment que le LSD était hallucinogène à 0,05 milligramme.

— Alors ? demanda Edward, une demi-heure plus tard.

— Jusque-là, aucun effet hallucinogène, répondit Eleanor.

— Mais il y a quand même un effet.

— Oui, indéniablement. Je décrirais ça comme un contentement tranquille. En tout cas, c'est agréable.

— J'ai aussi le sentiment d'avoir l'esprit particulièrement aiguisé, dit Edward. Ce doit être dû au médicament, parce qu'il y a encore vingt minutes, j'avais la tête comme un seau, sans aucune capacité de concentration. Maintenant, je me sens en pleine forme, comme si je venais de dormir une nuit entière.

— Et moi, j'ai l'impression que ma mémoire ancienne a été réveillée d'un long engourdissement. Brusquement, je viens de me rappeler le numéro de téléphone de chez moi quand j'avais six ans. C'est l'année où ma famille est allée s'installer sur la côte Ouest.

— Et vos sens ? demanda Edward. Les miens semblent particulièrement aiguisés, notamment l'odorat.

— Je n'y avais pas fait attention, mais maintenant que vous en parlez... (Eleanor rejeta la tête en arrière et se mit à humer l'air.) Je ne m'étais jamais rendu compte qu'il flottait dans ce laboratoire un tel mélange d'odeurs.

— J'éprouve aussi quelque chose que je n'aurais peut-être pas remarqué si je n'avais pas déjà pris du Prozac, dit Edward. Je me sens si sûr de moi que je pourrais faire ce que je veux au milieu de plein de gens. La différence, c'est qu'il m'a fallu prendre du Prozac pendant trois mois pour en arriver là.

— Je ne peux pas dire que j'éprouve quelque chose de semblable, dit Eleanor, en revanche j'ai la bouche sèche. Pas vous ?

— Peut-être. (Il plongea le regard dans les yeux bleus d'Eleanor.) Vous avez aussi les pupilles peut-être un peu dilatées. Si c'est le cas, c'est probablement dû à la chaîne latérale scopolamine que nous n'avons pas pu éliminer totalement. Vérifiez votre vision de près.

Eleanor prit une bouteille de réactif et lut les minuscules caractères sur l'étiquette.

— Pas de problème, dit-elle.

— Rien d'autre? Pas de modification de la circulation sanguine ni de troubles respiratoires?

— Non, tout va bien.

— Excusez-moi, dit une voix.

Eleanor et Edward se retournèrent. Une étudiante en seconde année de doctorat se dirigeait vers eux. Elle s'appelait Nadine Foch et était parisienne.

— J'ai besoin d'aide, dit-elle. L'appareil à résonance magnétique nucléaire ne fonctionne pas.

— Il vaudrait peut-être mieux en parler à Ralph, dit Edward avec un sourire chaleureux. Je ne demanderais pas mieux que de vous aider, mais pour l'instant je suis très occupé. En outre, Ralph connaît mieux cette machine que moi, surtout du point de vue technique.

Nadine les remercia et s'en fut chercher Ralph.

— Vous avez été très aimable avec elle, fit remarquer Eleanor.

— Mais j'ai envie d'être aimable. En outre, c'est quelqu'un de très agréable.

— Il est peut-être temps que vous repreniez vos activités habituelles, dit Eleanor. Nous avons fait des progrès fantastiques.

— Ce n'est encore qu'une toute petite partie de ce qui nous attend. C'est gentil à vous de vous inquiéter de mes activités d'enseignant et de directeur de thèse, mais je vous assure que je peux les laisser filer pendant quelques semaines sans dommages irréparables. Je ne suis pas prêt à me priver de l'excitation extraordinaire que ce nouveau médicament provoque chez moi. En attendant, je voudrais que vous commenciez à travailler sur ordinateur un modèle moléculaire par substitution des chaînes latérales, de façon à créer une famille de composés à partir de notre nouveau médicament.

Tandis qu'Eleanor se mettait à l'ouvrage sur son terminal, Edward alla appeler Stanton Lewis au téléphone.

– Tu es occupé, ce soir? demanda-t-il à son vieil ami.

– Je suis occupé tous les soirs. Pourquoi? Tu as lu l'offre de souscription publique?

– Ça te dirait de dîner avec Kim et moi? proposa Edward. Il y a quelque chose que j'aimerais te faire connaître.

– Ah, ah, vieux filou! Une décision d'importance dans ta vie privée?

– Je crois qu'il vaudrait mieux en parler de vive voix, répondit doucement Edward. Alors, ce dîner? Je t'invite.

– Tu as l'air bigrement sérieux. J'ai réservé une table à l'Anago Bistro, sur Main Street, à Cambridge. La réservation est pour deux, mais je peux faire ajouter deux couverts. C'est à huit heures. Je te rappelle s'il y a un problème.

– Parfait.

Et il raccrocha avant que Stanton ait pu poser d'autres questions. Après quoi, il appela Kim au service des soins intensifs.

– Tu es occupée? demanda-t-il lorsqu'il réussit à l'avoir au bout du fil.

– A ton avis?

– J'ai prévu que nous irions dîner avec Stanton et sa femme, dit Edward, très excité. C'est pour huit heures, à moins d'un contrordre de Stanton. J'espère que ça te convient.

– Tu ne travailles pas, ce soir? demanda-t-elle, surprise.

– Non, je prends ma soirée.

– Et demain? On va toujours à Salem, comme prévu?

– On en reparlera, répondit prudemment Edward. Alors, ce dîner?

– J'aurais préféré dîner avec toi tout seul.

– C'est gentil de me dire ça. Pour tout t'avouer, moi aussi, mais il faut que je parle à Stanton, alors je me suis dit que ce serait plus agréable devant un bon repas. Je sais que je n'ai pas été très drôle, cette semaine.

— Tu as l'air surexcité, fit remarquer Kim. Il s'est passé des choses intéressantes, aujourd'hui?

— Et comment! C'est d'ailleurs pour ça que cette discussion avec Stanton est importante. Après le dîner, toi et moi on pourra passer un moment ensemble. On pourrait aller faire une promenade sur la place comme la première fois. Qu'est-ce que tu en dis?

— Eh bien d'accord.

Kim et Edward arrivèrent les premiers au restaurant, et l'hôtesse, qui était aussi l'une des patronnes, les plaça à une petite table charmante, près de la fenêtre qui donnait sur Main Street, avec ses gargotes à pizza et ses restaurants indiens. Un camion de pompiers passa dans la rue, toutes sirènes hurlantes.

— Je suis sûr que les pompiers de Cambridge utilisent leurs sirènes pour aller prendre leur café, dit Edward. On en voit sans arrêt dans les rues. C'est pas possible qu'il y ait autant d'incendies dans cette ville.

Edward semblait d'excellente humeur; Kim ne l'avait jamais vu ainsi. Il avait l'air fatigué, certes, mais il était jovial, bavard, comme s'il avait avalé deux litres de café tout au long de la journée. Il commanda même une bouteille de vin.

— Tu ne m'avais pas dit que tu laissais toujours Stanton commander le vin? demanda Kim.

Mais avant qu'Edward ait pu répondre, Stanton Lewis fit irruption dans le restaurant avec son impétuosité habituelle, comme s'il en était le propriétaire. Il fit même le baisemain à l'hôtesse, ce que celle-ci subit avec un agacement à peine déguisé.

— Salut tout le monde! lança-t-il en aidant Candice à s'asseoir. Alors, vous avez une grande nouvelle à nous annoncer? On débouche une bouteille de dom-pérignon?

Kim lança à Edward un regard interrogateur.

— J'ai déjà commandé le vin, dit Edward. Je crois qu'il fera l'affaire.

— Tu as commandé le vin? Mais on ne sert pas de ripple, ici.

— J'ai commandé un blanc italien. Bien frais. Avec la chaleur qu'il fait, ça me paraît tout indiqué.

Kim allait de surprise en surprise.

— Bon, alors? fit Stanton en se penchant en avant, les coudes sur la table. Vous allez vous marier, c'est ça?

Kim rougit et se demanda si Edward avait parlé à Stanton de leur projet d'aller vivre ensemble au cottage. Ce n'était évidemment pas un secret, mais elle aurait aimé l'annoncer elle-même à sa famille.

— Ce serait trop beau, dit Edward en riant. Non... j'ai de bonnes nouvelles à annoncer, mais pas aussi merveilleuses.

Kim ne put s'empêcher d'admirer l'habileté avec laquelle Edward avait su rattraper la maladresse de Stanton.

La serveuse apporta le vin, et Stanton se fit un devoir d'examiner l'étiquette avant d'autoriser l'ouverture de la bouteille.

— Tu me surprends, mon vieux, dit-il à Edward. Le choix est plutôt bon.

Lorsque les verres furent remplis, Stanton s'apprêta à porter un toast, mais Edward l'en empêcha.

— C'est à moi, si tu permets. (Il éleva son verre en direction de Stanton.) Au capitaliste de l'industrie médicale le plus intelligent du monde!

— Et moi qui croyais que tu ne t'en étais pas aperçu, dit Stanton en riant.

— Maintenant, j'ai une question à te poser, dit Edward lorsque tout le monde eut bu un peu de vin. Est-ce que tu étais sérieux quand tu m'as dit, l'autre jour, qu'une nouvelle molécule à effet psychotrope pourrait valoir un milliard de dollars?

— Tout à fait, répondit Stanton, redevenu brusquement

sérieux. Est-ce la raison de notre présence ici? Tu as de nouvelles données sur ce médicament qui a provoqué des hallucinations chez moi?

D'une même voix, Candice et Kim questionnèrent Stanton sur son expérience. La réponse les sidéra.

— Ce n'était pas si mal que ça, dit Stanton. C'était même plutôt agréable.

— J'ai plein de données nouvelles, dit alors Edward. Toutes excellentes. Nous avons réussi à éliminer les effets hallucinogènes en altérant la molécule. Je pense maintenant que nous avons créé un médicament de nouvelle génération semblable au Xanax et au Prozac. Apparemment, il est parfait. Il est dépourvu de toxicité, efficace par voie orale, il a moins d'effets secondaires que les autres médicaments du même genre et probablement un champ plus large d'indications. Je dirais même que, du fait de la structure unique de sa chaîne latérale, susceptible d'altérations et de substitutions, il pourrait couvrir tout le champ des indications des psychotropes.

— Sois plus précis, dit Stanton. Quels sont les effets de ce médicament?

— Nous pensons qu'il a une action positive sur l'humeur en général. Il semble avoir des propriétés à la fois antidépressives et anxiolytiques. Il semble également agir comme un tonique pour combattre la fatigue, accroître les sensations de plaisir, aiguiser les sens, et améliorer l'activité intellectuelle en stimulant la mémoire ancienne.

— Eh bien! s'exclama Stanton. Tu aurais eu plus vite fait de me dire ce qu'il ne peut pas faire. Mais dis-moi... (Il baissa la voix et se pencha en avant.) Est-ce que ça accroît le plaisir sexuel?

Edward haussa les épaules.

— C'est possible. Dans la mesure où il aiguise les sens, il pourrait fort bien rendre plus intenses les rapports sexuels.

Stanton leva les mains au ciel.

— Ce n'est pas un milliard de dollars que vaut cette molécule, c'est cinq milliards!

— Tu es sérieux? demanda Edward.

— Disons un minimum d'un milliard de dollars.

La serveuse vint prendre la commande, interrompant leur conversation. Après son départ, Edward reprit la parole.

— Pour l'instant, rien n'est encore prouvé. Il n'y a pas encore eu d'expérimentation en règle.

— Mais tu as confiance, dit Stanton.

— Oui.

— Qui est au courant? demanda Stanton.

— Moi, ma plus proche assistante et vous.

— Tu as une idée de la façon dont ce médicament agit?

— Seulement une vague hypothèse, répondit Edward. Le médicament semble stabiliser la concentration des principaux neurotransmetteurs du cerveau, et de cette façon agir à différents niveaux. Il affecte les neurones individuellement, mais également des réseaux entiers de cellules, à la façon d'un autocoïde, ou hormone du cerveau.

— D'où vient ce médicament? demanda Candice.

Edward raconta alors la découverte des moisissures dans la maison de famille de Kim, l'histoire des sorcières de Salem, et l'hypothèse selon laquelle ces femmes auraient été empoisonnées par un champignon.

— C'est Kim qui s'est demandé si on ne pourrait pas prouver cette théorie en prenant des échantillons de moisissures, ajouta Edward.

— Je n'ai aucun mérite, protesta Kim.

— Mais si. Mérite que tu partages avec Elizabeth.

— Quel paradoxe, dit Candice. Trouver un médicament efficace dans un échantillon de moisissures.

— Ce n'est pas si paradoxal que ça, dit Edward. De nombreux médicaments très importants ont été découverts dans des moisissures, comme les céphalosporines ou la cyclosporine. Dans ce cas, le plus drôle, c'est que c'est le diable qui nous offre ce médicament.

— Ne dis pas ça, fit Kim. Ça me donne la chair de poule.

Edward éclata d'un petit rire moqueur et raconta aux

autres que Kim était sujette, de temps à autre, à des accès de superstition.

— Moi non plus je n'aime guère cette idée, dit Stanton. Je préfère me dire que ce médicament nous vient du ciel.

— Que cette molécule ait joué un rôle dans l'affaire des sorcières de Salem ne me gêne pas du tout, dit Edward. Je dirais presque que ça me plaît. Même si la découverte de ce médicament ne peut pas justifier la mort de vingt personnes, elle peut au moins donner un certain sens à leur sacrifice.

— Vingt et une personnes, corrigea Kim en expliquant que les historiens n'avaient jamais fait mention de la mort d'Elizabeth.

— Moi, ça ne me gênerait pas si ce médicament était lié au déluge, dit Stanton. De toute façon, c'est une découverte extraordinaire. (Il se tourna vers Edward.) Qu'est-ce que tu comptes faire ?

— C'est pour ça que je voulais te voir. A ton avis, qu'est-ce qu'il faudrait que je fasse ?

— Exactement ce que je t'ai déjà dit. On devrait créer une société et faire breveter le médicament ainsi que le plus grand nombre possible de clones.

— Tu crois vraiment que ça pourrait rapporter un milliard de dollars ?

— Je sais de quoi je parle. C'est mon domaine.

— Eh bien alors, d'accord. On crée une société et on fonce.

Stanton plongea le regard dans celui d'Edward.

— Tu m'as l'air sérieux.

— Et comment !

— OK, dit Stanton. D'abord, il nous faut des noms. (Il tira de la poche de sa veste un stylo et un calepin.) Il nous faut un nom pour le médicament et un nom pour la société. On pourrait appeler le médicament Soma, ça ferait une référence littéraire.

— Il y en a déjà un qui s'appelle Soma, dit Edward. Mais que dirais-tu d'Omni, qui évoquerait son large champ d'indications thérapeutiques ?

— Omni, ça ne sonne pas comme un nom de médicament. En revanche, ça irait bien comme nom de société. On pourrait l'appeler Omni Pharmaceuticals.

— Ça me plaît bien.

— Et qu'est-ce que tu penses d'Ultra, pour le médicament? proposa Stanton. C'est un nom que je sens bien pour la publicité.

— Oui, ça me paraît bien.

Les hommes se tournèrent vers les femmes, quêtant leur avis. Candice n'ayant pas écouté, Stanton lui répéta les noms. Kim, elle, avait entendu, mais n'avait pas d'opinion sur la question; elle était surtout sidérée par l'attitude d'Edward, qui n'avait montré nulle gêne, nulle timidité, en discutant affaires avec Stanton.

— Combien d'argent peux-tu rassembler? demanda Edward.

— A ton avis, combien de temps te faut-il avant de pouvoir mettre ce nouveau médicament sur le marché?

— Difficile de répondre. De toute façon, je ne peux pas garantir à cent pour cent qu'il pourra être mis sur le marché.

— Ça, je le sais. Je ne demande qu'une estimation grosso modo. Je sais qu'entre la découverte d'un nouveau médicament et son autorisation de mise sur le marché par la FDA, il faut compter environ douze ans, et que ça revient aux alentours de deux cents millions de dollars.

— Il ne me faudra pas douze ans, dit Edward. Et je t'assure qu'il ne me faudra pas non plus deux cents millions de dollars.

— Évidemment, plus le temps de développement sera court, moins on y consacrera d'argent, et plus on pourra garder d'actions pour nous.

— Je suis bien d'accord, dit Edward. A vrai dire, je n'ai aucune envie de distribuer gratuitement des actions.

— Combien d'argent te faudrait-il, à ton avis?

— Il faudrait monter un laboratoire ultra-moderne, dit Edward qui commençait à penser à haute voix.

— Pourquoi? Le laboratoire que tu as en ce moment ne suffirait pas?

— C'est celui de Harvard. Je ne peux pas développer le projet Ultra à Harvard, parce que dans mon contrat de recherche et d'enseignement il y a une clause de participation aux fruits de mes découvertes.

— Ça risque de nous poser des problèmes?

— Non, je ne crois pas. L'accord concerne les découvertes faites au cours de mon temps de recherche à l'université et en utilisant le matériel du laboratoire. Je ferai valoir que j'ai découvert l'Ultra sur mon propre temps de recherche, ce qui est techniquement vrai, même si j'ai effectué les premières opérations de séparation et de synthèse sur mon temps de travail à Harvard. De toute façon, je ne crains pas les poursuites judiciaires. Après tout, je ne suis pas propriété de l'université.

— Et la période de développement? demanda Stanton. De combien penses-tu pouvoir la réduire?

— De beaucoup. Ce qui m'a impressionné dans l'Ultra, c'est son apparente absence de toxicité. A mon avis, ça devrait énormément accélérer l'autorisation de la FDA, parce que c'est la mise en évidence des effets toxiques qui prend le plus de temps. En l'absence d'effets toxiques évidents, les essais sur l'animal devraient être moins longs, et la partie clinique pourrait être considérablement réduite en combinant les phases II et III de la procédure accélérée de la FDA.

— La procédure accélérée n'est utilisée que pour les maladies mortelles, dit Kim, qui, du fait de son travail aux soins intensifs, connaissait un peu les procédures d'expérimentation des médicaments.

— Si l'Ultra est aussi efficace que je le pense contre la dépression, dit Edward, je suis sûr qu'on pourra présenter un dossier comme pour une maladie grave.

— Et l'Europe occidentale et l'Asie? demanda Stanton. Il n'y a pas besoin de l'autorisation de la FDA pour commercialiser un médicament là-bas.

— Tout à fait. Les États-Unis ne sont pas le seul marché pharmaceutique.

— Je vais te dire, déclara alors Stanton, je peux facilement réunir quatre à cinq millions de dollars sans avoir à donner en échange plus qu'une poignée d'actions, parce que la plus grande partie de cette somme proviendrait de mes propres fonds. Qu'est-ce que tu en penses?

— Ça me paraît fantastique. Quand peux-tu commencer?

— Demain. Je peux commencer à réunir l'argent et entamer les démarches pour la constitution de la société et le dépôt du brevet pour le produit.

— Est-ce que tu sais si on peut breveter le noyau de la molécule? demanda Edward. Ça me plairait bien qu'un brevet puisse couvrir tout médicament élaboré à partir du noyau.

— Je ne sais pas, mais je peux me renseigner.

— Pendant que tu t'occuperas des questions juridiques et financières, moi, je commencerai à monter le laboratoire. Première question: où l'installer? Il me faudrait un endroit pratique, parce que je vais y passer beaucoup de temps.

— Cambridge me paraît idéal, non?

— Je voudrais que ce soit loin de Harvard, dit Edward.

— Que dirais-tu des environs de Kendall Square? proposa Stanton. C'est suffisamment loin de Harvard et près de ton appartement.

Edward se tourna vers Kim et leurs regards se croisèrent. Kim devina ses pensées et opina du chef. Ni Stanton ni Candice ne s'en aperçurent.

— En fait, dit Edward, je quitte Cambridge à la fin du mois d'août. Je vais m'installer à Salem.

— Edward vient vivre avec moi, dit alors Kim, sachant que sa mère n'allait pas tarder à l'apprendre. Je suis en train de rénover le cottage qui se trouve sur la propriété familiale.

— C'est merveilleux! s'écria Candice.

— Ah, vieux filou! fit Stanton en se penchant en avant et en administrant une bourrade à Edward.

— Pour une fois, ma vie privée est aussi merveilleuse que ma vie professionnelle, dit Edward.

— Pourquoi ne pas installer la société quelque part sur la rive nord ? suggéra Stanton. Les baux commerciaux, là-bas, doivent être bien moins chers qu'en ville.

— Stanton, tu viens de me donner une idée fabuleuse ! lança soudain Edward. (Il se tourna vers Kim.) Et les écuries transformées en moulin, sur la propriété ? C'est complètement isolé, ça serait parfait pour y installer un laboratoire.

— Je... je ne sais pas, bégaya Kim, prise de court.

— Je veux dire que la société Omni louerait cet espace à toi et à ton frère. Tu m'as bien dit que cette propriété représentait une charge financière pour vous deux. Je suis sûr qu'un loyer vous aiderait à alléger cette charge.

— Ce n'est pas une mauvaise idée, dit Stanton. Le loyer pourrait même ne pas être déclaré, ce qui éviterait les impôts. C'est une excellente idée, mon vieux.

— Qu'en penses-tu, Kim ? demanda Edward.

— Il faut que j'en parle à mon frère.

— Bien entendu. Quand pourrais-tu le faire ? Le plus tôt serait le mieux, bien sûr.

Kim jeta un coup d'œil à sa montre et calcula qu'il devait être deux heures et demie du matin à Londres, soit l'heure à laquelle Brian revenait du travail.

— Il m'a dit que je pouvais l'appeler tous les soirs, dit-elle. Je suppose que maintenant ça devrait aller.

— Ah, ça, ça me plaît ! lança Stanton. L'esprit de décision ! (Il tira un téléphone cellulaire de sa poche et le poussa vers Kim.) C'est Omni qui réglera la communication.

Kim se leva.

— Où vas-tu ? demanda Edward.

— Je me sens un peu gênée d'appeler mon frère devant tout le monde.

— C'est tout à fait compréhensible, dit Stanton. Tu peux aller aux toilettes.

— Je préfère faire un tour dehors.

Lorsque Kim eut quitté la table, Candice félicita Edward des nouvelles relations qui s'étaient instaurées entre Kim et lui, mais Stanton changea rapidement de sujet.

— Combien de personnel te faudra-t-il au labo ? Tu sais que les gros salaires peuvent dévorer un capital en un rien de temps.

— Je compte n'embaucher que le minimum de gens. Il me faut un biologiste pour les expériences sur les animaux, un immunologiste pour les études sur les cellules, un cristallographe, un modélisateur moléculaire, un biophysicien pour la résonance magnétique nucléaire, un pharmacien, plus Eleanor et moi.

— Hein ? s'écria Stanton. Mais tu veux créer une université, ou quoi ?

— Je t'assure que pour la tâche qu'on veut entreprendre, c'est le minimum.

— Et pourquoi Eleanor ?

— Parce que c'est mon assistante. C'est mon bras droit, et sa présence est absolument indispensable pour cette recherche.

— Quand peux-tu commencer à rassembler l'équipe ?

— Dès que tu auras l'argent. Il nous faudra des gens extrêmement compétents, à qui je vais demander d'abandonner des postes très bien payés, aussi bien à l'université que dans l'industrie ; ils ne seront pas bon marché.

— C'est exactement ce qui me fait peur, dit Stanton. Il y a beaucoup de nouveaux laboratoires pharmaceutiques qui se sont cassé la figure parce qu'ils versaient des salaires trop élevés.

— Je m'en souviendrai. Quand l'argent sera-t-il disponible ?

— Je pourrai avoir un million de dollars au début de la semaine.

Les hors-d'œuvre arrivèrent, et comme Candice et Stanton avaient commandé des plats chauds, Edward insista pour qu'ils commencent tout de suite. Mais à peine avaient-ils pris leur fourchette que Kim fit son apparition. Elle se rassit et tendit à Stanton son téléphone.

— J'ai de bonnes nouvelles, dit-elle. Mon frère est ravi à

l'idée d'avoir des locataires dans le vieux moulin, mais il ne veut pas que nous versions quoi que ce soit pour la rénovation. Il veut que ce soit à la charge d'Omni.

— Ça me paraît correct, dit Edward.

Il leva alors son verre et dut pousser du coude Stanton, un peu perdu dans ses pensées.

— A Omni et à Ultra, dit Edward.

Tout le monde but.

— Voilà comment je vois les choses, dit alors Stanton en reposant son verre. La capitalisation initiale sera de quatre millions et demi de dollars, et le prix de l'action sera fixé à dix dollars. Sur ces quatre cent cinquante mille actions, nous en aurons chacun cent cinquante mille, ce qui en laissera cent cinquante mille pour un financement ultérieur et pour attirer des gens compétents en leur offrant une participation aux bénéfices. Si l'Ultra se révèle vraiment être le produit que tu nous as décrit, chaque action deviendra une véritable mine d'or.

— Je bois à notre réussite, dit Edward en levant à nouveau son verre.

Et il savoura ce vin qu'il avait choisi. Jamais il n'avait bu de meilleur blanc, et il prit son temps pour apprécier son bouquet de vanille et sa finale légèrement abricotée.

Après le dîner et les salutations d'usage, Kim et Edward grimpèrent dans la voiture de ce dernier.

— Si ça ne t'ennuie pas, je crois qu'on va se dispenser de la promenade sur la place, dit Edward.

— Ah bon? dit Kim, un peu déçue.

Elle était également surprise, mais il en avait été ainsi tout au long de la soirée, car depuis le moment où il était venu la chercher, Edward s'était comporté de façon tout à fait inhabituelle.

— Je voudrais passer un certain nombre de coups de téléphone, expliqua celui-ci.

— Mais il est plus de dix heures. Tu ne trouves pas que
⸱ est un peu tard pour appeler les gens ?

— Pas sur la côte Ouest. Il y a des gens de l'UCLA et de
Stanford que j'aimerais bien avoir pour Omni.

— J'ai l'impression que cette affaire t'excite au plus haut
point, fit remarquer Kim.

— Je suis sur un petit nuage. Dès que j'ai appris que nous
étions tombés sur trois alcaloïdes inconnus, j'ai eu l'intuition
qu'il s'agissait de quelque chose d'important. Mais je ne me
doutais pas de l'ampleur que ça allait prendre.

— Tu n'es pas un peu inquiet pour cette histoire d'accord
de participation avec Harvard ? demanda Kim. J'ai entendu
dire qu'il y avait déjà eu des problèmes semblables ici, notamment dans les années quatre-vingt, quand l'université et
l'industrie sont devenues beaucoup trop proches.

— S'il y a un problème, ce seront les avocats qui s'en
occuperont.

Mais Kim ne semblait pas convaincue.

— Avocats ou pas, ça risque d'entraver ta carrière universitaire.

— C'est un risque, reconnut Edward. Mais je suis tout à
fait prêt à le prendre. La découverte de l'Ultra, c'est une
chance qui n'arrive qu'une fois dans la vie. C'est la chance de
laisser une trace en ce bas monde, et en plus de gagner beaucoup d'argent.

— Je croyais que ça ne t'intéressait pas de devenir millionnaire ?

— C'est vrai, ça ne m'intéressait pas. Mais devenir milliar-
daire, c'est autre chose. Je ne me rendais pas compte que les
enchères pouvaient monter aussi haut.

Kim n'était pas persuadée que cela changeât grand-chose,
mais elle ne dit rien. C'était une question d'éthique dont elle
n'avait guère envie de débattre en cet instant.

— Excuse-moi pour les écuries, dit alors Edward. Je
n'aurais pas dû proposer d'y installer le laboratoire sans t'en
avoir parlé auparavant. Je me suis laissé emporter par la discussion avec Stanton.

— Excuses acceptées. En plus, mon frère a trouvé l'idée excellente. Il faut dire que ça nous aidera à payer les impôts locaux, qui sont astronomiques.

— Et puis les écuries sont suffisamment loin du cottage pour que la présence du laboratoire ne nous gêne pas, dit Edward.

Ils quittèrent Memorial Drive pour s'engager dans les calmes rues résidentielles de Cambridge. Edward se gara devant son immeuble et coupa le contact. Puis il se frappa le front de la paume de la main.

— Quel idiot, je suis! On aurait dû aller chercher tes affaires chez toi.

— Tu veux que je reste ce soir?

— Bien sûr. Tu n'en as pas envie?

— Tu as été tellement occupé, ces derniers temps. Je ne savais plus trop.

— Si tu restes, ce sera plus facile pour nous d'aller à Salem demain matin. On pourra partir tôt.

— Tu es sûr que tu veux y aller? J'avais l'impression que tu ne voulais pas y consacrer de temps.

— Mais si, puisque maintenant je sais qu'on va installer là-bas le laboratoire d'Omni. (Il remit le contact et recula.) On va chercher tes affaires. Si tu veux rester, bien sûr. Mais j'ai l'impression que tu en as envie, non?

Un large sourire éclairait le visage d'Edward.

— Mais oui, j'en ai envie.

Elle se sentait angoissée, sans bien savoir pourquoi.

8

Samedi 30 juillet 1994

Kim et Edward ne partirent pas aussi tôt que prévu pour Salem, parce que Edward passa la plus grande partie de la matinée au téléphone. D'abord, il appela l'architecte et l'entrepreneur de Kim pour leur demander de se **charger** des travaux du laboratoire. Ravis, les deux hommes **proposèrent** de le retrouver au domaine à onze heures du **matin**. **Puis** Edward appela différents fabricants de matériel de laboratoire, et ils convinrent de se retrouver en même temps que l'entrepreneur et l'architecte.

Après un coup de téléphone rapide à Stanton pour s'assurer une nouvelle fois que l'argent serait disponible à temps, Edward appela plusieurs personnes pour leur proposer de travailler pour Omni. Il était bien plus de dix heures lorsque Kim et Edward se mirent enfin en route.

Lorsque Edward vint se garer devant les écuries, une petite troupe y était déjà rassemblée. Les présentations ayant été faites avant son arrivée, on ne perdit pas de temps en vaines palabres.

Les écuries étaient un long bâtiment d'un seul étage avec de rares fenêtres disposées en hauteur, sous les avant-toits. Comme le terrain descendait assez abruptement jusqu'à la rivière, l'arrière formait un étage supplémentaire.

Kim essaya plusieurs clés avant de trouver la bonne, et ils

pénétrèrent dans ce qui constituait le rez-de-chaussée de la partie avant et le premier étage de l'arrière.

L'intérieur formait une immense pièce, sans séparation, très haute de plafond. A l'arrière du bâtiment se trouvaient plusieurs ouvertures obturées, tandis qu'au fond on distinguait des balles de foin.

— Au moins, la démolition sera facile, fit remarquer l'entrepreneur.

— C'est parfait, dit Edward. Voilà comment je conçois un laboratoire : un grand espace où tout le monde peut communiquer.

L'escalier menant au rez-de-chaussée était en chêne grossièrement taillé, et les marches fixées par des chevilles de deux centimètres et demi d'épaisseur. En bas, de part et d'autre d'un long couloir, étaient disposées des stalles et des selleries.

Edward se mit à discuter de l'aménagement avec l'architecte. En bas, il devrait y avoir une ménagerie pour les animaux de laboratoire, singes rhésus, lapins, rats et souris, un espace pour les incubateurs servant aux cultures de tissus et de bactéries, ainsi que des espaces de confinement. Enfin, il était prévu d'installer là des pièces spécialement aménagées pour la résonance magnétique nucléaire et la cristallographie aux rayons X.

La partie du haut abriterait le laboratoire principal, ainsi qu'une pièce particulière, munie de l'air conditionné, pour le gros ordinateur central. Chaque paillasse du laboratoire serait équipée de son propre terminal. Pour alimenter tous ces appareils électroniques, une grosse génératrice était prévue.

Lorsqu'ils eurent fait le tour du bâtiment, Edward se tourna vers l'architecte et l'entrepreneur.

— Vous envisagez des problèmes ?

— A première vue, non, répondit Stevens. Le bâtiment est sain. Mais je vous suggère de prévoir un hall d'entrée avec une réception.

— Nous n'aurons pas beaucoup de visiteurs, dit Edward,

mais je comprends votre point de vue. Prévoyez-le donc sur le plan. Quoi d'autre?

— Je crois que nous n'aurons aucun mal à obtenir le permis de construire, dit Harris.

— Pour autant qu'on ne parle pas des animaux de laboratoire, dit l'architecte. Je vous conseille de ne pas en faire mention du tout. Ça créerait des problèmes et ça ne pourrait que faire perdre du temps.

— Vous êtes beaucoup plus qualifié que moi pour ce genre de questions, dit Edward. Je laisse ça à votre entière discrétion. Et si vous terminez les travaux avant la date prévue, je suis prêt à verser une prime de dix pour cent.

Un grand sourire illumina le visage de l'architecte et de l'entrepreneur.

— Quand pouvez-vous commencer? demanda Edward.

— Immédiatement, répondirent les deux hommes d'une seule voix.

— J'espère que mon petit chantier ne va pas souffrir du grand, dit Kim qui s'exprimait pour la première fois.

— Ne vous inquiétez pas, répondit Harris. Ça ne pourra qu'accélérer les choses. Nous allons amener ici tous les corps de métier. Si nous avons besoin d'un plombier ou d'un électricien pour le cottage, il sera déjà sur place.

Tandis qu'Edward, l'architecte, l'entrepreneur et les représentants de matériel médical s'installaient pour mettre au point l'aménagement du laboratoire, Kim sortit des écuries. Clignant des yeux dans l'éclatante lumière de midi, elle se dirigea vers le cottage.

En approchant, elle constata que la tranchée avait été comblée, et que les ouvriers avaient replacé la pierre tombale sous la terre, à plat, comme ils l'avaient trouvée.

Après l'immensité des écuries, le cottage lui sembla minuscule, mais les travaux étaient bien avancés, notamment dans la cuisine et la salle de bains. Pour la première fois, elle pouvait avoir une vision claire de ce que serait cet endroit où elle allait vivre.

Après sa visite du cottage, Kim retourna aux écuries. Edward et les autres étaient loin d'avoir fini. Elle interrompit donc leur discussion pour annoncer à Edward qu'elle allait au château. Edward lui souhaita de passer un bon moment et retourna immédiatement à son histoire de machine à résonance magnétique nucléaire.

Quitter l'aveuglante clarté du soleil pour s'enfoncer dans l'obscurité du château, c'était comme pénétrer dans un autre monde. Kim s'immobilisa, écoutant les craquements de la grande bâtisse qui réagissait à la chaleur du jour. Pour la première fois, elle se rendit compte qu'on n'entendait pas le chant des oiseaux, notamment le cri des mouettes, pourtant assourdissant au-dehors.

Après un instant d'hésitation, elle gravit le grand escalier. Bien que la dernière fois elle eût trouvé des documents du XVIIe siècle dans la cave, elle opta cette fois pour le grenier, qui était de toute façon plus agréable.

Elle commença par ouvrir les nombreuses lucarnes afin de laisser pénétrer la brise venue de la rivière, et remarqua alors des piles de grands livres reliés en toile.

Elle en prit un au hasard et lut l'inscription au dos : *Sea Witch*. Intriguée, elle l'ouvrit et crut d'abord qu'il s'agissait d'un journal intime ; en effet, chaque page, écrite à la main, commençait par une date et se poursuivait par une description du temps. Elle ne tarda guère, pourtant, à se rendre compte qu'elle avait affaire à un journal de bord.

Elle regarda la couverture : 1791-1802. Elle remit alors le livre en place, et constata que le plus ancien couvrait les années 1737-1749.

Poursuivant ses investigations, Kim découvrit dans une autre pile un livre de même taille mais relié en cuir et dépourvu d'inscription. Elle le prit.

Ce livre ressemblait un peu à la bible découverte dans la cave. Sur la première page, elle apprit qu'il s'agissait du journal de bord d'un brick baptisé *Endeavor*, couvrant les années 1679 à 1703. Tournant délicatement les pages, Kim en arriva à 1692.

Première date : le 24 janvier. Un temps froid et clair avec un bon vent d'ouest. Parti pour Liverpool avec la marée, le navire transportait une cargaison d'huile de baleine, de bois, de fournitures maritimes, de fourrures, de potasse, de morue et de maquereau séchés.

Puis elle retint brusquement son souffle en reconnaissant un nom familier : Ronald Stewart, le propriétaire du bateau, avait en effet embarqué à bord de l'*Endeavor*. Fébrilement, Kim poursuivit sa lecture, et apprit ainsi que Ronald Stewart se rendait en Suède pour surveiller l'armement et la livraison d'un nouveau navire qui serait baptisé le *Sea Spirit*.

Elle poursuivit rapidement la relation du voyage, mais ne trouva le nom de Ronald mentionné qu'une seule fois, au moment du débarquement à Liverpool, après une traversée sans histoire.

Tout excitée, Kim descendit alors à la cave, prit dans la boîte à bible l'acte de vente trouvé lors de sa visite précédente et vérifia la date. Elle ne s'était pas trompée ! Si la signature d'Elizabeth figurait sur l'acte, c'est parce que Ronald se trouvait en mer au moment de la vente.

Satisfaite d'avoir résolu ce petit mystère, Kim remit l'acte de vente dans la boîte à bible et s'apprêtait à ajouter le journal de bord à sa petite collection, lorsque trois enveloppes attachées par un fin ruban glissèrent de la couverture.

Voyant que l'enveloppe du dessus était adressée à Ronald Stewart, elle ramassa le petit paquet d'une main tremblante et dénoua le ruban. Les trois lettres, toutes adressées à Ronald, étaient datées des 23 octobre, 29 octobre et 11 novembre 1692.

La première était de Samuel Sewall :

Boston

Cher ami,

Je comprends à quel point votre esprit doit être troublé, bien que j'espère que votre récent mariage a pu apaiser votre âme. Je comprends aussi votre vœu que l'association de votre défunte épouse avec le prince des ténèbres ne soit point connue au-delà de ceux qui en ont déjà eu connaissance. Pour autant, je vous conseille de bonne foi de ne point adresser au gouverneur de requête visant à ce que vous soit rétrocédée la preuve concluante ayant servi à assurer la condamnation de votre épouse pour sorcellerie. Il conviendrait, à cette fin, d'en faire la demande au révérend Cotton Mather, chez qui vous avez pu voir de vos yeux les œuvres infernales de votre épouse, car j'ai appris que c'est à lui qu'en avait été confiée la garde perpétuelle, et cela à sa propre requête.

Je reste et je demeure votre ami,
Samuel Sewall.

Frustrée de constater qu'une fois encore il était fait mention de ce mystérieux élément de preuve sans qu'en soit définie la nature, Kim prit la deuxième lettre, écrite celle-ci par Cotton Mather.

Boston, samedi 29 octobre

Monsieur,
J'accuse réception de votre récente missive en gardant à l'esprit le fait, par vous souligné, que nous avons été tous deux étudiants du Harvard Colledge, ce qui me fait espérer que vous saurez accueillir avec sérénité la décision que mon estimé père et moi-même avons prise concernant les œuvres d'Elizabeth. Vous vous rappelez sans doute que lors de notre rencontre chez moi, au mois de juillet, j'avais exprimé la crainte que des troubles n'éclatassent au sein du bon peuple de Salem du fait de la présence du diable, si clairement manifestée par les actes et les œuvres infernaux d'Elizabeth. Je dois, hélas! reconnaître que mes craintes étaient fondées, et que la réputation d'innocentes personnes a été souillée en dépit même du dévouement et de la diligence de nos honorables juges, alors même que

j'avais mis en garde contre l'utilisation imprudente et trop fréquente de la preuve spectrale, car le Père des mensonges peut fort bien adopter la forme d'une personne innocente. Je comprends fort bien le vœu honorable que vous formez que votre famille ne soit point sujette à d'autres humiliations, mais j'estime que l'élément de preuve administré par Elizabeth doit être préservé pour le bénéfice des générations futures, dans leur éternel combat contre les forces du démon. Cet élément de preuve apportera le témoignage de ce qui est nécessaire pour déterminer qu'il y a bien eu pacte avec le diable, et pas seulement maléfice. A cet égard, j'ai eu de nombreuses discussions avec mon père, le bon révérend Increase Mather, qui occupe présentement les fonctions de président du Harvard Colledge, et c'est animés d'un même esprit que nous avons décidé que cet élément de preuve devrait être conservé au Harvard Colledge pour l'édification et l'instruction des générations futures, dont la vigilance sera nécessaire pour s'opposer aux desseins du Malin dans ce Nouveau Monde que Dieu, dans Sa grande bonté, nous a accordé.

> Votre serviteur au nom de Dieu,
> Cotton Mather.

Kim n'était pas très sûre d'avoir compris la lettre dans son entier, mais le propos n'était guère difficile à saisir. De plus en plus frustrée par l'absence de toute référence à la nature de ce mystérieux élément de preuve elle entreprit de lire la dernière lettre, signée celle-ci d'Increase Mather.

> Cambridge, ce 11 novembre 1692

Monsieur,
Je comprends fort bien votre désir que vous soit retourné l'élément de preuve ayant servi à la condamnation de votre défunte épouse, mais les professeurs William

Brattle et John Leverett m'ont informé que les étudiants ont accueilli avec grand intérêt la présentation dudit élément de preuve, et qu'il a suscité chez eux des débats des plus éclairants. En foi de quoi nous nous sommes convaincus qu'il était de la volonté de Dieu que l'héritage d'Elizabeth fût conservé à Harvard, afin de contribuer de façon objective et concrète à l'élaboration de la loi ecclésiastique relative à la sorcellerie et aux œuvres infernales du démon. Je vous invite à reconnaître l'importance de cet élément de preuve et donc à reconnaître que sa place est bien dans nos collections. S'il plaisait un jour à nos estimés confrères de la corporation de Harvard de fonder une faculté de droit, ledit élément de preuve serait confié à cette institution.

> Je demeure, monsieur, votre serviteur,
> Increase Mather.

Exaspérée, Kim relut les trois lettres, pensant que le style emphatique avait pu lui dissimuler quelque information, mais elle dut se rendre à l'évidence : nulle part il n'était fait mention de la véritable nature de l'élément de preuve utilisé contre Elizabeth.

Elle se prit alors à réfléchir. Se pouvait-il qu'il s'agisse d'un livre ? A la suite de ses lectures sur les sorcières de Salem, elle s'était rendu compte que pour passer un pacte avec les puissances infernales, les prétendues sorcières étaient souvent accusées d'avoir écrit dans le Livre du diable.

Kim relut une nouvelle fois les lettres et remarqua qu'on faisait allusion aux « œuvres d'Elizabeth ». Son infortunée aïeule avait-elle écrit puis relié elle-même un ou plusieurs livres ? Elle se perdait en conjectures.

Une poupée ? La même semaine, elle avait lu dans un livre sur les sorcières de Salem que lors du procès de Bridget Bishop, la première à être exécutée, on avait utilisé comme preuve contre elle une poupée transpercée d'épingles.

Kim laissa échapper un soupir. Ses spéculations ne la

216

menaient nulle part. Après tout, il pouvait s'agir de n'importe quel objet ou de n'importe quelle production de l'esprit touchant à l'occultisme. Mieux valait s'en tenir aux informations que lui prodiguaient les lettres, et il en était une d'importance : cet élément de preuve avait été confié à l'université de Harvard en 1692. Pourrait-elle en retrouver la trace aujourd'hui ? N'allait-on pas lui rire au nez ?

— Ah, tu es là ! lança Edward depuis le haut de l'escalier de la cave. Tu as trouvé quelque chose ?

— Et comment ! Descends et viens voir.

Edward la rejoignit et parcourut les lettres du regard.

— Bon Dieu ! s'écria-t-il en reconnaissant les signatures. Ce sont trois des plus célèbres puritains de l'époque. Quelle trouvaille !

— Lis-les, demanda Kim. Elles sont intéressantes, mais je reste sur ma faim.

Edward s'appuya contre un secrétaire pour bénéficier de la lumière projetée par l'un des porte-flambeaux et lut les trois lettres dans le même ordre que Kim.

— C'est extraordinaire, déclara-t-il lorsqu'il eut terminé. J'adore cette façon tarabiscotée de s'exprimer. Ça prouve qu'à l'époque on étudiait sérieusement la rhétorique.

— Les phrases sont tellement longues que j'ai eu parfois du mal à les suivre, dit Kim.

— Et encore, tu as eu de la chance que ces lettres n'aient pas été écrites en latin ! A l'époque, pour entrer à Harvard, il fallait lire et écrire le latin couramment. Et en parlant de Harvard, je suis sûr que ces lettres intéresseraient l'université, surtout celle d'Increase Mather.

— Tu as raison. Je pensais d'ailleurs aller à Harvard pour demander s'ils avaient encore la preuve qui a servi contre Elizabeth, mais j'avais peur qu'on ne me rie au nez. Je pourrais peut-être proposer un échange.

— Mais non, on ne te rira pas au nez. Je suis même persuadé qu'à la bibliothèque Widener, on se passionnera pour ton histoire, et qu'ils ne refuseront certainement pas la lettre. Ils pourraient même te proposer de l'acheter.

— En lisant ces lettres, est-ce que ça te donne une idée de ce que pouvait être cette fameuse preuve?

— Pas vraiment, dit Edward. Je comprends que tu restes sur ta faim. C'est presque drôle, cette façon qu'ils ont de faire référence à cet élément de preuve sans jamais dire de quoi il s'agit.

— D'après la lettre d'Increase Mather, j'ai l'impression qu'il pourrait s'agir d'un livre. D'après lui, ça a suscité des débats parmi les étudiants.

— Peut-être.

— Attends un instant! lança soudain Kim. Je viens d'avoir une idée. Pourquoi est-ce que Ronald avait tellement envie de le récupérer, cet élément de preuve? Est-ce qu'il n'y aurait pas une piste, là?

Edward haussa les épaules.

— Je crois qu'il cherchait surtout à épargner à sa famille de nouvelles humiliations. Parce que à l'époque, toute la famille souffrait de la condamnation d'un de ses membres pour sorcellerie.

— Et si ça impliquait Ronald lui-même? suggéra Kim. Et s'il avait quelque chose à voir dans cette condamnation? C'est peut-être pour ça qu'il voulait récupérer l'élément de preuve. Pour le détruire.

— Hou, là, du calme! lança Edward en reculant d'un pas, comme si Kim le menaçait. Tu as l'imagination un peu tortueuse, je trouve.

— Mais Ronald a épousé la sœur d'Elizabeth dix semaines seulement après l'exécution! s'écria Kim d'une voix enflammée.

— Je crois que tu oublies quelque chose. D'après les analyses que j'ai menées sur les restes d'Elizabeth, j'ai eu la preuve qu'elle avait été empoisonnée par ce champignon. Elle a dû faire régulièrement des bouffées délirantes, ce qui n'a rien à voir avec Ronald. Il aurait réagi de la même façon s'il avait mangé du même pain. Je continue à penser que ce fameux élément de preuve doit être quelque chose qu'Elizabeth a fabriqué au cours d'un de ses épisodes délirants. Ce pouvait être un livre, un dessin, une poupée, n'importe quoi lié à l'occultisme.

– Je crois que tu as raison, concéda Kim.

Elle prit les lettres, les déposa dans la boîte à bible et contempla longuement le couloir de la cave et son amoncellement de meubles remplis de papiers.

– Il ne me reste plus qu'à poursuivre mes recherches, dit-elle d'un ton un peu las.

– De mon côté, j'en ai terminé avec les gens qui étaient là, dit Edward. Tout s'est bien passé. Je te félicite pour ton entrepreneur. Il va commencer les travaux aujourd'hui en creusant une tranchée. La seule chose qu'il craignait, c'était de trouver une nouvelle tombe. Je crois qu'il a été secoué par la découverte de celle d'Elizabeth. Dis donc, quel personnage !

– Tu veux rentrer à Boston ? demanda Kim.

– Oui. Maintenant que la société Omni est sur le point de se créer, j'ai des tas de gens à contacter. Mais je veux bien prendre le train, comme la dernière fois. Comme ça, tu pourras continuer tes recherches ici.

– Eh bien, si ça ne te dérange pas...

9

Vendredi 12 août 1994

Il avait très peu plu en juillet et la sécheresse se poursuivit en août. Il faisait un temps chaud, étouffant. Sous les fenêtres de chez Kim, l'herbe du Boston Common passa du vert au brun.

Au travail, ce mois d'août lui apporta un certain répit parce que Kinnard était parti effectuer sa rotation de deux mois à l'hôpital de Salem, et elle ne redoutait plus de le rencontrer au coin d'un couloir, dans le service des soins intensifs. Kim avait également négocié avec le service du personnel de l'hôpital et obtenu de ne pas venir en septembre, en cumulant un arriéré de congés non pris et un congé sans solde. Sans accepter de gaieté de cœur, la direction avait fini par céder, pour ne pas risquer de perdre Kim.

Edward étant constamment absent, elle se trouva donc avoir beaucoup de temps libre. Il parcourait le pays à la recherche de collaborateurs pour Omni Pharmaceuticals, mais il ne l'oubliait pas pour autant et lui téléphonait tous les soirs vers dix heures, avant qu'elle aille se coucher. Il continuait aussi à lui envoyer des fleurs, mais de façon plus modeste : une seule rose par jour, ce que Kim jugeait tout de même plus raisonnable.

Elle n'avait pas de problème pour occuper son temps. Tous les jours elle se faisait un devoir de se rendre à la propriété, et le soir elle poursuivait ses lectures sur les sorcières de Salem et la société puritaine. Le chantier avançait à une vitesse stupéfiante. Il y avait plus d'ouvriers au laboratoire, mais le cottage n'était pas négligé pour autant, et on avait même commencé les peintures avant d'avoir terminé toutes les boiseries.

Pour Kim, l'ironie de l'affaire c'était que son père se montrait fier d'elle à cause du laboratoire. Elle ne lui avait pas dit qu'elle ne prenait aucune part aux travaux de rénovation des écuries, ni que l'idée ne venait même pas d'elle.

A chaque visite au domaine, Kim passait de longues heures au château, plongée dans la montagne de documents. Les résultats se révélèrent décevants. Rien de comparable à la découverte des trois lettres, et cela malgré vingt-six heures de recherches minutieuses. Le jeudi 11 août, elle décida donc de suivre la seule piste en sa possession, et d'apporter la lettre d'Increase Mather à l'université de Harvard.

Le vendredi 12, après son travail, Kim se rendit à la gare MTA. Après son expérience malheureuse au capitole, elle n'avait guère d'espoir de retrouver cette preuve à Harvard. D'abord, il était peu probable que l'université eût encore cet objet en sa possession, ensuite ils risquaient fort de la prendre pour une cinglée. Qui d'autre, en effet, viendrait rechercher un objet vieux de trois cents ans, et dont la nature exacte n'était mentionnée dans aucun des documents en sa possession ?

En attendant son train, Kim faillit rebrousser chemin plusieurs fois, mais elle finit par se convaincre qu'elle n'avait pas d'autre ressource.

En quittant la gare souterraine, Kim se retrouva dans le tohu-bohu habituel de Harvard Square. Mais lorsqu'elle eut pénétré sur le campus, après avoir traversé Massachusetts Avenue, le bruit de la circulation s'évanouit comme par enchantement. A quoi pouvait bien ressembler cette université à l'époque de Ronald ? se demandait-elle en parcourant les allées ombragées, bordées de bâtiments en brique rouge recouverts de lierre. Car enfin, aucun de ces bâtiments ne semblait dater du XVIIᵉ siècle.

A la réception de la bibliothèque Widener, on la dirigea vers le bureau d'une certaine Mary Custland, une femme dynamique entre trente-cinq et quarante ans, vêtue d'un élégant tailleur bleu marine, d'un chemisier blanc et d'un foulard de couleur vive, et qui ne correspondait guère à l'image stéréotypée que Kim se faisait d'une bibliothécaire. Son titre exact était d'ailleurs « administratrice du fonds de livres rares et manuscrits ». Au grand soulagement de Kim, elle se montra d'emblée aimable et chaleureuse, et lui demanda en quoi elle pouvait lui être utile.

Kim lui montra alors la lettre d'Increase Mather, et expliqua qu'elle était la descendante du destinataire. Elle s'apprêtait à expliquer l'objet de sa visite lorsque Mme Custland l'interrompit.

— Mais c'est bien une lettre d'Increase Mather !

— Oui, c'est ce que je vous disais.

— Il faut que j'appelle tout de suite Katherine Sturburg.

Elle posa la lettre sur son bureau et prit son téléphone tout en lui expliquant que Katherine Sturburg était spécialiste du XVIIᵉ siècle et s'intéressait particulièrement à Increase Mather.

Après son coup de téléphone, Mme Custland n'eut guère le temps d'interroger Kim, car la dénommée Katherine Sturburg fit son apparition dans le bureau. C'était une femme plus âgée que sa collègue, aux cheveux gris et portant une paire de lunettes en équilibre sur le bout du nez. Mary Custland fit les présentations et tendit la lettre à la nouvelle venue, qui la prit délicatement du bout des doigts pour l'examiner. Voyant cela, Kim eut honte de la façon négligente dont elle avait jusque-là traité le précieux document.

— Qu'en penses-tu ? demanda Mary Custland lorsqu'elle eut terminé son examen.

— Cette lettre est authentique, répondit Katherine Sturburg. Ça se voit tout de suite, aussi bien au style qu'à la calligraphie. C'est passionnant, il cite à la fois William Brattle et

John Leverett. Mais quel est cet élément de preuve auquel il fait allusion ?

— C'est bien le problème, répondit Kim. C'est pour ça que je suis ici. Au début, je voulais en savoir un peu plus sur mon ancêtre, Elizabeth Stewart, et ça s'est transformé en véritable rébus. Alors je me suis dit que je trouverais peut-être de l'aide à Harvard puisque, apparemment, ce mystérieux élément de preuve a été déposé ici.

— Quel rapport y a-t-il avec les procès pour sorcellerie ? demanda Mme Custland.

Kim expliqua qu'Elizabeth avait été condamnée dans l'affaire des sorcières de Salem, et que cet élément de preuve si mystérieux avait été utilisé contre elle au procès.

— C'est vrai que j'aurais dû penser aux procès de Salem en voyant la date, dit Mme Sturburg.

— La deuxième fois que Mather y fait référence, reprit Mme Custland, il écrit « l'héritage d'Elizabeth ». C'est une expression curieuse. Ça pourrait être soit quelque chose qu'elle a fabriqué elle-même, soit qu'elle aurait acquis par son travail ou sa richesse.

Kim acquiesça et ajouta qu'elle avait pensé d'abord à un livre ou à un manuscrit, mais qu'il pouvait s'agir de n'importe quel objet ayant trait à l'occultisme.

— Ce pourrait être une poupée, dit Mme Custland.

— J'y ai pensé aussi, dit Kim.

Les deux bibliothécaires discutèrent brièvement de la meilleure façon d'accéder aux immenses ressources de la bibliothèque, et Mme Custland finit par s'asseoir devant son terminal d'ordinateur. Sur son écran apparurent les mots ELIZABETH STEWART.

Pendant une longue minute, les trois femmes n'échangèrent pas une parole. Le curseur clignotait sur l'écran vide. Puis des listes apparurent. Kim sentit l'espoir l'envahir. Hélas, il lui fallut déchanter rapidement : toutes ces Elizabeth Stewart avaient vécu aux XIXe et XXe siècles et n'avaient aucun lien de parenté avec elle.

Mme Custland essaya alors Ronald Stewart, sans plus de succès. Puis Increase Mather. Là, le matériel était abondant, mais aucune connexion n'existait avec la famille Stewart.

— Finalement, ça ne m'étonne pas, dit Kim en soupirant. Je n'avais guère d'espoir en venant ici. J'espère que je ne vous ennuie pas avec toutes mes histoires.

— Au contraire, dit Mme Sturburg. J'ai été ravie que vous nous montriez cette lettre. Si ça ne vous dérange pas, j'aimerais beaucoup en faire une photocopie pour notre fonds.

— Bien sûr. En fait, lorsque j'aurai terminé mes recherches, je serai heureuse d'en faire don à la bibliothèque.

— C'est très généreux de votre part, dit Mary Custland.

— Quant à moi, ajouta Katherine Sturburg, je vous promets de mener une recherche approfondie dans les archives pour retrouver la trace d'Elizabeth Stewart. Cet objet doit bien être référencé quelque part, puisque dans sa lettre, Increase Mather confirme qu'il a été confié à Harvard.

— Je vous remercie infiniment, dit Kim.

Elle leur donna ses numéros de téléphone, chez elle et à son travail.

Les deux bibliothécaires échangèrent alors un regard.

— Je ne voudrais pas être pessimiste, dit Mme Custland, mais je dois vous avertir qu'il y a peu de chances qu'on retrouve cet élément de preuve évoqué dans la lettre. Le 24 janvier 1764, un incendie a éclaté ici. Tout a été détruit, depuis les cinq mille volumes qu'elle abritait, jusqu'aux portraits de tous les présidents de l'université. Je connais bien cet épisode parce que ç'a été le désastre le plus terrible de toute l'histoire de cette bibliothèque. Et il n'y a pas que les livres qui ont disparu, mais également une collection d'animaux empaillés, et surtout ce qu'ils appelaient à l'époque un « dépôt d'objets curieux ».

— Il aurait pu y avoir là-dedans des objets touchant à l'occultisme ? demanda Kim.

— Exactement, dit Mme Custland. Et il y a beaucoup de risques pour que ce que vous recherchez ait fait partie de cette mystérieuse collection. Mais ça, on ne le saura jamais, parce que le catalogue a également disparu.

— Ça ne veut pas dire non plus qu'on n'y fait pas référence ailleurs, s'empressa d'ajouter Mme Sturburg, rassurante.

En descendant l'escalier de la bibliothèque, Kim se dit que, n'attendant pas grand-chose de cette visite, elle n'avait aucune raison d'être découragée. Au moins, les bibliothécaires ne s'étaient pas moquées d'elle et avaient même semblé très intéressées par la lettre d'Increase Mather. Et puis elles allaient poursuivre leurs recherches, cela ne faisait aucun doute.

Elle récupéra sa voiture au parking de l'hôpital, mais comme sa visite à Harvard avait duré plus longtemps que prévu, elle ne se rendit pas chez elle pour se changer et gagna directement l'aéroport pour récupérer Edward, retour de la côte Ouest.

Son vol arriva ponctuellement. Edward n'ayant que des bagages à main, ils se rendirent directement au parking.

— Ça s'est passé comme sur des roulettes, lança Edward, surexcité. Tous ceux que je voulais recruter pour Omni ont accepté. Je n'ai essuyé qu'un refus. Les gens sont enthousiastes, et tout le monde pense que cet Ultra va casser la baraque.

— Qu'est-ce que tu as dévoilé, au juste ?

— Presque rien. J'attends des engagements fermes. Je ne veux pas prendre de risques. Mais même en m'en tenant à des généralités, ils avaient tellement envie de participer à cette histoire que je n'ai pas eu à lâcher beaucoup d'actions. Pour l'instant, je n'en ai distribué que quarante mille.

Kim ne comprenait pas ce qu'il voulait dire, mais ne demanda pas d'explications. Edward mit ses bagages dans le coffre. Ils démarrèrent.

— Comment ça va, au domaine ? demanda Edward.

— Bien.

— Tu m'as l'air un peu déprimée, non ?

— Peut-être. Il m'a fallu du courage pour aller à Harvard cet après-midi. Je suis allée rechercher cette preuve qui avait été utilisée contre Elizabeth.

— Ça s'est mal passé ?

— Non, je suis tombée sur deux femmes charmantes. Le problème, c'est qu'il y a eu un grand incendie à Harvard en 1764, et que la bibliothèque a brûlé, avec notamment ce qu'ils appelaient un « dépôt d'objets curieux ». Le catalogue de ce dépôt a aussi brûlé, en sorte qu'on ne sait même pas ce qu'il contenait. J'ai bien peur que cet élément de preuve ne soit parti en fumée.

— Si je comprends bien, il ne te reste plus qu'à reprendre tes recherches au château.

— Oui. Seulement, je ne me sens plus aussi motivée qu'avant.

— Pourquoi ? demanda Edward. C'était encourageant d'avoir découvert ces lettres.

— Oui, mais là j'ai envie de baisser les bras. Depuis que j'ai trouvé ces lettres, j'ai passé une trentaine d'heures à fouiller le château et je n'ai pas trouvé un seul document datant du XVIIᵉ siècle.

— Je t'avais bien dit que ça ne serait pas facile, lui rappela Edward.

Kim ne répondit rien. Les réflexions du genre « Je te l'avais bien dit » avaient le don de l'agacer.

Dès qu'ils arrivèrent chez Edward, celui-ci ne prit même pas le temps d'ôter sa veste et se rua sur le téléphone pour appeler Stanton. Kim l'écouta d'une oreille distraite narrer ses succès en matière de recrutement.

— Rien que des bonnes nouvelles ! annonça Edward en raccrochant. Stanton a déjà réuni la plus grande partie des quatre millions et demi de dollars, et commencé les démarches pour les brevets. Ça marche comme sur des roulettes.

— Je suis contente pour toi, dit Kim en souriant.

Mais dans le même temps, elle ne put s'empêcher de pousser un soupir.

10

Vendredi 26 août 1994

Le mois d'août touchait à sa fin. Sur le domaine, les travaux se poursuivaient à un rythme infernal, notamment au laboratoire. Edward y passait le plus clair de son temps, pour réceptionner et installer les innombrables appareils scientifiques qu'on livrait tous les jours.

Tour à tour architecte, ingénieur électronicien et même entrepreneur en maçonnerie, Edward était pris dans un tourbillon frénétique d'activités, et en venait à négliger de plus en plus ses tâches à Harvard.

Un des chercheurs de son laboratoire eut finalement la témérité de se plaindre à l'administration de Harvard du manque de disponibilité d'Edward. Furieux, celui-ci renvoya immédiatement son étudiant.

Les choses n'en restèrent pas là. L'étudiant, ulcéré, porta à nouveau l'affaire devant l'administration, mais Edward refusa de réintégrer l'étudiant dans son laboratoire, et même de lui présenter des excuses. Les relations du brillant professeur et de son université devinrent exécrables.

Pour ajouter aux tracas d'Edward, le Bureau des brevets de Harvard eut vent de sa présence au sein de la société Omni et des demandes de brevets déposées pour un nouveau type de molécules. Le Bureau des brevets inonda donc Edward de lettres auxquelles il choisit de ne pas répondre.

Harvard se trouvait dans une situation difficile. L'université ne voulait pas perdre Edward Armstrong, l'un des plus brillants biochimistes de sa génération, mais d'un autre côté, elle ne pouvait tolérer de telles pratiques : c'était une question de principe et cela risquait de créer un fâcheux précédent.

Edward était donc soumis à des pressions intenses, à la fois de la part de l'université et de la part d'Omni, car c'était sur lui que reposaient tous les problèmes posés par la création *ex nihilo* d'un nouveau site de recherche.

Consciente des difficultés auxquelles Edward devait faire face, Kim s'efforçait de lui rendre la vie quotidienne un peu plus facile. Elle se mit à rester chez lui presque tous les soirs, s'occupant de son intérieur sans qu'il le lui eût demandé. Elle donnait à manger au chien, préparait le dîner, et faisait même un peu de ménage et de repassage.

Malheureusement, Edward mit longtemps à reconnaître les efforts de Kim. Dès qu'elle s'était installée de façon permanente chez lui, les envois de fleurs avaient cessé. Kim avait beau juger cela raisonnable, elle n'en regrettait pas moins l'attention dont ces fleurs étaient le témoignage.

En sortant de son travail, le vendredi 26 août, Kim songea avec effroi que ni Edward ni elle n'avaient encore organisé leur déménagement ; ils devaient pourtant avoir quitté leurs appartements respectifs dans cinq jours. Pour en parler avec Edward, elle avait attendu un jour où il eût été moins submergé de travail, mais il n'y en avait eu aucun.

A l'épicerie Bread and Circus, elle acheta de quoi manger, et prit même une bouteille de vin, espérant ainsi faire plaisir à Edward.

Arrivée à l'appartement, elle ramassa les journaux et les magazines épars, fit un peu de rangement, donna à manger au chien, et prépara le dîner pour sept heures, puisqu'il lui avait dit qu'il rentrerait à cette heure-là.

Sept heures passèrent. Kim éteignit le feu sous la casserole de riz. A sept heures et demie, elle recouvrit la salade d'un film en plastique et la mit au frigo. A huit heures, Edward fit son apparition.

— Et merde! lança-t-il en claquant la porte derrière lui. Je retire tous les compliments que j'ai faits à ton entrepreneur. C'est un vrai connard! Cet après-midi, je l'aurais giflé. Il m'avait promis qu'il y aurait des électriciens aujourd'hui sur le chantier, et il n'y en avait aucun!

Kim lui annonça ce qu'il y avait pour le dîner. Il poussa un vague grognement et alla se laver les mains dans la salle de bains. Kim réchauffa le riz au micro-ondes.

— Ce laboratoire pourrait être monté en un rien de temps si ces abrutis n'étaient pas aussi incompétents! cria Edward depuis la salle de bains.

Kim servit deux verres de vin, les apporta dans la chambre et en tendit un à Edward au moment où il émergeait de la salle de bains. Il le prit et en avala une gorgée sans un mot.

— Tout ce que je veux, c'est commencer les essais sur l'Ultra, mais on dirait que tout le monde s'ingénie à me mettre des bâtons dans les roues.

— Euh... ce n'est peut-être pas le meilleur moment pour parler de ça, mais... on n'a encore rien prévu pour le déménagement, et la fin du mois approche. Ça fait quinze jours que je voulais t'en parler, mais...

Pris d'une rage subite, Edward lança son verre plein de vin contre la cheminée, où il explosa en mille morceaux.

— Il ne manquait plus que toi, maintenant!

Il avait les yeux dilatés, et des veines gonflées battaient à ses tempes. Ses mâchoires se serraient de façon convulsive, et il ne cessait d'ouvrir et de fermer les poings.

— Ex... excuse-moi...

Kim était pétrifiée. Terrorisée. Il était très grand. Et fort. Il pouvait la réduire en miettes si l'envie lui en prenait soudain.

Dès qu'elle eut recouvré ses esprits, elle quitta la chambre en courant et se réfugia dans la cuisine. Là, elle décida de partir. En arrivant devant la porte du palier, elle s'immobilisa : Edward se tenait dans le passage. Mais au grand soulagement de Kim, son attitude s'était totalement transformée, et sur son visage on lisait du désarroi, et même de la tristesse.

— Je... je regrette, dit-il en bégayant. Je... je ne sais pas ce qui m'a pris. Ça doit être la tension de ces derniers jours, mais je sais que ça n'excuse rien. Je suis bouleversé. Tu veux bien me pardonner ?

Kim fut sensible à sa sincérité. Elle s'avança vers lui et ils s'étreignirent. Puis ils gagnèrent le salon et s'assirent côte à côte sur le canapé.

— Je suis dans un état de nerfs épouvantable, dit Edward. Je suis harcelé par Harvard et je n'ai qu'une envie : me mettre à travailler sur l'Ultra. Eleanor a continué ses recherches sur la molécule, et elle a accumulé les bons résultats.

— Moi aussi j'ai les nerfs à fleur de peau, dit Kim. Je n'ai jamais aimé déménager. Et j'ai l'impression que l'histoire d'Elizabeth devient pour moi une véritable obsession.

— Je dois dire que je ne t'ai pas du tout soutenue. Ça ne devrait pas reposer que sur toi. Quand veux-tu qu'on emménage ?

— Il faut que nous ayons quitté tous les deux nos appartements le 1ᵉʳ septembre.

— Alors pourquoi ne pas le faire le 31 ? proposa Edward.

Mercredi 31 août 1994

Kim se leva à l'aube. Les déménageurs arrivèrent à 7 h 30 et emportèrent d'abord ses affaires à elle, avant de se rendre à Cambridge pour charger celles d'Edward. Lorsqu'ils eurent déposé la dernière chaise dans le camion, il n'y restait plus la moindre place.

Kim et Edward, eux, gagnèrent la propriété chacun de leur côté, avec chien et chat. A leur arrivée, Sheba et Buffer firent connaissance, mais comme ils avaient approximativement la même taille ils gardèrent prudemment leurs distances. Après quoi, ils s'ignorèrent.

Tandis que les déménageurs apportaient meubles et caisses dans le cottage, Edward, à la grande surprise de Kim, lui proposa de faire chambre à part.

— Pourquoi? demanda Kim.

— Parce que je ne suis pas comme d'habitude, en ce moment, expliqua Edward. Avec tout ce qui se passe, je n'arrive pas à bien dormir. Si on a chacun sa chambre, je pourrai allumer la lumière et lire pour me calmer.

— Ça ne me dérangerait pas.

— Tu as dormi chez toi, ces dernières nuits. Tu ne dormais pas mieux?

— Non.

— Eh bien, on doit être un peu différents de ce côté-là, parce que moi, j'ai mieux dormi. Ça me rassure un peu de savoir que je ne te dérange pas, mais quand même, je préfère. De toute façon, ça sera temporaire. Dès que le labo aura ouvert et que les choses se seront un peu installées, je serai moins tendu. A ce moment-là, on pourra à nouveau dormir ensemble. Tu peux comprendre ça, non?

— Oui, oui, dit Kim en s'efforçant de dissimuler sa déception.

Le déchargement du camion s'opéra beaucoup plus rapidement que le chargement, et bientôt le cottage fut rempli de meubles et de caisses disposés au hasard. Les déménageurs remirent dans le camion leurs diables et les quelques caisses qu'ils avaient apportées, et firent signer à Kim les papiers d'usage.

A peine le camion avait-il disparu qu'une Mercedes apparut entre les arbres et se dirigea vers le cottage. Kim reconnut la voiture de Stanton et appela Edward avant d'aller ouvrir la porte.

— Où est Edward? demanda Stanton en descendant de voiture, sans même la saluer.

— En haut.

Stanton s'avança dans l'entrée et cria à Edward de descendre. Il gardait les mains sur les hanches et tapait du pied par terre avec nervosité.

Kim craignit aussitôt l'esclandre, car Edward était dans un état de surexcitation indescriptible et Stanton, lui, n'avait jamais fait grand cas de la sensibilité des autres.

— Descends, Edward, s'écria de nouveau Stanton. Il faut qu'on parle !

Edward apparut en haut des marches et descendit lentement.

— Il y a un problème ?

— Oh, pas grand-chose, répondit Stanton d'un ton sarcastique. Sauf que tu grilles notre capital à une vitesse hallucinante. Ce laboratoire nous coûte les yeux de la tête. Qu'est-ce que tu fais ? Tu fais carreler les chiottes en diamants ?

— De quoi tu parles, exactement ? demanda Edward d'un air las.

— De tout ! Je commence à me dire que tu as dû travailler pour le Pentagone, parce que tu ne commandes que ce qu'il y a de plus cher sur le marché.

— Pour faire de l'excellent travail, il faut du matériel excellent, rétorqua Edward. Je croyais avoir été clair dès le début, dès que nous avons créé Omni. Tu n'imagines quand même pas qu'on peut acheter ce genre de matériel en solde !

Kim observait les deux hommes batailler, mais ses craintes se révélèrent vaines : quoiqu'il fût en colère, Edward ne fit pas d'esclandre.

— Bon, d'accord, dit soudain Stanton. Laissons de côté pour l'instant le coût du laboratoire. Ce que je voudrais, en revanche, c'est que tu me dises quand tu penses obtenir de la FDA l'autorisation de mise sur le marché. J'aimerais savoir quand on verra l'argent rentrer au lieu de le voir sortir.

Edward eut l'air exaspéré.

— On n'a même pas encore ouvert le labo, et toi tu me parles déjà de date butoir ! Au restaurant, avant de créer la société, on avait parlé de l'autorisation de la FDA. Tu as oublié ?

— Écoute un peu, toi, le gros malin ! riposta Stanton. C'est moi qui me coltine tous les problèmes d'argent, ici ! Et j'ai l'impression que ça va pas être facile, vu la vitesse à laquelle tu engloutis notre capital.

Stanton se tourna vers Kim, qui était appuyée au mur du salon.

— Kim, dis à cette tête de mule que quand on veut créer une société, il faut commencer par respecter le budget!

— Laisse-la en dehors de ça! lança sèchement Edward.

Stanton dut sentir qu'il était allé trop loin, et adopta immédiatement un ton plus mesuré.

— Bon, on se calme, dit-il en levant les mains en un geste d'apaisement. Reconnais quand même que ma demande est raisonnable. Il me faut au moins une vague idée de ce que tu vas faire dans ce laboratoire plaqué or, ne serait-ce que pour anticiper nos besoins de financement.

Edward sembla se détendre un peu.

— Demander ce qu'on va faire dans ce labo, ce n'est quand même pas la même chose qu'exiger brutalement une date d'autorisation de mise sur le marché.

— Excuse-moi, je ne suis pas très diplomate. Alors explique-moi un peu ton plan d'attaque.

— Dès que possible, on va lancer les recherches pour en savoir le plus possible sur l'Ultra. D'abord, il faut qu'on complète nos connaisances sur ses propriétés chimiques de base, comme sa solubilité dans différents solvants et la façon dont il réagit avec d'autres molécules. Puis il faudra commencer les études biologiques pour comprendre la métabolisation, l'excrétion et la toxicité. Les recherches toxicologiques devront être menées *in vitro* mais aussi *in vivo*, sur des cellules isolées, des groupes de cellules et des organismes intacts. Il faudra commencer avec les virus, puis les bactéries, et enfin les animaux supérieurs. Il faudra procéder à des essais au niveau moléculaire, pour déterminer les sites de liaison et les méthodes d'action, et cela à différentes températures et à différents pH. Tout ça, il faudra le faire avant de présenter un dossier à la FDA, lequel dossier ne sera d'ailleurs qu'un préalable à la phase d'essais cliniques proprement dite.

— Pouuuh! Ça me donne le vertige, grommela Stanton. J'ai l'impression qu'il y en a pour des dizaines d'années de travail.

— Pas des dizaines, mais plusieurs années, c'est sûr. Je te l'avais déjà dit. Mais en même temps, je t'ai dit que ça prendrait moins que les douze ans qu'il faut habituellement pour développer un nouveau médicament.

— Six ans ? demanda Stanton.

— Je ne peux pas répondre avant d'avoir au moins quelques éléments en ma possession, répondit Edward. Tout ce que je peux dire, c'est que ce sera plus de trois ans et moins de douze.

— Parce que ça pourrait ne durer que trois ans ? demanda Stanton, les yeux brillants.

— Ce serait un miracle. Mais ce n'est pas impossible. Cela dit, il y a une autre donnée à prendre en compte. On a dépensé beaucoup d'argent jusqu'à présent pour installer le laboratoire, mais maintenant que c'est presque terminé, les dépenses vont chuter considérablement.

— Ce serait trop beau, rétorqua Stanton. Bientôt, nous allons devoir payer les salaires faramineux que tu as promis à ton équipe.

— Il faut bien payer des salaires élevés si on veut les gens les plus compétents ! En outre, je préférais proposer des salaires élevés que des actions. Je ne tenais pas à en distribuer trop.

— Si on fait faillite, ces actions ne vaudront rien, fit remarquer Stanton.

— Mais on a déjà une bonne longueur d'avance. La plupart des laboratoires pharmaceutiques et de biotechnologie qui se créent n'ont pas de médicament à l'horizon. Nous, on en a déjà un.

— Je sais. Mais j'ai quand même les jetons. Je n'ai jamais investi tout mon argent dans une seule société, et jamais je n'ai vu le capital filer aussi rapidement.

— Tu as fait un bon investissement, dit Edward. On sera milliardaires, tous les deux. L'Ultra est un médicament prometteur, j'en suis sûr. Allez, viens, je vais te montrer le labo. Ça te rassurera.

En voyant les deux hommes s'éloigner, Kim laissa échapper un soupir de soulagement. Stanton avait même posé la main sur l'épaule d'Edward.

Après leur départ, Kim se prit à regarder autour d'elle. Ce ne fut pas le désordre du chantier qui s'imposa à elle, mais bien plutôt la présence d'Elizabeth, comme jaillie du silence, et le sentiment, plus fort que jamais, qu'elle cherchait à communiquer avec elle. Kim eut beau tendre l'oreille, elle n'entendit rien. Pourtant, elle sentait bien que quelque chose d'Elizabeth vivait en elle, et que cette maison, d'une certaine façon, était encore la sienne.

Il y avait certainement des tâches plus urgentes à accomplir, mais Kim choisit de déballer le portrait d'Elizabeth pour l'accrocher au-dessus de la cheminée. Les murs avaient été repeints, et on ne distinguait plus les contours du cadre, comme auparavant. Elle s'efforça pourtant de retrouver l'emplacement exact où il avait été accroché, trois cents ans auparavant.

Reculant de quelques pas, elle fut alors frappée par l'aspect vivant du portrait. En plein jour, elle avait trouvé l'exécution plutôt grossière, mais à présent, dans la pénombre du cottage, l'effet était tout différent. Les yeux verts d'Elizabeth dardaient sur elle un regard pénétrant, comme s'ils brillaient dans l'obscurité.

Pétrifiée, Kim contempla longuement le tableau, avec l'impression de regarder dans un miroir. A nouveau, elle eut le sentiment que son ancêtre cherchait à s'adresser à elle, à travers les siècles, mais pas plus qu'auparavant ne lui parvint le moindre mot.

Comme pénétrée par l'aura de mysticisme que dégageait le tableau, Kim décida soudain de retourner au château. Une fois là-bas, elle grimpa au grenier, ne perdit pas son temps à ouvrir les lucarnes et se dirigea directement vers une vieille malle de marine. A l'intérieur, elle trouva l'amoncellement habituel de papiers, d'enveloppes et de gros registres.

Dans le premier de ces registres, daté de 1862, figurait le

détail d'une cargaison de navire. Dessous, elle découvrit une sorte de gros calepin relié de façon grossière, et auquel était attachée une lettre. Se rappelant la façon délicate dont les archivistes de Harvard avaient tenu la lettre d'Increase Mather, Kim s'efforça de faire de même, mais elle eut du mal à déplier le papier, fort ancien. Il s'agissait d'un court billet datant du XVIIIᵉ siècle.

Boston, le 16 avril 1726

Très cher père,

En réponse à votre lettre, il me semble qu'aussi bien pour l'intérêt de la famille que pour celui de nos affaires, il conviendrait de surseoir au transfert du corps de notre mère dans le cimetière familial. Il faudrait pour cela en faire la demande aux autorités, ce qui ne manquerait pas de causer une grande inquiétude dans la ville de Salem et de réveiller cette affaire que vous avez pris tant de soin et tant de peine à faire oublier.

Votre fils qui vous aime,
Jonathan.

Kim replia lentement la lettre et la replaça dans son enveloppe. Ainsi, trente-quatre ans après l'exécution des sorcières de Salem, et malgré les excuses publiques et la journée de deuil décrétée par le gouvernement colonial, Ronald et son fils craignaient encore l'opprobre jeté sur leur famille par cette affaire.

Kim prit alors le gros calepin, dont la couverture entoilée lui resta dans la main. Son cœur se mit à battre plus fort dans sa poitrine, car sur la page de garde s'étalaient ces mots, tracés à la main : *Journal d'Elizabeth Flanagan, décembre 1678.*

Tenant le livre à deux mains pour qu'il ne se détache pas en lambeaux, elle s'approcha d'une lucarne pour mieux voir. Elle regarda à la fin et, un peu déçue, constata que le journal se terminait plus tôt qu'elle ne l'aurait souhaité : vendredi 26 février 1692.

Le froid n'en finit pas. Aujourd'hui, il a encore neigé. La Wooleston a gelé si fort qu'à Royal Side une personne pourrait s'y tenir. Je me trouve dans un état de grand égarement. Une maladie a affaibli mon esprit, je suis sujette à des attaques cruelles et à des convulsions, qui, d'après Sarah et Jonathan, sont très semblables à celles que j'ai observées chez les malheureuses Rebecca, Mary et Joanna, et à celle dont a souffert Ann Putnam lors de sa visite ici. En quoi ai-je offensé le Tout-Puissant pour qu'Il inflige à Sa servante de tels tourments ? Je ne conservais aucun souvenir de ces attaques jusqu'à ce que je visse des couleurs qui à présent m'effrayent, et que j'entendisse des sons étranges qui n'appartiennent pas à ce monde, et fusse sur le point de m'évanouir. Je recouvrai soudain mes sens, et me découvris sur le sol que j'avais souillé, après avoir, selon les dires de mes enfants, Sarah et Jonathan, prononcé des paroles inintelligibles. Loué soit le Seigneur, mes enfants ne sont point affligés. Comme j'aimerais que Ronald fût ici et non point en haute mer. Ces tourments ont commencé après l'acquisition des terres de Northfields et la querelle venimeuse qui s'est ensuivie avec la famille de Thomas Putnam. Le docteur Griggs demeure perplexe, et m'a administré des purges, sans résultat aucun. L'hiver est si cruel et pourtant il reste tant à faire. Je crains pour Job qui est innocent, comme je crains que le Seigneur ne m'ôte la vie avant que mon travail soit accompli. Je me suis consacrée aux œuvres de Dieu dans son pays en cuisant du pain de seigle pour la congrégation, car le mauvais temps, les faibles récoltes et le grand nombre de réfugiés fuyant les attaques des Indiens se sont conjugués pour amoindrir considérablement nos réserves. J'ai encouragé tout le monde à accueillir ces frères en leur cœur comme des membres de leur famille, comme je l'ai fait moi-même avec Rebecca Sheaff et Mary Roots. J'ai enseigné aux enfants plus âgés la façon de fabriquer des poupées pour alléger la peine des orphelins dont le Seigneur nous a confié la garde. Je prie pour que Ronald revienne promptement et nous aide à combattre ces terribles tourments avant le retour du printemps.

Kim ferma les yeux. La tête lui tournait. Elle avait l'impression qu'Elizabeth s'était adressée directement à elle, et ressentait avec force les traits les plus marquants de sa personnalité : son altruisme, sa générosité, sa force de caractère et son courage. Toutes qualités qu'elle regrettait de ne pas posséder elle-même.

Elle relut alors les pages du 26 février et se demanda qui était ce Job. Une référence biblique ? Une personne de son entourage ? Elle relut aussi le passage concernant les poupées et, une nouvelle fois, l'idée lui vint que l'élément de preuve ayant entraîné sa condamnation aurait pu être une poupée, et non un livre.

Craignant d'avoir manqué quelque chose, Kim relut à nouveau la relation du 26 février et fut frappée de ce que c'était par générosité qu'Elizabeth avait répandu autour d'elle le champignon toxique.

Elle se mit alors à tourner lentement les pages du journal. La plupart des inscriptions étaient courtes : quelques phrases pour chaque journée, avec de fréquentes références au temps qu'il faisait.

Kim referma le journal et le rouvrit à la première page. Il débutait au 5 décembre 1678, et l'écriture, plus grande, était plus malhabile que celle des dernières pages, quatorze années plus tard. Elizabeth donnait son âge, treize ans, et se contentait de décrire le temps : froid et neigeux.

Kim serra le journal contre son cœur comme s'il s'était agi d'un trésor, et retourna au cottage. Elle tira alors une table et une chaise au milieu du salon et s'assit face au portrait. Puis elle se mit à feuilleter le gros volume. Le 7 janvier 1682, le récit était plus long.

Le temps, écrivait Elizabeth, était chaud pour la saison, et le ciel nuageux. Puis, comme en passant, elle mentionnait que ce jour-là elle avait épousé Ronald Stewart. Suivait une longue description de la belle voiture utilisée pour quitter la ville de Salem. Elle décrivait aussi sa stupéfaction et sa joie d'emménager dans une aussi belle maison.

Kim sourit. Elizabeth décrivait avec ravissement les pièces et le mobilier de cette maison dans laquelle elle-même, Kim, emménageait aujourd'hui. Le fait d'avoir découvert ce journal un tel jour rendait la coïncidence des plus charmantes, et semblait raccourcir les trois cents ans qui séparaient les deux femmes.

Par un rapide calcul mental, Kim se rendit compte qu'Elizabeth n'avait que dix-sept ans au jour de son mariage. Songeant aux problèmes psychologiques qu'elle avait connus lors de ses premières années d'université, Kim s'imaginait mal mariée au même âge.

Elle reprit le journal et s'aperçut qu'Elizabeth était tombée enceinte quelques mois seulement après son mariage. Elle poussa un soupir. Elle-même, qu'aurait-elle fait d'un enfant à dix-huit ans? L'idée seule avait quelque chose d'effrayant. Elizabeth, elle, y avait fait face de la façon la plus admirable. Kim se rappela alors qu'Elizabeth ne disposait pas de moyens de contraception, et se dit qu'elle avait eu peu de prise sur son destin.

Kim regarda alors dans le journal la période antérieure au mariage avec Ronald, et son attention fut attirée par la longueur du passage relatif au 10 octobre 1681. En cette chaude journée ensoleillée, son père était revenu de la ville de Salem avec une proposition de mariage. Elle écrivait:

J'ai d'abord été troublée par cette étrange nouvelle, car je ne sais rien de ce monsieur dont père, pourtant, dit le plus grand bien. Père m'a dit que ce monsieur m'a observée au mois de septembre, lorsqu'il a parcouru nos terres à la recherche d'arbres à couper pour les mâts et les espars de ses navires. Mon père dit que c'est à moi de choisir, mais qu'il faut que je sache que ce monsieur a offert très gra-

239

cieusement de nous installer tous à Salem où mon père aura de l'ouvrage dans son négoce et où ma chère sœur Rebecca pourrait aller à l'école.

Quelques pages plus loin, Elizabeth poursuivait :

J'ai dit à mon père que j'acceptais cette offre de mariage. Comment refuser ? C'est la Providence qui nous fait signe, alors que depuis toutes ces années nous vivons sur de mauvaises terres, à Andover, sous la menace constante des sauvages rouges. Plusieurs de nos voisins ont subi de tels malheurs, et certains ont été tués ou emmenés captifs de la façon la plus cruelle. J'ai tenté d'expliquer tout cela à William Paterson, mais il ne comprend pas et je crains que dorénavant il ne soit mal disposé à mon égard.

Kim interrompit sa lecture et leva les yeux sur le portrait d'Elizabeth, songeant à cette fille de dix-sept ans si généreuse, qui acceptait de renoncer à un amour de jeunesse pour le bien-être de sa famille. Depuis combien de temps elle-même n'avait-elle pas accompli d'acte totalement désintéressé ?

Elle rechercha alors dans le journal le récit de la première rencontre d'Elizabeth avec Ronald, et le trouva à la date du 22 octobre 1681, « une journée de soleil et de feuilles mortes ».

J'ai fait la rencontre aujourd'hui, dans la grande pièce de la maison, de M. Ronald Stewart, qui a demandé ma main. Il est plus âgé que je ne l'imaginais, et a déjà une fille de sa première femme, qui est morte de la variole. C'est un homme agréable, sain de corps et d'esprit, bien qu'il se soit emporté lorsqu'il eut appris que les Polk, nos voisins du nord, avaient été attaqués deux nuits auparavant. Il insiste pour que nous partions tout de suite.

Kim sentit une pointe de culpabilité la traverser en songeant à ses soupçons envers Ronald. Elle continua de feuilleter le journal d'Elizabeth, jusqu'en 1690, et apprit ainsi que la variole sévissait de façon rampante à Boston, et qu'à cinquante miles au nord de Salem, c'est-à-dire à moins de cent kilomètres, se produisaient encore des attaques de « sauvages rouges ».

Edward avait raison : au XVIIe siècle, la vie ne tenait qu'à un fil.

La porte s'ouvrit avec bruit, faisant sursauter Kim. C'étaient Edward et Stanton qui revenaient du laboratoire, à présent presque terminé. Edward tenait des plans sous le bras.

— Cette maison est aussi en désordre que tout à l'heure, dit-il avec mauvaise humeur en cherchant un endroit où poser ses plans. Qu'est-ce que tu as fabriqué pendant tout ce temps, Kim ?

— J'ai eu une chance incroyable, dit-elle, tout excitée. (Elle tendit le gros livre à Edward.) J'ai trouvé le journal d'Elizabeth !

— Ici, au cottage ? demanda-t-il, surpris.

— Non, au château.

— Tu sais, je crois qu'il vaudrait mieux te consacrer d'abord au rangement de la maison avant de retourner à la chasse aux papiers. Tu auras un mois entier pour ça, après.

— J'ai découvert quelque chose que toi-même tu vas trouver passionnant, dit Kim en ignorant la remarque d'Edward.

Elle ouvrit le journal d'Elizabeth et le lui tendit en lui indiquant le passage à lire.

Edward posa ses plans sur la table de jeu qu'avait utilisée Kim et commença sa lecture. Petit à petit, la surprise se peignit sur ses traits.

— Tu as raison, dit-il en tendant le livre à Stanton.

Kim demanda aux deux hommes de se montrer plus soigneux avec le document.

— Ça fera une excellente introduction à l'article que je compte écrire pour *Science* ou *Nature* à propos des causes réelles de l'affaire des sorcières de Salem, dit Edward. C'est parfait. Elle écrit même qu'elle utilise du seigle. Et sa description des hallucinations tombe à pic. Il suffira de relier ce passage de son journal avec les résultats de la spectrométrie de masse des échantillons de cerveau pour boucler l'affaire. C'est idéal.

— Tu n'écriras aucun article sur ce nouveau champignon avant que les brevets n'aient été déposés, déclara Stanton. On ne peut pas prendre de risques simplement pour que tu fasses le beau devant tes confrères.

— Mais bien sûr, je ne vais pas l'écrire tout de suite ! Tu me prends pour quoi ? Pour un demeuré ?

— C'est toi qui as prononcé le mot, hein, pas moi.

Kim prit le journal des mains de Stanton et montra à Edward le passage où Elizabeth évoquait la façon dont elle enseignait aux enfants à fabriquer des poupées.

— Tu crois que ça a un rapport ? demanda Kim.

— Tu veux dire avec ce fameux élément de preuve ? (Elle acquiesça.) Difficile à dire. Évidemment, ça a pu paraître un peu suspect... Tu sais, je meurs de faim. Pas toi, Stanton ? Ça te dirait de manger quelque chose ?

— Ça me dit toujours de manger quelque chose.

— Qu'est-ce que tu en dis, Kim ? Tu pourrais nous préparer un petit repas ? Stanton et moi, on a encore plein de choses à voir.

— Je ne suis pas sûre d'avoir de quoi vous faire à manger, répondit Kim qui n'avait même pas encore jeté un regard dans la cuisine.

— Dans ce cas, commande quelque chose par téléphone, dit Edward en commençant à dérouler ses plans. On n'est pas difficiles.

— Parle pour toi ! rétorqua Stanton.

— Je crois que je pourrai préparer des spaghettis, déclara alors Kim après avoir mentalement passé en revue la liste des ingrédients nécessaires.

— Va pour les spaghettis !

Et Edward demanda à Stanton de tenir les plans étalés sur la table tandis qu'il en maintenait les coins avec des livres.

Avec un soupir de soulagement, Kim se glissa entre les draps propres, pour sa première nuit au cottage. Depuis la préparation du repas jusqu'à sa douche, une demi-heure auparavant, elle n'avait pas cessé de travailler. Il y avait encore beaucoup à faire, bien sûr, mais il régnait tout de même dans la maison un ordre à peu près décent. Et puis, après le départ de Stanton, Edward avait travaillé aussi dur qu'elle.

Kim prit le journal d'Elizabeth sur la table de nuit. C'est alors qu'elle prit conscience des bruits de la nuit : la clameur des insectes et des grenouilles dans la forêt et les champs environnants, les faibles craquements de la vieille maison après la chaleur de la journée, et enfin le doux murmure de la brise venue de la Danvers.

Elle se rasséréna un peu et se rendit compte que l'angoisse qu'elle avait éprouvée en arrivant à la maison, cet après-midi, avait été seulement masquée par son activité débordante sans avoir vraiment disparu. Bien qu'à son avis il y eût plusieurs causes à son malaise, Kim en privilégiait une : l'étrange volonté d'Edward de dormir seul. Elle avait beau la comprendre mieux maintenant qu'au moment où il lui avait fait part de sa décision, elle n'en demeurait pas moins troublée et déçue.

Elle reposa le journal d'Elizabeth sur la table de nuit et descendit de son lit. Sheba, qu'elle venait de réveiller, lui jeta un regard d'exaspération. Kim enfila ses pantoufles et gagna la chambre d'Edward, dont la porte entrouverte laissait filtrer un rai de lumière. Elle fut accueillie par un grondement sourd de Buffer. Décidément, elle commençait à détester ce chien.

Edward était assis dans son lit, des plans étalés autour de lui.

— Il y a un problème ? demanda-t-il.

— Oui, tu me manques. Tu trouves que c'est vraiment une bonne idée de faire chambre à part ? Je me sens seule, et ce n'est pas très tendre, c'est le moins qu'on puisse dire.

Edward écarta les plans pour lui faire de la place et lui fit signe de s'asseoir.

— Excuse-moi, dit-il. Tout ça, c'est de ma faute. Mais je continue à penser que pour l'instant c'est la meilleure solution. Je suis très tendu. Tu as vu comme j'ai même perdu patience avec Stanton.

Kim opina du chef, tout en gardant les yeux baissés sur ses mains, posées sur ses genoux. Edward lui releva le menton.

— Ça va, toi?

Kim opina une nouvelle fois, mais elle avait du mal à se maîtriser, ce qu'elle attribua à la fatigue.

— La journée a été longue, dit Edward.

— Je crois que je me sens aussi un peu mal à l'aise.

— A cause de quoi?

— Je ne sais pas exactement, j'ai l'impression que c'est à cause de ce qui est arrivé à Elizabeth, et du fait que je suis dans sa maison. Je n'oublie pas que je porte aussi en moi ses gènes. En tout cas, je sens sa présence.

— Tu es épuisée, et quand on est dans cet état-là, l'imagination vous joue des tours. Et puis, c'est un nouveau cadre pour toi, il y a quelque chose de troublant là-dedans. Après tout, on a ses habitudes.

— Ça y fait, c'est sûr, mais ça n'explique pas tout.

— Je t'en prie, ne me fais pas le coup du surnaturel! dit Edward avec un petit rire. Tu ne crois quand même pas aux fantômes!

— Autrefois non, maintenant je ne suis plus si sûre.

— Tu plaisantes?

Kim le trouva si sérieux qu'elle éclata de rire.

— Bien sûr, que je plaisante! Je ne crois pas aux fantômes, mais je commence à changer d'avis sur le surnaturel. Quand je pense à la façon dont j'ai trouvé le journal d'Elizabeth, ça me donne la chair de poule. Je venais d'accrocher son portrait quand je me suis sentie comme obligée d'aller au château. Et là-bas, je n'ai pas dû chercher beaucoup : il était dans la première malle que j'ai ouverte.

— De toute façon, dès qu'on est à Salem, on baigne dans le surnaturel, dit Edward en riant à son tour. Tout ça à cause de cette vieille histoire de sorcières. Cela dit, si tu crois que c'est une sorte de force mystique qui t'a guidée jusqu'au château, ça ne me dérange pas. Simplement, ne me demande pas d'y croire.

— Comment expliquerais-tu ce qui s'est passé, alors? demanda Kim avec une certaine intensité dans la voix. Avant, j'ai passé plus de trente-six heures au château sans même trouver le moindre document du XVIIᵉ siècle. Qu'est-ce qui a pu me pousser à regarder dans cette malle-là, précisément?

— Bon, d'accord, dit Edward d'un ton apaisant. Je ne cherche pas à te convaincre. Calme-toi. Je comprends ce que tu éprouves.

— Excuse-moi. Je ne voulais pas remuer tout ça. J'étais simplement venue te dire que tu me manquais.

Après un long baiser, Kim laissa Edward à ses plans et se retrouva, une fois la porte refermée, sur le palier baigné par la clarté de la lune. Par la fenêtre, elle aperçut la silhouette massive du château et réprima un frisson : la scène lui rappelait les films de Dracula qui la terrifiaient quand elle était plus jeune.

Elle descendit l'escalier plongé dans l'obscurité et se retrouva dans le vestibule encombré de cartons vides, avant de gagner le salon. Là, dans la pénombre, les yeux verts d'Elizabeth brillaient, comme éclairés d'une lumière intérieure.

« Qu'essayes-tu de me dire ? » murmura Kim. A nouveau s'imposa à elle avec force le sentiment qu'Elizabeth cherchait à lui transmettre un message, mais un message qui ne se trouvait pas dans le journal.

Soudain, elle perçut un mouvement du coin de l'œil et un cri d'horreur vint mourir sur ses lèvres : ce n'était que Sheba qui venait de bondir sur la table de jeu.

Kim s'appuya d'une main sur la table et posa l'autre sur sa poitrine. Son cœur cognait à se rompre, lui donnant la mesure de la terreur qu'elle avait éprouvée et de la tension qui l'habitait.

11

Début septembre 1994

Le laboratoire ouvrit au tout début du mois de septembre. Kim en fut soulagée, car bien qu'elle fût en vacances, elle commençait à être fatiguée de signer à longueur de journée des reçus pour la livraison des produits et du matériel. Eleanor Yougman la remplaça dans cette tâche.

Celle-ci fut la première personne officiellement embauchée. Plusieurs semaines auparavant, elle avait annoncé à Harvard qu'elle démissionnait de son poste de chercheur, mais il lui avait fallu presque deux semaines pour boucler son travail en cours et s'installer à Salem.

Les rapports entre Kim et Eleanor s'améliorèrent un peu, mais, en dépit d'une apparente cordialité, demeurèrent distants. Kim se rendait bien compte que l'animosité dont Eleanor faisait preuve à son égard tenait en partie à un sentiment de jalousie. Dès leur première rencontre, Kim avait perçu intuitivement que, derrière l'admiration qu'Eleanor portait à Edward, se cachait le désir d'une relation plus personnelle. Edward, apparemment, ne s'en apercevait pas du tout, ce qui ne laissait pas de stupéfier Kim et de l'inquiéter un peu, car elle n'oubliait pas la nature des relations que son père entretenait avec ses soi-disant assistantes.

Les animaux arrivèrent ensuite, au milieu de la semaine, en pleine nuit, dans des camions banalisés. Edward et Eleanor surveillèrent leur débarquement et leur installation dans les cages. Kim, elle, préféra assister à l'opération depuis les fenêtres du cottage. Elle n'y voyait pas grand-chose, mais cela lui suffisait amplement. Elle avait beau en comprendre la nécessité, l'expérimentation animale lui faisait horreur.

Suivant en cela les conseils de l'architecte et de l'entrepreneur, Edward avait fait en sorte de garder la plus grande discrétion sur les activités du laboratoire. Inutile de se retrouver aux prises avec des groupes de protection des animaux, ou les autorités municipales sous prétexte qu'il aurait dérogé aux règlements locaux concernant les activités industrielles et commerciales. La configuration des lieux lui était en cela favorable, puisqu'un bois touffu ceint d'un haut grillage isolait la propriété du voisinage.

Les chercheurs commencèrent à arriver à la fin de la première semaine de septembre et, avec l'aide d'Edward et d'Eleanor, s'installèrent dans divers « Bed and Breakfast » des alentours de Salem. Leur contrat stipulait qu'ils devaient venir seuls, sans leur famille, afin de pouvoir travailler de manière plus intense lorsque le rythme des recherches l'exigerait. En contrepartie, ils s'attendaient à devenir millionnaires une fois que leurs actions se mettraient à rapporter.

Le premier arrivé se nommait Curt Neuman. En milieu de matinée, Kim, encore au cottage, s'apprêtait à gagner le château lorsqu'elle entendit une moto se garer devant la maison. Un homme qui devait avoir à peu près son âge en descendit et releva la visière de son casque. Une valise était fixée sur le porte-bagages.

– Je peux vous aider ? demanda Kim par la fenêtre, croyant avoir affaire à un livreur égaré.

– Excusez-moi, répondit l'homme avec un léger accent allemand, pourriez-vous me dire où se trouve le laboratoire Omni ?

– Vous devez être M. Neuman, dit Kim. Attendez, j'arrive.

Edward lui avait parlé de lui mais Kim ne s'attendait pas à le voir arriver en moto.

Elle referma des livres d'échantillons de tissu qui se trouvaient sur la table de jeu, ôta rapidement les journaux qui encombraient le canapé, se recoiffa à la hâte devant le miroir du vestibule et ouvrit la porte d'entrée.

Curt Neuman tenait son casque au creux du bras, comme un chevalier du Moyen Age, mais il ne regardait pas Kim ; ses yeux étaient tournés en direction du laboratoire. Edward, qui avait dû entendre la moto, arrivait en effet au volant de sa voiture. Il serra Neuman dans ses bras comme un frère depuis longtemps perdu de vue.

Les deux hommes discutèrent brièvement de la BMW rouge métallisée de Neuman, jusqu'à ce qu'Edward se rende compte que Kim attendait sur le seuil. Il fit les présentations.

Curt Neuman était un homme grand, dépassant Edward de dix centimètres, aux cheveux blonds et aux yeux très bleus.

— Curt est originaire de Munich, expliqua Edward, il a poursuivi ses recherches à Stanford et à l'UCLA. Pour beaucoup de gens, dont moi, c'est le meilleur biologiste des États-Unis, spécialisé dans les réactions aux médicaments.

— Ça suffit, Edward, lança Curt en rougissant.

— J'ai eu de la chance de l'arracher à Merck, reprit Edward. Ils avaient tellement envie de le garder qu'ils ont proposé de lui construire un laboratoire pour lui tout seul.

Se rappelant ses propres réactions lorsque Stanton avait fait son éloge au cours du dîner, Kim éprouvait une compassion sincère pour le pauvre Curt qui se tortillait devant eux, mal à l'aise. Pourtant, vu sa réputation professionnelle, sa carrière d'athlète et sa beauté de mannequin, Kim trouvait sa timidité surprenante ; il n'osait la regarder dans les yeux et détournait ostensiblement la tête.

— Bon, assez de bla-bla ! s'écria Edward. Suis-moi, avec ton engin de mort. Je veux que tu voies le labo !

Kim les regarda s'éloigner puis rentra pour terminer ce qu'elle avait à faire.

Plus tard, alors que Kim et Edward finissaient de déjeuner,

une voiture se gara devant la maison. Edward se leva précipitamment et revint accompagné d'un bel homme, grand, mince, musclé, que Kim imaginait plus volontiers joueur de tennis professionnel que chercheur scientifique.

Edward fit les présentations. A la grande surprise de Kim, François Leroux esquissa un baisemain, et elle sentit contre sa peau la légère caresse de son souffle.

Comme il l'avait fait avec Curt Neuman, Edward fit un bref éloge de François Leroux. Mais à la différence de l'Allemand, ce dernier ne sembla pas le moins du monde troublé par les compliments qui lui étaient adressés, et tandis qu'Edward parlait, il dardait sur Kim un regard perçant qui la fit frissonner.

— Bref, François est un génie, disait Edward. Il a commencé ses études à Lyon et les a poursuivies à l'université de Chicago. Mais ce qui le distingue radicalement de ses collègues biophysiciens, c'est qu'il est spécialiste à la fois de la résonance magnétique nucléaire et de la cristallographie aux rayons X, deux disciplines habituellement concurrentes.

Un léger sourire apparut sur les lèvres du Français, qui inclina la tête en direction de Kim comme pour souligner la justesse des propos d'Edward. Kim détourna le regard. Cet homme était un peu trop maniéré et entreprenant à son goût.

— Grâce à François, nous allons gagner énormément de temps, poursuivit Edward. Nous avons beaucoup de chance de le compter parmi nous. La France a fait une grosse perte, mais c'est tant mieux pour nous.

Quelques minutes plus tard, Edward conduisait François Leroux au laboratoire pour le présenter à Curt et à Eleanor.

Les deux derniers chercheurs arrivèrent de Boston le samedi 10 septembre. Kim et Edward allèrent les accueillir à la gare.

Edward fut le premier à les apercevoir sur le quai, et, tandis qu'ils s'avançaient à leur rencontre, Kim lui demanda en plaisantant si la beauté avait été l'un des critères d'embauche de tous ces chercheurs.

— Qu'est-ce que tu racontes ? demanda Edward.

— Ils sont tous si beaux !

— Ah bon ? Je n'avais pas remarqué.

Edward présenta à Kim Gloria Hererra et David Hirsh.

Comme Eleanor, Gloria ne correspondait en rien à l'idée que l'on peut avoir d'une scientifique, mais là s'arrêtait leur ressemblance. Alors qu'Eleanor avait le teint pâle et les cheveux blonds, Gloria avait la peau très mate, les cheveux aussi noirs que ceux de Kim, et des yeux sombres au regard aussi pénétrant que celui de François. Et alors qu'Eleanor se montrait froide et réservée, Gloria semblait d'humeur avenante et chaleureuse.

David Hirsh, lui, rappelait d'une certaine façon François Leroux. Lui aussi était grand, mince et avait l'allure d'un athlète, le teint mat, mais moins que François. Il faisait preuve d'une distinction identique, mais Kim le trouva plus plaisant, car moins entreprenant et doué d'un sens de l'humour tout à fait réjouissant.

Dans la voiture, Edward fit de Gloria et de David un éloge aussi dithyrambique que pour les précédents chercheurs, mais les nouveaux venus se défendirent avec énergie et finirent par détourner la conversation sur les succès d'Edward. A la fin, Kim n'était sûre que d'une chose : Gloria était pharmacienne et David immunologiste.

Ils laissèrent Kim au cottage et poursuivirent leur route vers le laboratoire. Au moment où la voiture redémarrait, Kim entendit des éclats de rire. Elle était heureuse pour Edward et se disait que la présence de David et de Gloria contribuerait à créer une bonne ambiance.

Le lendemain, 11 septembre, Edward et les cinq chercheurs organisèrent une petite fête au laboratoire, à laquelle ils convièrent Kim. On déboucha une bouteille de champagne et l'on porta des toasts au succès de l'Ultra. Quelques minutes plus tard, tout le monde se lançait frénétiquement au travail.

Les jours suivants, Kim se rendit souvent au laboratoire

pour offrir son soutien moral aussi bien que son aide maté-rielle. Vers le milieu de la semaine, elle ralentit le rythme de ses visites, et à la fin ne s'y rendit plus qu'exceptionnelle-ment, car chaque fois elle avait eu l'impression de déranger.

Edward, d'ailleurs, lui déclara sans ambages, le vendredi, que ses visites nuisaient à la concentration collective et lui demanda donc de les espacer. Kim ne prit pas cela comme une rebuffade, car elle sentait bien que toute l'équipe travail-lait sous pression.

En outre, ses propres activités suffisaient à occuper ses journées. La présence d'Elizabeth se faisant moins pesante, Kim commençait à goûter sa nouvelle vie au cottage et se plongeait dans les livres d'échantillons de moquettes et de revêtements muraux, tout en fouillant dans les nombreuses boutiques d'antiquaires de la région à la recherche de meubles de l'époque coloniale.

Elle passait aussi beaucoup de temps au château, soit au grenier soit dans la cave. Son découragement initial avait été dissipé par la découverte du journal d'Elizabeth.

Au début du mois de septembre, peu après le journal, elle avait découvert une lettre importante de Jonathan Corwin, le magistrat qui occupait à l'époque la Maison de la Sorcière, adressée à Ronald Stewart.

Ville de Salem, le 20 juillet 1692

Cher Ronald,

J'estime prudent de porter à votre connaissance qu'en allant chercher le corps d'Elizabeth sur Gallows Hill, vous avez été vu par Roger Simmons, qui, de la même façon, a surpris le fils de Goodwife Nurse récupérant le corps de sa mère. Je vous conjure, mon ami, de ne pas ébruiter votre action, car en ces temps troublés vous risqueriez d'attirer plus de malheur encore sur vous et votre famille. Vous n'ignorez pas, en effet, que bien des gens tiennent pour un acte de sorcellerie le fait d'aller déranger les défunts. De mon côté, étant donné les sentiments de la population, je me garderai bien de divulguer cette violation de sépulture, par crainte de vous voir faussement accuser. Je me suis entretenu avec ledit Roger Simmons, qui m'a juré qu'il ne parlerait de ce que vous avez fait à personne, sauf s'il était amené à déposer devant un magistrat. Que Dieu soit avec vous.

Votre serviteur et ami,
Jonathan Corwin.

Deux semaines s'écoulèrent ensuite sans que Kim trouvât rien de nouveau touchant à Ronald ou à Elizabeth. Mais elle ne se découragea pas pour autant et décida de profiter de ses recherches pour classer les documents en trois grandes catégories : documents d'affaires, officiels et personnels. La tâche était immense, mais elle en concevait un vif sentiment de satisfaction, même si cela n'ajoutait rien à sa collection de papiers relatifs à ses ancêtres du XVIIᵉ siècle.

Partageant ainsi son temps entre l'aménagement du cottage et ses fouilles au château, Kim passa agréablement la première quinzaine de septembre. Elle n'allait plus jamais au laboratoire et ne voyait que rarement les chercheurs. Il finit par en aller de même pour Edward, qui rentrait de plus en plus tard le soir et partait de plus en plus tôt le matin.

12

C'était une belle journée ensoleillée, et le thermomètre frôlait les 27°. Pour le plus grand enchantement de Kim, certains arbres en bordure de la forêt annonçaient déjà leur splendeur automnale, et les prés autour du château formaient un tapis aux teintes d'or.

Levée à sept heures, Kim n'avait pas vu Edward. Il avait dû se lever plus tôt et gagner le laboratoire sans avoir pris de petit déjeuner, car il n'y avait aucune vaisselle dans l'évier. Kim n'en avait pas été surprise, Edward lui ayant appris quelques jours auparavant que l'équipe prenait désormais ses repas au laboratoire. D'après lui, ils faisaient des progrès stupéfiants.

Au cours de la matinée, Kim parvint enfin à décider des tissus qu'elle voulait pour les couvre-lits, les murs et les rideaux des chambres. Après un choix difficile, elle se sentait soulagée. Les numéros de référence à la main, elle téléphona à une amie décoratrice et passa sa commande.

Elle déjeuna d'une salade arrosée de thé glacé et se rendit au château pour y poursuivre ses recherches. Une fois dans la grande bâtisse, le dilemme habituel se posa à elle : la cave ou le grenier ? En raison du soleil, elle se décida pour le grenier. Il y aurait par la suite suffisamment de journées pluvieuses à passer à la cave.

Elle gagna la partie du grenier située au-dessus de l'aile des domestiques et entreprit la fouille d'une série de secrétaires en bois noir. Comme les semaines précédentes, elle utilisa des cartons pour trier les papiers, mais elle trouva surtout des documents comptables datant du XIXe siècle.

Avec le temps, Kim avait appris à déchiffrer l'écriture manuscrite et pouvait, après un seul coup d'œil, déposer le document dans le carton approprié. En fin d'après-midi, tandis qu'elle s'attaquait au dernier secrétaire, c'est dans un paquet de connaissements maritimes qu'elle trouva une lettre adressée à Ronald Stewart.

Elle la prit du bout des doigts, comme la bibliothécaire l'avait fait avec la lettre de Mather, et regarda la signature : Samuel Sewall.

Boston, le 8 janvier 1697

Cher ami,

Comme vous le savez sans aucun doute, l'honorable lieutenant-gouverneur, le conseil et l'assemblée de la province de la baie du Massachusetts, réunis en cour générale, ont décidé de faire du prochain jeudi quatorze janvier un jour de jeûne et de repentance pour tous les péchés commis à l'instigation de Satan et de ses disciples contre les innocentes de Salem. C'est ainsi que moi-même, conscient de ma responsabilité pour avoir servi dans la commission d'Oyer and Terminer, entends reconnaître publiquement ma honte en l'église d'Old South. Mais à vous, mon ami, je ne sais quoi dire pour alléger votre fardeau. Je n'ai aucun doute sur le fait qu'Elizabeth ait eu partie liée avec les forces du mal, mais, eu égard à mes précédentes erreurs de jugement, je ne saurais m'aventurer à dire si elle avait passé un pacte ou si elle était seulement possédée. Quant aux procès-verbaux de la cour d'Oyer and Terminer, notamment ceux du procès d'Elizabeth, je puis vous assurer qu'ils sont en possession du révérend Cotton Mather, qui m'a juré qu'ils ne tomberaient jamais entre les mains de gens malintentionnés qui pourraient les utiliser contre les juges et magistrats. Car enfin, malgré leurs nombreuses erreurs, ceux-ci ont accompli leur tâche avec la plus grande probité. Enfin, bien que je n'aie pas osé en demander confirmation, j'ai le sentiment que le révérend Mather entend brûler ces procès-verbaux. Vous me dites également que le juge Jonathan Corwin a offert de vous remettre tous les documents relatifs à l'affaire d'Elizabeth, notamment la plainte initiale, le mandat d'arrêt, le mandat d'emprisonnement, et le procès-verbal d'audition préliminaire; je suis d'avis que vous devriez accepter et disposer de ces documents de façon que les futures générations de votre famille ne souffrent plus de l'opprobre public attaché aux actions d'Elizabeth qui ont entraîné la tragédie de Salem.

Votre ami au nom du Christ,
Samuel Sewall.

— Bon sang! s'écria Edward, c'est pas facile de te trouver, toi!

Kim leva les yeux.

— Quelque chose ne va pas? demanda-t-elle, un peu anxieuse.

— Ça fait une demi-heure que je te cherche! Je savais que tu étais au château et je suis monté ici, au grenier. J'ai appelé mais tu n'as pas répondu, alors je suis descendu à la cave, mais comme tu n'y étais pas, je suis remonté ici. C'est ridicule! Si tu dois passer tout ton temps au château, au moins, installe un téléphone!

Kim se leva avec une certaine maladresse.

— Excuse-moi, je ne t'ai pas entendu.

— Ça, c'est sûr! Écoute, j'ai un problème. Stanton est à nouveau dans tous ses états pour des histoires d'argent, et il est en route pour Salem. Évidemment, on n'a aucune envie de le recevoir au laboratoire où il va nous faire perdre du temps à demander des explications à propos de tout. Et puis tout le monde est sur les nerfs, on se dispute pour des questions idiotes, du genre qui a le plus de place, qui est le plus près de la fontaine d'eau fraîche, etc. C'en est arrivé à un tel point que je me fais l'effet d'une cheftaine au milieu d'une bande de scouts chamailleurs. Enfin, bref... j'aimerais mieux recevoir Stanton au cottage. En plus, je crois que ça ferait du bien à tout le monde de quitter ce lieu d'affrontements permanents qu'est devenu le laboratoire. Et pour gagner du temps, ce serait bien qu'on puisse aussi dîner. Tu pourrais nous préparer quelque chose?

D'abord, Kim crut qu'il plaisantait, puis quand, elle eut compris qu'il n'en était rien, elle jeta un coup d'œil à sa montre.

— Il est plus de cinq heures.

— Je t'aurais prévenue à quatre heures et demie si tu ne t'étais pas cachée, rétorqua Edward.

— Je ne peux pas faire à dîner pour huit personnes en si peu de temps.

— Mais enfin, on n'a pas besoin de gastronomie! Je me contenterai de pizzas toutes prêtes. De toute façon, depuis un certain temps, on ne se nourrit que de ça, au labo. Il faudrait juste quelque chose pour nous caler l'estomac. Je t'en prie, Kim, aide-moi. Je suis en train de devenir fou.

— Bon, d'accord, dit Kim à contrecœur. Ce sera mieux que des pizzas à emporter, mais ne t'attends pas à de la grande cuisine.

Elle rassembla ses affaires, prit la lettre de Sewall et suivit Edward.

Dans l'escalier, elle lui tendit la lettre en lui expliquant de quoi il s'agissait. Il la lui rendit.

— Pour l'instant, je n'ai pas de temps à consacrer à Samuel Sewall.

— C'est important, dit Kim. Ça explique comment Ronald a pu effacer le nom d'Elizabeth de l'histoire. Il ne l'a pas fait tout seul, il y a été aidé par Jonathan Corwin et Cotton Mather.

— Je lirai cette lettre plus tard.

Ils étaient arrivés en bas du grand escalier, et la lumière du vitrail donnait à Edward une pâleur inquiétante, presque maladive.

— Il y a une partie qui pourrait t'intéresser, dit Kim.

— Bon, d'accord, dit Edward d'un ton agacé. Montre-moi ce qui pourrait m'intéresser.

Kim lui donna la lettre et lui indiqua la dernière phrase, où Sewall évoquait « les actions d'Elizabeth ayant entraîné la tragédie de Salem ».

— Et alors ? demanda Edward après avoir lu le passage. On le sait déjà, ça.

— Nous, oui. Mais eux ? Est-ce que eux étaient au courant de l'existence du champignon ?

Edward relut la phrase.

— Non, ils ne pouvaient pas être au courant. Scientifiquement, c'était impossible. Ils n'avaient ni la compréhension de ces choses-là ni même les outils nécessaires.

— Alors comment expliques-tu cette phrase ? Dans la première partie de la lettre, Sewall admet qu'il s'est trompé à propos des autres femmes condamnées pour sorcellerie, mais pas à propos d'Elizabeth. Ils devaient savoir quelque chose que nous ignorons.

— On en revient donc toujours à ce mystérieux élément de preuve, dit Edward en lui rendant la lettre. C'est vrai, c'est intéressant, mais pas pour ce qui m'occupe en ce moment, et, franchement, je n'ai pas le temps de m'occuper de ce genre de chose. (Il s'interrompit un instant.) Excuse-moi d'être si peu disponible, mais je suis harcelé de toutes parts, et maintenant voilà que Stanton s'y met lui aussi ! Et il promet d'être aussi emmerdant que Harvard. On peut dire que je suis verni !

— Est-ce que ça vaut le coup, tout ça ? demanda Kim.

Edward la considéra d'un air sidéré.

— Mais bien sûr ! (Il semblait irrité.) La science exige des sacrifices. Tout le monde le sait.

— J'ai l'impression qu'il s'agit moins de science que d'argent.

Edward ne répondit pas.

Dehors, il gagna directement sa voiture.

— On sera à la maison à sept heures et demie précises, lança-t-il en s'installant au volant.

Il démarra brutalement, dans un nuage de terre et de graviers.

Kim monta à son tour en voiture et, pensive, se mit à pianoter un air sur le volant. Que faire pour le dîner ? A présent, elle regrettait d'avoir accepté cette corvée.

Elle s'en voulait. En se montrant si complaisante, elle s'était conduite comme une enfant, exactement comme elle le faisait autrefois vis-à-vis de son père.

Elle démarra et se dirigea vers la ville. En chemin, elle ne cessa de réfléchir à la situation. Elle n'avait aucune envie de perdre Edward, mais ces dernières semaines il lui semblait que plus elle s'efforçait de lui être agréable et plus il se montrait exigeant.

Pressée par le temps, Kim opta pour des steaks grillés au barbecue, accompagnés de salade et de crêpes chaudes. Comme boisson, du vin en bonbonne ou de la bière, et pour le dessert, des fruits et des glaces. A sept heures moins le quart, les steaks étaient prêts, la salade assaisonnée et les crêpes n'attendaient plus que de passer au four. Elle avait même allumé le feu dans le barbecue extérieur.

Elle prit une douche rapide, monta se changer, et retourna à la cuisine prendre serviettes et couverts. Elle mettait la table dans la salle à manger lorsque la Mercedes de Stanton s'immobilisa devant la maison.

— Salut, cousine ! lança Stanton sur le seuil.

Il l'embrassa sur la joue.

Kim lui proposa d'aller prendre un verre de vin à la cuisine, ce qu'il accepta.

– C'est le seul vin que tu as ? demanda-t-il avec une pointe de dédain tandis que Kim décapsulait la bonbonne.

– J'en ai bien peur.

– Si ça ne te fait rien, je préférerais une bière.

Tandis que Kim continuait de vaquer à ses occupations, Stanton se percha sur un tabouret sans proposer de l'aider. Kim se s'en formalisa pas.

– Je vois que Buffer et toi vous vous entendez bien, dit Stanton en avisant le chien d'Edward qui la suivait partout dans la cuisine.

– Moi ? Tu parles ! Ce n'est pas pour moi qu'il est ici, c'est pour les steaks ! D'habitude, il est au laboratoire avec Edward.

Kim vérifia la température du four et y glissa ses crêpes roulées.

– Alors, tu te plais dans cette maison ?

– Oui, répondit Kim. (Elle laissa échapper un soupir.) Enfin... disons que ça pourrait aller mieux. Le laboratoire occupe beaucoup de place dans notre vie. Edward est constamment sous pression, il a les nerfs à fleur de peau.

– Ça, je m'en suis rendu compte.

– Harvard le harcèle, ajouta Kim. (A dessein, elle ne dit pas qu'il se sentait également harcelé par Stanton.)

– Depuis le début, je l'avais prévenu, pour Harvard. Je savais d'expérience qu'ils allaient réagir, surtout s'ils avaient vent des bénéfices fabuleux escomptés. Les universités sont devenues très sensibles à ce genre de problèmes, notamment Harvard.

– Il met en danger sa carrière universitaire, dit Kim, et ça ne me plaît pas. Avant l'Ultra, son grand amour c'était l'enseignement.

Kim se mit à préparer la salade. Stanton la regarda travailler et ne dit rien avant d'avoir croisé son regard.

– Et vous deux, ça va ? Je ne voudrais pas me montrer trop curieux, mais depuis que je travaille avec lui sur cette affaire, je me suis rendu compte qu'Edward n'est pas toujours facile à vivre.

— Ces derniers temps, il est très stressé, reconnut Kim. L'emménagement ne s'est pas passé de façon aussi idyllique que je l'avais prévu, mais il faut dire que je n'avais pas compté avec Omni et l'Ultra. Comme je te l'ai dit, Edward est soumis à de très fortes pressions.

— Il n'est pas le seul, dit Stanton.

La porte s'ouvrit alors sur Edward et les chercheurs. Kim s'avança pour leur souhaiter la bienvenue, mais visiblement ils étaient tous d'humeur massacrante, y compris David et Gloria. Kim devait d'ailleurs apprendre par la suite qu'aucun des chercheurs ne voulait venir dîner au cottage, et qu'Edward avait dû leur en donner l'ordre.

La plus désagréable fut Eleanor. Dès qu'elle connut le menu, elle déclara sèchement qu'elle ne mangeait pas de viande rouge.

— Qu'est-ce que vous mangez, d'habitude? demanda alors Edward.

— Du poisson ou du poulet.

Edward se tourna vers Kim, semblant demander: « Qu'est-ce qu'on fait? »

— Je peux aller chercher du poisson, dit Kim en prenant ses clés de voiture.

L'attitude d'Eleanor était évidemment grossière, mais au fond, Kim n'était pas fâchée de quitter la maison pendant quelques instants. L'atmosphère était irrespirable.

Il y avait, à quelque distance de là, un magasin où l'on vendait du poisson frais ; Kim y fit l'emplette de filets de saumon.

En chemin, alors qu'elle songeait avec une certaine inquiétude à ce qui l'attendait, elle fut agréablement surprise de constater que l'ambiance s'était notablement détendue. En son absence, Edward avait commencé à servir le vin et la bière, et les convives y avaient fait honneur.

Tout le monde était assis au salon, sous le regard d'Elizabeth. Kim adressa un signe de tête à ceux qui l'avaient vue rentrer, et se dirigea vers la cuisine. Elle lava les filets de poisson et les déposa sur un plateau, à côté de la viande.

Puis, un verre de vin à la main, elle retourna au salon. Stanton se tenait debout devant la cheminée, exactement sous le portrait d'Elizabeth. Il avait distribué un dossier à chacun.

— Les chiffres que vous voyez là montrent que si on continue comme ça, on va bientôt manquer d'argent. De toute évidence, ce n'est pas une bonne chose. Pour collecter du capital, nous avons dès lors trois possibilités : d'abord, la cotation en Bourse, ce qui à mon avis ne marchera pas, du moins pas à notre avantage tant que nous n'avons rien à vendre...

— Mais si, nous avons quelque chose à vendre ! l'interrompit Edward. Nous avons le médicament le plus prometteur depuis la découverte des antibiotiques, et cela grâce à madame. (Il leva son verre en direction du portrait d'Elizabeth.) Je voudrais porter un toast à la femme qui est en passe de devenir la plus célèbre sorcière de Salem.

Tout le monde leva son verre, même Stanton qui alla chercher la bière qu'il avait laissée sur le dessus de la cheminée. Tous, sauf Kim.

Elle se sentait mal à l'aise, et s'attendait presque à voir Elizabeth changer d'expression sur sa toile. Elle jugeait les propos d'Edward irrespectueux et de mauvais goût.

— Je ne nie pas que nous ayons un produit qui a de l'avenir, dit Stanton après avoir reposé son verre. Nous le savons tous. Mais pour l'instant, nous n'avons rien à mettre sur le marché. Alors croyez-moi, vu la conjoncture économique, le moment n'est pas encore venu de nous faire coter en Bourse. Ce que nous pouvons faire, en revanche, c'est une offre privée, qui aurait l'avantage de limiter la prise de contrôle. Enfin, dernière solution : s'adresser à des capitalistes désireux de tenter l'aventure. Évidemment, dans ce cas-là, il faudrait sacrifier des actions, et donc rogner sur les profits à venir.

Un murmure de mécontentement parcourut le groupe des chercheurs.

— Je ne veux pas vendre de nouvelles actions, déclara

Edward. Quand l'Ultra sera sur le marché, elles auront acquis une trop grande valeur. Pourquoi ne pas simplement emprunter de l'argent?

— Parce que nous n'avons pas de garanties pour un tel emprunt, répondit Stanton. Sans garanties, il nous faudrait payer des intérêts exorbitants, car on ne pourrait emprunter auprès des prêteurs habituels. Et avec ces gens-là, si les choses tournent mal, on ne pourra pas s'abriter derrière les procédures commerciales en vigueur, si tu vois ce que je veux dire.

— Oui, je vois ce que tu veux dire. Mais étudie quand même cette possibilité. Il faut tout envisager pour ne pas avoir à céder encore des actions. Ce serait vraiment dommage, parce que l'Ultra, on peut compter dessus. Ça va marcher.

— Tu as autant confiance qu'au moment où on a formé la société? demanda Stanton.

— Encore plus. Et chaque jour un peu plus. Tout se déroule de façon impeccable, et si ça continue comme ça, on sera en mesure de présenter un dossier de demande de recherche sur un nouveau médicament dans six ou huit mois, alors que d'habitude il faut compter trois ans et demi.

— Plus on avancera vite, mieux ce sera pour les finances, dit Stanton. Ce serait même encore mieux si vous pouviez accélérer l'allure.

Eleanor laissa fuser un petit rire moqueur.

— Nous travaillons tous au maximum de nos possibilités, dit François.

— C'est vrai, renchérit Curt. La plupart d'entre nous dorment moins de six heures par nuit.

— Il y a une chose que je n'ai pas encore faite, déclara Edward, c'est contacter les gens que je connais à la FDA. Je crois qu'il y a moyen d'accélérer les procédures. Au moins pour la phase initiale. Ensuite, on pourra essayer l'Ultra sur les dépressions sévères, le sida, et peut-être même des patients atteints d'un cancer en phase terminale.

— Tout ce qui peut faire gagner du temps est bienvenu, dit Stanton. Je ne le répéterai jamais assez.

— Je crois qu'on a compris, dit Edward.

— Vous commencez à avoir une idée du mode d'action de l'Ultra? demanda Stanton.

Edward demanda alors à Gloria d'exposer l'état de leurs dernières découvertes.

— Pas plus tard que ce matin, dit celle-ci, nous avons découvert dans le cerveau de rats de faibles quantités d'une enzyme qui métabolise l'Ultra.

— Et ça devrait me faire sauter au plafond? demanda Stanton d'un ton sarcastique.

— Oui, ça devrait, dit Edward, pour autant que tu aies gardé ne serait-ce qu'un souvenir des quatre années que tu as gaspillées à la fac de médecine.

— En fait, reprit Gloria, ça laisse à penser que l'Ultra pourrait être une molécule naturelle du cerveau, ou, au moins, structurellement très proche d'une molécule naturelle. Ce qui corrobore un peu plus cette théorie, c'est la stabilité du lien entre l'Ultra et les membranes neuronales. On commence à se dire qu'on a là quelque chose de semblable à la relation qui existe entre les narcotiques de type morphine et les endomorphines du cerveau.

— En d'autres termes, dit Edward, l'Ultra est une hormone naturelle du cerveau.

— Mais les quantités ne sont pas les mêmes dans toutes les régions du cerveau, déclara alors Gloria. D'après nos premières analyses, il semble que l'Ultra se concentre dans l'isthme de l'encéphale, le mésencéphale, et le système limbique.

— Ah, le système limbique! s'écria Stanton, les yeux brillants. Ça, je m'en souviens. C'est la partie du cerveau où siègent en nous les instincts animaux, les pulsions primaires : la colère, la faim et la sexualité. Tu vois, Edward, mes études médicales n'ont pas été complètement inutiles.

— Gloria, dites-lui comment ça fonctionne, à notre avis, dit alors Edward, ignorant la remarque de l'homme d'affaires.

— On pense qu'il agit par tamponnage des neurotransmetteurs du cerveau, dit Gloria. Un peu à la façon dont une substance tampon maintient le pH d'un système acide-base.

— En d'autres termes, ajouta Edward, l'Ultra, ou la molécule naturelle, si elle est différente de l'Ultra, agit de façon à stabiliser l'émotion. En tout cas, c'était là sa fonction initiale : juguler l'émotion extrême créée par un événement extraordinaire, comme par exemple de découvrir un tigre à dents de sabre dans sa caverne. Que l'émotion extrême soit la peur, la colère ou quoi que ce soit d'autre, l'Ultra tamponne les neurotransmetteurs, ce qui permet à l'animal ou à l'être humain primitif un retour rapide à la normale de façon à pouvoir affronter le problème suivant.

— Qu'entends-tu par « fonction initiale »? demanda Stanton.

— Grâce à nos derniers travaux, on estime que cette fonction a évolué parallèlement à l'évolution du cerveau humain. Nous pensons que de la simple stabilisation des émotions, on est passé à leur maîtrise volontaire.

Stanton ne cacha pas sa surprise.

— Attends un instant... Tu veux dire que si on administre de l'Ultra à un patient déprimé, il n'aura plus besoin que d'une seule chose : le désir de ne plus être déprimé?

— C'est l'hypothèse que nous formulons en ce moment, répondit Edward. Cette molécule naturelle existe en quantités infimes dans le cerveau, mais elle joue un rôle majeur dans la régulation de l'humeur et des émotions.

— Mon Dieu! s'écria Stanton. Mais l'Ultra pourrait être le médicament du siècle!

— Voilà pourquoi nous travaillons d'arrache-pied.

— En ce moment sur quoi travaillez-vous?

— Nous faisons tout, répondit Edward. Nous étudions cette molécule sous toutes les coutures. Maintenant que nous savons qu'elle est alliée à un récepteur, nous voulons connaître la protéine de liaison, sa structure, parce que nous soupçonnons l'Ultra d'assurer cette liaison avec différentes chaînes latérales suivant les circonstances.

– Quand penses-tu que nous pourrons commencer la commercialisation au Japon et en Europe ? demanda Stanton.

– On y verra plus clair quand on aura démarré les essais cliniques, mais nous ne pourrons le faire qu'après avoir reçu l'autorisation préliminaire d'essais de la FDA.

– Il faut absolument accélérer le processus, s'écria Stanton. C'est complètement fou ! On a un médicament qui peut valoir plus d'un milliard de dollars et on risque la faillite !

– Attends un instant ! lança soudain Edward, attirant ainsi l'attention de tout l'auditoire. J'ai une idée pour gagner du temps. Je vais commencer à prendre moi-même le médicament.

Pendant quelques instants, on n'entendit plus que le tic-tac de la pendule sur la cheminée et le cri rauque des mouettes au-dessus de la rivière.

Stanton finit par rompre le silence :

– Est-ce bien sage ?

– Et comment ! s'exclama Edward. Je me demande même pourquoi je n'y ai pas pensé plus tôt. Avec les études de toxicité que nous avons déjà réalisées, je peux prendre de l'Ultra sans la moindre inquiétude.

– Il est vrai que nous n'avons constaté aucune toxicité, déclara Gloria.

– Les cultures de tissus semblent florissantes avec le produit, dit David. Notamment les cultures de neurones.

Kim, alors, prit pour la première fois la parole :

– Je ne crois pas que ce soit une bonne chose d'ingérer un médicament expérimental.

Edward lui lança un regard dur.

– Et moi, je crois que c'est une idée excellente !

– En quoi est-ce que ça nous ferait gagner du temps ? demanda Stanton.

– Nous aurions toutes les réponses avant même d'avoir procédé aux essais cliniques, répondit Edward. Après, ça sera tellement facile de déterminer les protocoles cliniques.

– J'en prendrai aussi, déclara Gloria.

— Moi aussi, dit Eleanor.

L'un après l'autre, les chercheurs furent d'avis que l'idée était extraordinaire et proposèrent de participer à l'expérience.

— Nous pourrions prendre des doses différentes, proposa Gloria. Avec six personnes, nous aurions une base statistique modeste mais significative au moment d'évaluer les résultats.

— Les dosages pourraient même être administrés à l'aveugle, suggéra François. Comme ça, on ne saurait pas qui a pris les quantités les plus fortes.

— Est-ce que ce n'est pas illégal de prendre un médicament non encore autorisé ? demanda Kim.

— Illégal par rapport à quelle loi ? demanda Edward en riant. Par rapport au règlement interne d'une institution ? Eh bien, en ce qui concerne Omni, le règlement, c'est nous qui le faisons, et nous n'avons rien prévu de tel !

Tous les chercheurs éclatèrent de rire.

— Je pense pourtant qu'il existe des lois ou des directives gouvernementales à ce sujet, insista Kim.

— Le ministère de la Santé a édicté de telles directives, expliqua Stanton, mais elles s'appliquent aux institutions qui reçoivent des subventions de l'État, ce qui n'est pas notre cas.

— Il doit bien y avoir des règlements qui interdisent d'administrer des médicaments à des êtres humains avant d'avoir procédé à des essais sur les animaux, dit Kim. Il suffit d'un peu de bon sens pour se rendre compte que ça peut être dangereux. Et la catastrophe de la thalidomide ? Ça ne vous inquiète pas ?

— La comparaison ne tient pas, rétorqua Edward. La thalidomide n'avait rien d'une molécule naturelle, et elle était infiniment plus toxique. Mais tu sais, Kim, on ne te demande pas de prendre de l'Ultra. En fait, tu pourrais même constituer notre point de référence.

Nouvel éclat de rire général. Kim rougit, mal à l'aise, et gagna la cuisine. Décidément, l'atmosphère de la réunion avait bien changé. Commencée dans la tension et la gêne, elle se déroulait à présent dans un climat d'hystérie collective que Kim mettait sur le compte du surcroît de travail et des espoirs immenses suscités par la découverte de l'Ultra.

Dans la cuisine, Kim sortit les crêpes roulées du four et les déposa dans un panier à pain. Du salon lui parvenaient des éclats de rire et des discussions sur le centre scientifique qui serait construit avec une partie des futurs milliards.

À ce moment, elle entendit quelqu'un pénétrer dans la cuisine.

— Est-ce que je peux vous aider? demanda François.

Kim leva les yeux vers l'homme mais détourna rapidement le regard et fit semblant d'inspecter sa cuisine, comme pour lui trouver quelque chose à faire.

— Je crois que ça va, dit-elle enfin, mais c'est aimable à vous de vous être proposé.

— Je peux me servir un verre de vin?

Il avait déjà la main posée sur le col de la bonbonne.

— Bien sûr.

— Quand ça se sera un peu calmé au laboratoire, j'aimerais bien visiter la région, dit François. Vous pourriez peut-être me montrer les environs. On m'a dit que Marblehead était très beau.

Kim risqua un rapide coup d'œil en direction de François. Comme elle s'y attendait, il fixait sur elle un regard intense. Elle se sentit gênée, et se demanda ce qu'Edward avait bien pu lui dire à propos de leur relation.

— Votre famille sera peut-être arrivée, à ce moment-là, dit-elle.

— Peut-être.

Après sa toilette du soir, Kim laissa grande ouverte la porte de la petite salle de bains que partageaient les deux chambres, de façon à pouvoir appeler Edward quand il rentrerait du laboratoire. Seul problème, elle ne savait pas à quelle heure il terminait son travail.

Elle se mit au lit, se cala des oreillers dans le dos, et prit le journal d'Elizabeth. En dehors du dernier passage, ce journal s'était révélé plutôt décevant. Elizabeth se contentait en effet de mentionner le temps qu'il faisait et de décrire les menus événements de la journée, au lieu de consigner ses pensées, ce qui aurait été infiniment plus intéressant.

En dépit de tous ses efforts, Kim s'endormit vers minuit, sans avoir éteint sa lampe de chevet. Elle fut réveillée par le bruit de la chasse d'eau, ouvrit les yeux et aperçut Edward dans la pénombre du cabinet de toilette.

Le réveil marquait une heure du matin. A tâtons, elle enfila sa robe de chambre et ses pantoufles, et gagna la salle de bains où Edward était occupé à se brosser les dents.

Elle s'assit sur le couvercle des toilettes, les genoux contre la poitrine. Edward la considéra d'abord d'un air inter- rogateur, sans un mot.

— Mais qu'est-ce que tu fais debout à cette heure-ci ? demanda-t-il quand il eut fini de se rincer la bouche.

Il ne semblait nullement irrité, plutôt inquiet.

— Je voulais te parler, dit Kim. Je voulais te demander si tu avais vraiment l'intention de prendre de l'Ultra.

— Et comment ! On commence tous demain matin. On procédera à des essais à l'aveugle. C'est une idée de François.

— Tu crois vraiment que c'est une bonne idée ?

— C'est probablement la meilleure que j'aie eue depuis longtemps. Ça va accélérer la phase des essais cliniques, en sorte que j'aurai moins Stanton sur le dos.

— Mais il peut y avoir un risque.

— Bien sûr qu'il y a un risque. Il y en a toujours quand on fait des essais cliniques. Mais je pense que c'est un risque acceptable. L'Ultra n'est pas toxique, ça on en est sûrs.

— Je suis quand même inquiète.

— Laisse-moi te rassurer : je n'ai pas vocation au martyre ! Je suis même plutôt trouillard. Si je ne sentais pas qu'il n'y a aucun danger, je ne ferais pas une chose pareille et je ne lais- serais pas les autres le faire. En outre, historiquement, on sera en bonne compagnie. Beaucoup de grands chercheurs, dans l'histoire de la recherche médicale, ont servi eux-mêmes de premiers cobayes pour leurs produits.

Kim n'avait pas l'air convaincu.

— Il faut que tu me fasses confiance, dit Edward en se séchant le visage.

— J'ai une autre question, dit alors Kim. Qu'est-ce que tu as raconté sur moi aux gens du labo?

Le visage d'Edward émergea de la serviette.

— Qu'est-ce que tu racontes? Pourquoi est-ce que j'aurais raconté des choses sur toi au labo?

— Je veux dire, à propos de notre relation.

— Je ne me rappelle pas exactement, dit Edward avec un haussement d'épaules. J'ai dû dire que tu étais mon amie.

— Ton amante ou simplement ton amie?

— Mais qu'est-ce que c'est que cette histoire? dit Edward, visiblement agacé. Je n'ai divulgué aucun secret personnel, si c'est ça que tu insinues. Et dis-moi, qu'est-ce qui me vaut cet interrogatoire à une heure du matin?

— Excuse-moi, je ne voulais pas du tout te faire subir un interrogatoire. Je voulais seulement savoir ce que tu avais pu leur dire, parce que comme nous ne sommes pas mariés, j'imagine qu'ils ont dû te parler de leur famille.

Kim avait eu l'intention de lui parler de François, mais elle s'était ravisée. Avec cette histoire d'Ultra, Edward était trop tendu, et de toute façon elle ne pouvait être totalement sûre des intentions de François et ne tenait pas à susciter un affrontement entre les deux hommes.

Elle se leva.

— J'espère que je ne t'ai pas ennuyé, dit-elle. Je sais que tu dois être très fatigué. Bonne nuit.

Elle quitta le cabinet de toilette et se dirigea vers son lit. Edward la suivit.

— Attends! Je me suis laissé emporter. Excuse-moi. Au lieu de m'en prendre à toi, j'aurais dû te remercier d'avoir préparé le dîner. C'était parfait, et les gens ont été ravis. Je crois qu'on avait tous besoin d'un tel moment de détente.

— Tes remerciements me font plaisir. J'ai essayé de t'aider. Je sais que tu travailles sous pression en ce moment.

— Maintenant que Stanton a lâché du lest, ça devrait aller mieux. Je vais pouvoir me concentrer sur l'Ultra et mieux me défendre contre Harvard.

13

Les espoirs de Kim furent déçus. Les relations entre Edward et elle ne s'améliorèrent pas. Au contraire, au cours de la semaine qui suivit le dîner, elles ne firent que se détériorer. En fait, Kim ne vit plus du tout Edward. Il revenait pendant la nuit, bien après qu'elle se fut couchée, et partait au petit matin, avant son réveil. Elle lui laissait d'innombrables messages sur des petits Post-it, auxquels il ne se donnait même pas la peine de répondre.

Même Buffer semblait plus désagréable qu'à l'accoutumée. Le mercredi soir, tandis que Kim se préparait à dîner, il apparut de façon inattendue, l'air affamé. Kim voulut alors lui donner sa gamelle, mais il montra les dents et faillit la mordre. Elle jeta le contenu de la gamelle à la poubelle.

Kim finissait par se sentir comme en exil sur la propriété. La solitude lui pesait. Elle se surprit même à envisager avec plaisir son retour au travail, qui devait avoir lieu la semaine suivante.

Le jeudi 22 septembre, elle sentit la déprime l'envahir tout à fait. Elle avait déjà vécu une dépression au cours de sa deuxième année d'université, qui lui avait laissé comme une cicatrice intérieure. Craignant que son état ne s'aggrave, elle appela une psychothérapeute de son hôpital, Alice Mc-Murray, qu'elle avait déjà vue quelques années auparavant.

Celle-ci accepta de la recevoir le lendemain, en prenant une demi-heure sur son temps de déjeuner.

Le vendredi matin, Kim se réveilla de meilleure humeur que d'habitude, ce qu'elle mit sur le compte de sa visite en ville. Ne pouvant plus se garer à l'hôpital, du fait de son mois de congé, elle choisit de prendre le train.

Elle arriva à Boston un peu après onze heures et, comme elle avait du temps devant elle, décida de marcher jusqu'à l'hôpital. C'était une belle journée d'automne, tour à tour nuageuse et ensoleillée, et, à la différence de ceux de Salem, les arbres de la ville commençaient déjà à changer de couleur.

Elle eut plaisir à retrouver l'atmosphère familière de l'hôpital, surtout quand elle croisa des collègues qui la plaisantèrent sur son bronzage.

Elle attendit quelques instants dans un hall désert, puis une porte s'ouvrit.

— Bonjour, dit Alice McMurray. Comme vous le voyez, tout le monde est parti déjeuner. Tenez, entrez.

Le bureau était simple mais confortable : une table basse et quatre chaises regroupées sur un tapis oriental, au centre de la pièce ; un petit bureau poussé contre une paroi, une plante en pot près de la fenêtre et, aux murs, quelques affiches de tableaux impressionnistes et des diplômes encadrés.

Alice McMurray était une femme aux formes généreuses, de qui émanait une aura de bonté et de franchise. De son propre aveu, elle avait dû lutter toute sa vie contre les kilos en trop, et cette lutte incessante l'avait comme sensibilisée aux problèmes d'autrui.

— Bon, que puis-je faire pour vous ? demanda-t-elle lorsque toutes deux furent installées.

Kim se lança dans de longues explications sur sa vie présente, reconnaissant honnêtement que les choses ne s'étaient pas passées comme elle l'avait prévu. Pourtant, tout en parlant, elle prit conscience qu'elle se rendait elle-même responsable de sa situation, ce qui n'échappa pas non plus à son interlocutrice.

— Ça ressemble à une vieille histoire, fit-elle remarquer avant de lui poser des questions sur Edward.

Kim se mit à parler de lui et, grâce aux remarques d'Alice McMurray, se rendit compte immédiatement qu'elle le défendait.

— Pensez-vous qu'il y ait une ressemblance entre la relation que vous entreteniez avec votre père et celle que vous avez en ce moment avec Edward?

Kim réfléchit un instant, et reconnut que son attitude, lorsque Edward lui avait demandé de préparer le récent dîner pour ses collaborateurs, pouvait présenter une certaine analogie avec son comportement pendant l'enfance.

— Au moins superficiellement, il me semble que ces deux relations sont assez semblables, dit la psychothérapeute. Je me rappelle que vous avez évoqué autrefois une frustration semblable parce que vous cherchiez à plaire à votre père. Or, ces deux hommes semblent accorder plus d'importance à leur travail qu'à leur vie personnelle.

— Pour Edward, ce n'est que momentané.

— Vous en êtes sûre?

Kim réfléchit un instant avant de répondre.

— On n'est jamais sûr de ce que pensent les autres.

— Exactement. Qui sait, votre compagnon va peut-être changer. Pourtant, il me semble qu'il a besoin de vous pour ses relations, et que vous répondez à cette demande. Il n'y a aucun mal à ça, bien sûr, sauf que vos demandes à vous ne me semblent pas prises en compte.

— C'est le moins que l'on puisse dire, fit Kim.

— Vous devriez réfléchir à ce qui est bon pour vous, et agir en conséquence. Je sais que c'est facile à dire et difficile à faire, et que vous êtes terrifiée à l'idée de perdre son amour, ne serait-ce que par amour-propre. Mais enfin, il faudrait y réfléchir.

— Vous pensez que je ne devrais pas vivre avec Edward?

— Pas du tout! Ce n'est pas à moi de dire une chose pareille. Seule vous pouvez répondre à une telle question.

Mais nous en avions discuté autrefois, et je pense que vous devriez réfléchir à ces situations de codépendance.

— Vous pensez qu'il s'agit de ça, là?

— Je voudrais simplement que vous y réfléchissiez. Vous savez que les gens qui ont été victimes de violences pendant leur enfance ont tendance à recréer le même genre de situations dans leur famille, à l'âge adulte.

— Mais vous savez bien que je n'ai pas subi de violences, dit Kim.

— Je sais que vous n'avez pas été violentée au sens propre du terme, mais vous n'aviez pas une bonne relation avec votre père. Vous savez, les violences peuvent prendre des formes très différentes selon l'autorité que les parents exercent sur leurs enfants.

— Je vois ce que vous voulez dire.

Alice McMurray, les mains sur les genoux, se pencha en avant en souriant.

— Je crois que nous aurions encore beaucoup de choses à nous dire, malheureusement notre demi-heure se termine. J'aurais aimé vous consacrer plus de temps, mais comme ça, de façon impromptue, c'était difficile. J'espère au moins vous avoir amenée à réfléchir à vos exigences, à vos besoins.

Kim se leva, jeta un coup d'œil à sa montre et fut sidérée par la rapidité avec laquelle le temps s'était écoulé. Elle remercia chaleureusement Mme McMurray.

— Et ces angoisses? demanda la psychothérapeute. Si vous pensez en avoir besoin, je pourrais vous prescrire un peu de Xanax.

— Non merci, ça va. En plus, il m'en reste encore de celui que vous m'aviez prescrit autrefois.

— Appelez-moi si vous voulez que je vous donne un vrai rendez-vous.

Kim l'assura qu'elle lui donnerait de ses nouvelles et prit congé. En marchant jusqu'à la gare, alors qu'elle songeait à cette courte séance, elle se dit qu'elle avait justement pris fin au moment où elle s'apprêtait à aborder les vrais problèmes.

Pourtant, Alice McMurray lui avait proposé de nombreuses pistes à explorer, et c'était précisément pour cela qu'elle avait voulu la voir.

Dans le train, Kim décida d'avoir une conversation avec Edward. Ce ne serait pas chose facile, elle le savait, car le travail du laboratoire laissait peu de place dans son esprit aux sentiments. Pourtant, il le fallait, avant que les choses n'empirent.

Mais Kim ne vit pas Edward ce vendredi soir, ni le samedi de toute la journée. Elle ne trouva que quelques traces de son passage au cottage, et cette explication toujours repoussée ne fit que redoubler son angoisse.

Elle passa la matinée du dimanche dans le grenier du château à trier des documents, et cette tâche répétitive lui procura un certain soulagement en lui faisant provisoirement oublier ses inquiétudes. Vers une heure moins le quart, des crampes d'estomac vinrent lui rappeler que son café et son bol de céréales du matin n'étaient plus qu'un lointain souvenir.

Quittant l'atmosphère renfermée du château, Kim s'arrêta un moment sur le faux pont-levis et contempla le paysage d'automne qui s'offrait à elle. Certains arbres présentaient déjà des couleurs magnifiques, mais leur intensité n'était en rien comparable à ce qu'elle serait quelques semaines plus tard. Haut dans le ciel, des mouettes se laissaient paresseusement porter par les vents.

Le regard de Kim balaya les confins de la propriété et s'arrêta au débouché de la route. Dans l'ombre des arbres, elle venait d'apercevoir le capot d'une voiture.

Curieuse de savoir qui pouvait bien s'être garé là, elle traversa le pré et eut la surprise d'apercevoir, assis au volant, Kinnard Monihan.

Lorsqu'il aperçut Kim, il bondit hors de sa voiture, et, à sa grande stupéfaction, elle s'aperçut qu'il était rouge comme une tomate.

— Excuse-moi, dit-il d'un air gêné. Ne va pas croire que je

matais comme un vulgaire voyeur. En fait, j'étais en train de rassembler mon courage pour venir te voir.

— Et pourquoi te fallait-il tant de courage?

— Peut-être parce que les dernières fois où on s'est vus je me suis conduit comme un con.

— Ça semble si loin, tout ça.

— Oui, peut-être. Enfin... j'espère que je ne te dérange pas.

— Non, non, pas du tout.

— Ma vacation à l'hôpital de Salem doit se terminer cette semaine, dit Kinnard. Ces deux mois ont passé si rapidement! Je reprends le travail au MGH demain en huit.

— Moi aussi, dit Kim en lui expliquant qu'elle n'avait pas travaillé au mois de septembre.

— Je suis venu plusieurs fois jusqu'à la propriété, avoua Kinnard, mais je n'ai jamais osé passer te voir. Et puis ton numéro est sur liste rouge.

— Et moi, chaque fois que je longeais en voiture l'hôpital de Salem, je me demandais comment se passait ta vacation.

— Et la rénovation de la maison?

— Tu n'as qu'à juger par toi-même... enfin, si tu en as envie.

— Bien sûr, que j'en ai envie. Allez, on y va. Je t'emmène en voiture.

Ils franchirent rapidement la courte distance les séparant du cottage, puis Kim lui fit faire le tour du propriétaire. Kinnard ne tarit pas d'éloges sur les travaux.

— Ce que j'aime bien, c'est la façon dont tu as su rendre cette maison confortable sans toucher à son caractère colonial.

Kim était en train de lui montrer le cabinet de toilette, à l'étage, lorsqu'en jetant un coup d'œil par la fenêtre, elle aperçut Edward et son chien qui se dirigeaient vers la maison.

Aussitôt, un sentiment de panique l'envahit; depuis le lundi soir elle n'avait pas revu Edward, et elle craignait sa réaction lorsqu'il découvrirait la présence de Kinnard.

— Je crois qu'on ferait mieux de descendre, dit-elle d'une voix tendue.

— Quelque chose ne va pas?

Kim ne répondit pas tout de suite, maudissant la facilité qu'elle avait à se retrouver dans des situations embarrassantes.

— Edward arrive, répondit-elle enfin.

— Et c'est gênant?

Kim s'efforça de sourire.

— Bien sûr que non.

Mais le ton de sa voix démentait ses paroles.

Au moment où ils arrivaient dans le salon, la porte d'entrée s'ouvrit. Buffer se précipita dans la cuisine pour voir s'il restait quelque chose dans sa gamelle.

— Ah, tu es là! dit Edward en apercevant Kim.

— Nous avons de la visite, dit-elle nerveusement.

— Ah bon?

Kim fit les présentations. Kinnard s'avança et tendit une main qu'Edward ne serra pas. Il semblait réfléchir.

— Ah, mais oui! s'écria-t-il enfin en claquant des doigts. (Il serra vigoureusement la main de Kinnard.) Je me souviens de vous. Vous avez travaillé dans mon laboratoire. C'est vous qui êtes allé faire votre internat de chirurgie au MGH.

— Vous avez bonne mémoire.

— Je me souviens même de votre sujet de recherche. (Il lui en fit le résumé.)

— Vous vous en souvenez mieux que moi. C'est flatteur.

— Ça vous dirait, une bière? On a de la Sam Adams au frais.

Kinnard jeta un regard gêné tour à tour à Kim et à Edward.

— Je crois que je ne vais pas m'attarder.

— Mais pas du tout! Restez, si aucune obligation ne vous appelle ailleurs. Je suis sûr que Kim sera ravie d'avoir de la compagnie. Moi, il faut que je retourne au travail. Je ne suis venu ici que pour demander quelque chose à Kim.

Celle-ci semblait aussi abasourdie que Kinnard. Edward ne se comportait absolument pas comme elle l'avait redouté. Il était d'humeur charmante.

— Je ne sais pas bien comment t'annoncer ça, dit Edward, mais j'aimerais que les chercheurs puissent s'installer au château. Ce serait infiniment plus pratique pour eux, parce qu'un grand nombre de leurs expériences exigent des relevés vingt-quatre heures sur vingt-quatre. En outre, le château est vide, et il y a tellement de chambres entièrement meublées qu'il est un peu ridicule de les voir rentrer tous les soirs dans leurs Bed and Breakfast. Et puis Omni payera la location...

— Eh bien... je ne sais pas si...

— Allez, Kim. De toute façon, ce n'est que provisoire. Leurs familles vont arriver très bientôt, et ils vont acheter des maisons dans le voisinage.

— Mais il y a tellement de souvenirs de famille dans ce château.

— Pas de problème ! Tu les connais, tous. Ils ne toucheront à rien. Écoute, je m'engage personnellement à ce qu'il n'y ait pas le moindre problème. S'il y en a un, je les mets dehors.

— Laisse-moi y réfléchir.

— Mais c'est tout réfléchi ! Ces gens sont un peu comme ma famille. Et puis de toute façon, ils font comme moi : ils ne dorment qu'entre une heure et cinq heures du matin. Tu ne te rendras même pas compte de leur présence. Tu ne les verras pas et tu ne les entendras pas. Ils pourront occuper l'aile des invités et celle des domestiques.

Edward lança un clin d'œil à Kinnard et ajouta :

— Il vaudra mieux séparer les hommes et les femmes, je ne veux pas être responsable de scènes de ménage.

— Ça leur conviendrait, ces deux ailes ? demanda Kim, qui avait le plus grand mal à résister à la tendre persuasion d'Edward.

— Mais bien sûr, ils seront ravis ! Tu ne peux pas savoir à quel point. Merci, mon amour ! Tu es un ange.

Il serra Kim dans ses bras et déposa un baiser sur son front.

— Kinnard ! s'écria Edward en relâchant Kim. Faites

comme chez vous. Kim a besoin de compagnie. Malheureusement, je vais être très occupé ces temps-ci.

Edward émit alors un sifflement strident qui vrilla les oreilles de Kim, et Buffer fit son apparition.

— Au revoir, à bientôt!

Après un dernier geste de la main, il sortit en compagnie de son chien.

Pendant un moment, Kinnard et Kim se dévisagèrent sans rien dire.

— J'ai vraiment accepté? demanda finalement Kim.

— Il faut dire que ç'a été rondement mené.

Kim s'avança jusqu'à la fenêtre et regarda Edward qui traversait le pré. Il jeta un bâton à Buffer.

— Il est beaucoup plus aimable que quand je travaillais dans son laboratoire, fit remarquer Kinnard. Tu as eu une sacrée influence sur lui. Il était si raide et si sérieux. Il était même carrément pète-sec.

— Il est soumis à des pressions terribles, dit Kim sans cesser d'observer Edward et Buffer par la fenêtre.

— A la façon dont il se conduit, on ne le dirait pas.

Kim se retourna vers Kinnard.

— Ça ne me plaît pas trop de voir les chercheurs s'installer au château.

— Combien sont-ils?

— Cinq.

— Et le château est vide?

— Personne n'y vit, si c'est ça que tu veux dire, mais il est loin d'être vide. Ça te dirait d'aller voir?

— Volontiers.

Cinq minutes plus tard, Kinnard se tenait au milieu du grand salon. Il semblait sidéré.

— Je comprends tes inquiétudes, dit-il. On se croirait dans un musée, ici. Les meubles sont incroyables, et je n'ai jamais vu autant de tentures.

— Elles ont été fabriquées dans les années vingt. On m'a dit qu'il y en avait près de mille mètres.

— Mille mètres ? répéta Kinnard, stupéfait.

— A la mort de notre grand-père, c'est mon frère et moi qui avons hérité de cette maison, mais on n'a pas encore la moindre idée de ce qu'on va en faire. Cela dit, je ne sais pas si mon père et mon frère apprécieraient beaucoup de savoir que cinq personnes qu'ils ne connaissent pas vont s'y installer.

— Et si on allait voir les chambres qu'ils vont occuper ? proposa Kinnard.

Ils inspectèrent les deux ailes, qui possédaient chacune leur propre escalier et leur porte donnant sur l'extérieur.

— Avec ces entrées séparées, ils n'auront pas besoin de traverser la partie centrale de la maison, fit observer Kinnard.

— C'est vrai, reconnut Kim. Ce ne sera peut-être pas si gênant que ça, finalement. Les trois hommes pourront habiter dans cette aile, et les deux femmes dans l'aile des invités.

Kinnard passa la tête dans l'entrebâillement d'une porte.

— Tiens, viens voir, Kim.

— Oui, qu'y a-t-il ?

— Regarde : il n'y a pas d'eau dans la cuvette des toilettes.

Il ouvrit alors le robinet du lavabo, mais il n'en sortit rien.

Ils vérifièrent les autres salles de bains de l'aile des domestiques, mais aucune n'avait l'eau. Ils se rendirent alors dans l'aile des invités, où là, tout fonctionnait correctement.

— Il va falloir que j'appelle le plombier, dit Kim.

— C'est peut-être tout simplement l'eau qui est coupée, dit Kinnard.

Ils traversèrent à nouveau la partie centrale de la maison.

— Le Peabody-Essex Institute adorerait cet endroit, dit Kinnard.

— Ils aimeraient aussi mettre la main sur le contenu de la cave et du grenier. Il y a plein de vieux papiers et de documents qui remontent à plus de trois siècles.

— Ça t'ennuierait que je les voie ? demanda Kinnard.

— Pas du tout.

Ils rebroussèrent chemin et grimpèrent au grenier.

Kim s'effaça pour laisser entrer son compagnon.

– Bienvenue aux archives Stewart.

Kinnard parcourut l'allée centrale en secouant la tête d'un air incrédule.

– Je faisais une collection de timbres quand j'étais gamin, et j'ai souvent rêvé de découvrir un endroit comme ça. Dieu sait ce qu'on pourrait y trouver !

– Il y en a autant à la cave, dit Kim, qu'enchantait le ravissement de Kinnard.

– Je pourrais passer un mois entier là-dedans.

– C'est à peu près ce que j'ai fait, dit Kim. Je cherchais des documents relatifs à une de mes aïeules, Elizabeth Stewart, qui a été prise dans la tourmente de l'affaire des sorcières de Salem.

– Non, c'est vrai ? J'ai toujours été fasciné par cet épisode. N'oublie pas que j'ai étudié aussi l'histoire des États-Unis, en option principale, au cours de mes études de médecine.

– J'avais oublié.

– Quand j'ai fait mon remplacement à Salem, j'ai visité la plupart des lieux liés à l'affaire des sorcières. Ma mère est venue me voir et nous y sommes allés ensemble.

– Pourquoi n'y as-tu pas emmené la blonde du service radio ? demanda vivement Kim sans même se rendre compte de ce qu'elle disait.

– Impossible. Elle a eu le mal du pays et elle est rentrée dans l'Ohio. Et pour toi, comment ça va ? J'ai l'impression que ça marche bien, ta relation avec le Dr Armstrong.

– Il y a des hauts et des bas, répondit vaguement Kim.

– Et quel rôle ton ancêtre a-t-elle joué dans l'affaire des sorcières de Salem ?

– Elle a été accusée de sorcellerie et exécutée.

– Comment se fait-il que tu ne m'en aies jamais parlé ?

– Parce qu'on cherche à étouffer l'affaire, répondit Kim en riant. Non, sérieusement... ma mère préfère qu'on n'en parle pas. Mais maintenant, c'est fini... Je veux savoir le fin mot de l'histoire, j'en ai fait comme une croisade personnelle.

— Tu as trouvé des choses?

— Quelques-unes. Mais il y a une montagne de papiers, ici, et ça m'a pris plus longtemps que je ne le croyais.

Kinnard posa la main sur la poignée d'un tiroir.

— Je peux?

— Je t'en prie.

Le tiroir était plein de papiers, d'enveloppes et de carnets. Kinnard le fouilla sans trouver de timbres. Finalement, il prit une enveloppe et en tira la lettre.

— Pas étonnant qu'il n'y ait pas de timbre sur celle-ci, dit-il. Les timbres n'ont été inventés qu'à la fin du XIXe siècle, et cette lettre date de 1698!

Kim prit l'enveloppe. Elle était adressé à Ronald Stewart.

— Espèce de veinard! s'écria Kim. C'est le genre de lettre que je cherche désespérément depuis un mois, et toi, il suffit que tu débarques pour en trouver une dans le premier tiroir venu!

— Trop content de t'aider, dit Kinnard en la lui tendant.

Kim la lut à haute voix:

Cambridge, le 12 octobre 1698

Très cher père,

Je vous remercie beaucoup pour les dix shillings, car j'en avais bien besoin en ces jours difficiles où il me fallait m'habituer à la vie de l'université. Par ailleurs, je tiens à vous faire savoir que j'ai rempli avec succès la tâche dont nous avions tant parlé avant mon inscription. Après une longue et pénible enquête, j'ai fini par apprendre que l'élément de preuve utilisé contre ma regrettée mère se trouvait dans la chambre de l'un de nos estimés tuteurs, qui s'était entiché de sa nature effroyable. Mardi dernier, alors que tout le monde s'était regroupé à l'office pour la collation de l'après-midi, je me suis rendu dans ladite chambre, et, comme vous me l'aviez demandé, j'ai changé le nom pour celui, totalement fictif, de Rachel Bingham. J'ai procédé de même dans le catalogue de la bibliothèque de Harvard

Hall. J'espère ainsi, cher père, que seront apaisées vos inquiétudes relatives à l'opprobre attaché au nom de Stewart. En ce qui concerne mes études, je puis vous annoncer avec satisfaction que mes communications ont été bien reçues. Mes compagnons de chambre sont en pleine santé et de la plus agréable compagnie. En dehors de la fatigue contre laquelle vous m'aviez fort justement mis en garde, je me porte bien et suis fort heureux.

Je demeure votre fils attentionné,
Jonathan.

— Bon sang! s'écria Kim après avoir terminé la lettre.
— Que se passe-t-il? demanda Kinnard.
— C'est l'élément de preuve, dit-elle en montrant le passage du bout du doigt. Il s'agit de l'élément de preuve concluant qui a servi à faire condamner Elizabeth et dont il était question dans un document de l'époque que j'ai retrouvé au tribunal du comté de l'Essex. Je l'ai vu souvent cité, mais il n'est jamais décrit. C'est surtout ça que je recherche dans les documents de l'époque et les papiers de famille.
— Tu as une idée de ce que ça pourrait être?
— Il a certainement à voir avec l'occultisme. C'est probablement un livre ou une poupée.
— D'après la lettre, je dirais plutôt que c'est une poupée. Je ne sais pas si on aurait employé le mot « effroyable » pour qualifier un livre. Après tout, le roman d'épouvante n'a été inventé qu'au XIXe siècle.
— C'était peut-être un livre qui donnait des recettes de potions magiques utilisant des organes ou de la chair humains, suggéra Kim.
— Je n'en ai pas l'impression.
— Dans son journal, Elizabeth faisait allusion à la fabrication de poupées. Et Bridget Bishop a été condamnée entre autres à cause de poupées. J'imagine qu'une poupée mutilée ou exhibant des organes sexuels pouvait être considérée comme « effroyable ».

— On se trompe en croyant que les puritains de l'époque étaient hantés par la sexualité, dit Kinnard. A la fac, dans mes cours d'histoire, j'ai appris que, pour eux, la luxure et la sexualité avant le mariage étaient considérées comme des péchés moins graves que le mensonge ou l'égoïsme, parce que ces derniers constituaient une rupture du covenant sacré.

— Ce qui veut dire que les choses ont bien changé depuis l'époque d'Elizabeth, dit Kim avec un petit rire méchant. Ce que les puritains considéraient comme des péchés terribles est maintenant accepté et souvent admiré dans la société d'aujourd'hui. Il suffit d'écouter une audition parlementaire.

— C'est dans ces papiers que tu comptes trouver la clé du mystère ? dit Kinnard en balayant le grenier d'un geste de la main.

— Ces papiers et ceux de la cave. J'ai apporté à Harvard une lettre d'Increase Mather, parce qu'il y était dit que cet élément de preuve était entreposé là-bas, mais les bibliothécaires n'ont trouvé aucune référence à Elizabeth Stewart au XVIIe siècle.

— D'après la lettre de Jonathan, tu aurais dû chercher à « Rachel Bingham ».

— Oui, c'est vrai. Mais je crois que ça n'aurait rien changé. Harvard Hall et sa bibliothèque ont brûlé dans un incendie en 1764. Ils ont réussi à sauver un certain nombre de livres, mais ni les catalogues ni ce qu'on appelait le dépôt des curiosités. Malheureusement, personne ne sait exactement ce qui a disparu au cours de l'incendie.

— C'est dommage. Enfin... il te reste tous ces papiers.

— C'est mon seul espoir.

Elle lui montra ensuite comment elle classait les documents par matière et par ordre chronologique, avant de le conduire à l'endroit où elle avait travaillé le matin même.

— Eh bien dis donc, quel boulot ! Tu sais, il va falloir que j'y aille. Je dois m'occuper de mes patients, cet après-midi.

Kim le raccompagna jusqu'à sa voiture. Il proposa de la ramener au cottage, mais elle déclina la proposition, préférant continuer à fouiller le grenier, ajoutant que la découverte de la lettre de Jonathan lui avait redonné du courage.

— Je ne devrais peut-être pas te poser la question, dit alors Kinnard, mais sur quoi est-ce qu'ils travaillent, là-bas, Edward et son équipe de chercheurs ?

— Tu as raison, tu ne devrais pas. J'ai juré de garder le secret. Mais enfin, tout le monde sait qu'ils sont en train de développer un nouveau médicament. Edward a fait construire un laboratoire dans les vieilles écuries.

— Pas bête. C'est un endroit idéal pour un laboratoire de recherche.

Kinnard s'apprêtait à monter en voiture quand Kim le retint.

— J'aurais une question à te poser. Est-ce que c'est illégal, pour des chercheurs, de prendre un médicament expérimental qui n'a pas encore subi les tests cliniques ?

— Les règlements de la FDA interdisent qu'on administre un tel produit à des volontaires. Mais si ce sont les chercheurs eux-mêmes qui le prennent, je ne crois pas que la FDA puisse intervenir. Cela dit, le laboratoire risquerait d'avoir du mal à présenter un dossier de demande de recherches pour un nouveau médicament.

— Dommage, dit Kim. J'espérais que c'était illégal.

— Pas besoin d'être grand clerc pour deviner pourquoi tu m'as demandé ça.

— Je n'ai rien dit, se hâta de lancer Kim. Et j'aimerais bien que tu n'en parles pas non plus.

— A qui voudrais-tu que j'en parle ? (Il hésita un instant.) Est-ce que... est-ce qu'ils prennent tous ce médicament ?

— Je préfère ne pas en parler.

— Parce que si c'est le cas, ça poserait un problème moral aussi bien que juridique. Il pourrait y avoir coercition envers les membres les moins qualifiés de l'équipe.

— Je ne crois pas qu'il y ait la moindre coercition, dit Kim. Peut-être une forme d'hystérie de groupe, mais personne n'a été forcé d'agir contre son gré.

— Bon, à part ça, ingérer un nouveau médicament, c'est plutôt idiot. On court trop de risques qu'il y ait des effets secondaires inattendus. C'est d'ailleurs pour ça qu'on a édicté des règles.

— J'ai été contente de te revoir, dit Kim en changeant brusquement de sujet. Je suis heureuse que nous soyons toujours amis.

Kinnard sourit.

— Je n'aurais su mieux le dire.

Un geste de la main, et Kinnard s'éloigna au volant de sa voiture. Bientôt, il disparut derrière les arbres. Elle regrettait de le voir partir. Sa visite inopinée lui avait apporté un véritable soulagement.

En retournant au grenier, Kim se prit à penser à l'attitude d'Edward, et s'émerveilla de son absence de jalousie. Au début de leur relation, il supportait fort mal la simple mention du nom de Kinnard. Sa réaction, tout à l'heure, n'en était que plus étonnante. En serait-il de même lorsqu'ils se retrouveraient seuls tous les deux ?

À la fin de la journée, Kim déclara forfait. Elle avait eu beau fouiller tous les tiroirs du secrétaire et même les meubles voisins, elle n'avait rien trouvé. Cela rendait la découverte de Kinnard d'autant plus impressionnante.

Elle quitta le château et se dirigea à travers prés vers le cottage. Le soleil était bas dans le ciel. L'hiver approchait. Tout en marchant, elle se demandait vaguement ce qu'elle allait faire pour le dîner.

Non loin du cottage, elle entendit des éclats de voix. Edward et son équipe quittaient le laboratoire et se dirigeaient vers elle.

Intriguée, Kim les observa. Même de loin, elle se rendait bien compte de leur exubérance et de leur comportement de collégiens en récréation. Des cris, des rires. Les hommes, à l'exception d'Edward, se renvoyaient un ballon de football américain.

Elle crut tout d'abord qu'ils venaient de faire une découverte sensationnelle, mais Edward, de loin, la détrompa.

– Regarde ce que tu as fait de mon équipe! s'écria-t-il d'une voix forte. Je viens de leur dire que tu leur proposais le château, et ils sont devenus cinglés.

Arrivés devant Kim, ils lancèrent par trois fois un « hip hip hip hourra! » avant de s'écrouler de rire.

Kim se surprit à sourire. Leur hilarité était contagieuse.

– Ton hospitalité les a beaucoup touchés, expliqua Edward. Ils apprécient ton geste à sa juste valeur. Curt, par exemple, a même dormi quelques nuits au laboratoire, à même le sol.

– J'aime bien la façon dont vous êtes vêtue, lui dit Curt.

Kim baissa rapidement les yeux sur son jean et son blouson de cuir, jugeant qu'il n'y avait là rien de bien particulier.

– Merci, dit-elle.

– Nous voudrions vous rassurer pour les meubles du château, dit François. C'est un héritage de famille et nous les traiterons avec le plus grand soin.

Eleanor, elle, serra Kim dans ses bras.

– Je suis touchée par votre désintéressement, et votre contribution à la cause. (Elle plongea son regard dans le sien.) Merci beaucoup.

Embarrassée, ne sachant que dire, Kim hocha la tête. Et dire qu'au début, elle n'avait eu aucune envie de les voir s'installer là-bas!

– Au fait, dit alors Curt en se glissant entre Kim et Eleanor. Je voulais vous demander si le bruit de ma moto ne vous gêne pas. Si c'est le cas, il n'y a pas de problème, je la laisserai en dehors de la propriété.

– Je ne l'entends même pas, répondit Kim.

– Si tu veux bien, fit Edward, mes amis aimeraient que tu les accompagnes au château pour leur montrer les chambres que tu leur destines.

– D'accord, on peut faire ça maintenant.

Revenant sur ses pas, Kim conduisit alors la petite troupe

au château. David et Gloria lui tinrent compagnie, posant une foule de questions sur le château.

Kim leur fit d'abord visiter l'aile des invités, suggérant d'y installer les femmes. Eleanor et Gloria, enchantées, choisirent des chambres communicantes au premier étage.

— Comme ça on pourra se réveiller l'une l'autre si on dort trop longtemps, déclara Eleanor.

Kim expliqua ensuite que chaque aile avait sa propre entrée et son propre escalier.

— Parfait ! dit François. Nous n'aurons même pas besoin de passer par le corps central de la maison.

Dans l'aile des domestiques, Kim évoqua les problèmes de plomberie, mais leur assura qu'elle appellerait un plombier dans la matinée. Entre-temps, leur dit-elle, ils pourraient toujours utiliser la salle de bains principale.

Les hommes choisirent chacun leur chambre sans la moindre réticence, alors que de toute évidence certaines étaient plus agréables que d'autres. Kim fut frappée par leur courtoisie.

— Je peux également faire installer le téléphone, déclarat-elle.

— Ne vous donnez pas cette peine, dit David. C'est gentil à vous mais ce ne sera pas nécessaire. Nous ne viendrons ici que pour dormir, et nous ne dormons pas beaucoup. Nous pourrons utiliser le téléphone du laboratoire.

Après la visite, on fit le tour du bâtiment par l'extérieur et l'on évoqua le problème des clés. Comme Kim n'en avait pas encore fait faire de doubles, les chercheurs décidèrent, en attendant, de ne pas verrouiller les portes.

Remerciements chaleureux, embrassades et poignées de main... Puis les chercheurs allèrent récupérer leurs affaires dans leurs Bed and Breakfast respectifs, tandis que Kim et Edward prenaient le chemin du cottage.

Edward semblait d'excellente humeur et ne cessait de remercier Kim de sa générosité.

— Grâce à toi, l'ambiance générale au laboratoire s'est

considérablement améliorée. Comme tu as pu le constater, ils sont ravis, et je suis certain que leur travail va s'en ressentir favorablement. Tu vois donc que ta contribution aux recherches est importante.

— Je suis heureuse de pouvoir t'être utile, dit Kim qui se sentait de plus en plus coupable de sa réaction négative initiale.

Ils étaient arrivés au cottage. Au lieu de poursuivre sa route jusqu'au laboratoire, Edward l'accompagna à l'intérieur, ce qui ne manqua pas d'étonner Kim.

— C'était sympa de la part de Monihan de venir jusqu'ici, dit Edward. (Kim était sidérée.) Tu sais, je boirais bien une bière, reprit-il. Pas toi?

Kim secoua la tête. Elle semblait avoir perdu l'usage de la parole. Suivant Edward dans la cuisine, elle s'efforçait de rassembler son courage pour lui parler de leur relation.

Elle prit place sur un tabouret, Edward ouvrit une boîte de bière, et une nouvelle fois, Kim fut prise de court.

— Je ne sais pas comment me faire pardonner mon attitude depuis un mois, dit-il. (Il avala une gorgée de bière.) Je n'arrête pas d'y penser depuis quelques jours, et je sais que je me suis montré capricieux, distant, et que je n'ai pas manifesté la reconnaissance que tu étais en droit d'attendre. Je sais bien que ça ne constitue en rien une excuse et je ne cherche pas à esquiver mes responsabilités, mais il faut dire que j'étais soumis à d'énormes pressions de la part de Stanton, de Harvard, des chercheurs... et aussi de moi-même. Cela dit, je n'aurais jamais dû laisser les choses en arriver là entre nous. Encore une fois, je te présente mes excuses.

Kim n'en revenait pas. Sa surprise était totale.

— Je vois bien que tu es furieuse, reprit Edward. Et tu n'es pas obligée de parler maintenant si tu n'en as pas envie. Je comprends tout à fait que tu éprouves du ressentiment à mon égard.

— Mais si, je veux en parler, réussit-elle enfin à dire. Ça fait un bout de temps que j'en ai envie, surtout depuis vendredi, le jour où je suis allée à Boston pour voir une psychothérapeute que j'avais déjà vue il y a quelques années.

— Je trouve que tu as très bien fait.

— Ça m'a fait beaucoup réfléchir à notre relation. (Elle baissa le regard sur ses mains.) Je me suis dit que le moment n'était peut-être pas encore venu de vivre ensemble.

Edward posa sa bière et lui prit les mains.

— Je comprends ce que tu ressens, surtout avec la façon dont je me suis conduit ces derniers temps. Mais je reconnais mes erreurs, et je pense que c'est à toi de prendre la décision.

Kim voulut répondre, mais Edward l'interrompit.

— Tout ce que je demande, c'est que pendant quelques semaines, on en reste au *statu quo* : toi dans ta chambre et moi dans la mienne. Si, à l'issue de cette période d'essai, tu estimes que nous ne devons plus rester ensemble, j'irai rejoindre les autres au château.

Kim réfléchit. Les remords d'Edward lui semblaient sincères et sa proposition raisonnable.

— D'accord, finit-elle par dire.

— Merveilleux !

Il la serra longuement dans ses bras.

Kim se raidit un peu. Il lui était difficile de changer de sentiments aussi rapidement.

— On va fêter ça, déclara alors Edward. Un dîner dehors, en tête à tête.

— Mais non, je sais que ton temps est précieux. J'apprécie quand même ta proposition.

— Ne dis pas de bêtises ! Le temps, je le prends. Et si on retournait au boui-boui où on est allés lors d'un de nos premiers voyages ici ? Tu te souviens du cabillaud ?

Kim acquiesça. Edward vida sa bière.

Alors qu'ils passaient en voiture devant le château, Kim évoqua l'exubérance des chercheurs.

— C'est vrai qu'ils étaient enchantés, dit Edward. Les choses se passent bien, au laboratoire, et maintenant ils ne vont plus avoir besoin de faire l'aller-retour entre le travail et leurs chambres.

– Vous avez tous commencé à prendre de l'Ultra?

– Bien sûr. On a tous commencé mardi.

Kim eut envie de lui faire part des réserves de Kinnard à ce sujet mais s'en abstint, car Edward aurait été furieux d'apprendre qu'elle avait révélé à quelqu'un la nature de leurs recherches.

– On a déjà appris quelque chose d'intéressant, dit Edward. La concentration d'Ultra dans les tissus ne pose pas de problème, parce que nous éprouvons tous des effets bénéfiques, bien qu'ayant absorbé des doses très différentes.

– Est-ce que l'euphorie que vous manifestez tous est due au médicament?

– Oui, j'en suis persuadé. En tout cas indirectement. Vingt-quatre heures après notre première dose, nous nous sentions tous détendus, concentrés sur notre travail, confiants, et même... (il sembla chercher ses mots) ... je dirais satisfaits. Alors qu'avant de prendre de l'Ultra nous étions anxieux, fatigués et querelleurs.

– Et les effets indésirables?

– Le seul effet indésirable, ç'a été, au début, une petite sécheresse de la bouche. Deux d'entre nous ont signalé une légère constipation. Moi, j'ai été le seul à éprouver une certaine difficulté à voir de près, mais ça n'a duré que vingt-quatre heures, et de toute façon j'avais déjà connu ça avant de prendre de l'Ultra, surtout quand j'étais fatigué.

– Vous devriez peut-être arrêter de prendre ce médicament, maintenant que vous avez appris tout ça.

– Je ne crois pas, répondit Edward, parce que nous obtenons des résultats très positifs. J'en ai même apporté un peu, au cas où tu voudrais essayer.

De la poche de sa veste, Edward tira alors un flacon contenant des gélules et le tendit à Kim. Celle-ci le repoussa.

– Non, merci.

– Mais enfin, prends au moins le flacon.

A contrecœur, Kim le laissa déposer le flacon au creux de sa main.

— Réfléchis, insista Edward. Tu te rappelles cette discussion que nous avons eue, autrefois, sur le fait de se sentir mal à l'aise en société ? Eh bien, avec l'Ultra, on n'éprouve plus ça. Ça fait moins d'une semaine que j'en prends, et ça a permis à ma véritable personnalité d'émerger. Je crois que tu devrais essayer. Après tout, qu'est-ce que tu risques ?

— L'idée de prendre un médicament pour remédier à un trait de personnalité me chiffonne, dit Kim. La personnalité doit venir de l'expérience, pas de la chimie.

— On en revient à cette discussion qu'on a déjà eue, dit Edward en riant. Disons qu'en tant que chimiste, je raisonne différemment. Comme tu voudras, mais je te garantis que si tu en prenais, tu te sentirais plus sûre de toi. Et ce n'est pas tout. On pense aussi que ça améliore la mémoire ancienne, et que ça soulage la fatigue et l'anxiété. En ce qui concerne l'anxiété, j'en ai eu une bonne démonstration pas plus tard que ce matin. J'ai reçu un coup de fil de Harvard m'annonçant qu'ils engageaient des poursuites judiciaires contre moi. Ça m'a mis dans une colère terrible, mais elle n'a duré que quelques instants. L'Ultra m'a permis de calmer ma colère, et au lieu de balancer des coups de poing dans le mur, j'ai été capable de réfléchir posément à la situation et de prendre les décisions qui s'imposaient.

— Je suis contente que ça t'aide à ce point-là, mais ça ne me fait pas changer d'avis : je ne veux pas en prendre.

Elle tenta de rendre le flacon à Edward, mais celui-ci repoussa sa main.

— Garde-le. Tout ce que je te demande, c'est d'y réfléchir. Il suffit d'une gélule par jour, et tu seras sidérée par les résultats.

Sentant qu'il était inutile de résister, Kim glissa le flacon dans son sac.

Plus tard, au restaurant, elle éprouva le besoin d'aller se refaire une beauté et, aux toilettes, devant le miroir, avisa le flacon dans son sac ouvert. Elle ôta le couvercle et prit une gélule bleue entre le pouce et l'index. Se pouvait-il qu'Edward eût raison et que cet Ultra pût produire autant d'effet?

Elle se regarda dans le miroir : c'est vrai qu'il ne lui aurait pas déplu de se sentir plus sûre d'elle, moins craintive. Et, inutile de se le cacher, l'idée d'en finir aussi facilement avec son angoisse rampante avait quelque chose de très tentant. Elle regarda la gélule... puis la remit dans le flacon. Non, on ne résoud pas ce genre de malaises avec des médicaments.

En retournant dans la salle de restaurant, Kim se rappela qu'elle s'était toujours méfiée des solutions rapides et faciles. Finalement, la meilleure façon de traiter ses problèmes, c'était encore à l'ancienne mode : un peu de souffrance, des efforts et de l'introspection.

Cette nuit-là, alors que Kim était en train de lire au lit, elle entendit la porte d'entrée claquer violemment. Elle jeta un coup d'œil au réveil : pas encore onze heures.

— Edward? appela-t-elle, un peu inquiète.

— Oui, c'est moi, répondit-il en grimpant l'escalier quatre à quatre. (Il passa la tête dans l'entrebâillement de la porte.) J'espère que je ne t'ai pas fait peur.

— Il est si tôt. Tu vas bien?

— Parfaitement bien. Je me sens même une énergie fantastique, ce qui est quand même stupéfiant, parce que je suis debout depuis cinq heures du matin.

Il gagna le cabinet de toilette et, tout en se lavant les dents, entreprit de narrer à Kim les menus incidents de la journée au laboratoire. Apparemment, les chercheurs n'arrêtaient pas de se faire des blagues sans méchanceté.

En l'écoutant, Kim ne pouvait s'empêcher de remarquer à quel point son humeur à elle était différente : malgré le brusque changement d'attitude d'Edward, elle demeurait tendue, vaguement angoissée, et un peu déprimée.

Sa toilette terminée, Edward vint s'asseoir sur le bord du lit de Kim. Buffer le suivit et, à la grande indignation de Sheba, chercha lui aussi à sauter sur le lit.

— Non, pas toi, voyou, dit Edward en retenant le chien sur ses genoux.

— Tu vas déjà te coucher ? demanda Kim.

— Oui. Je dois me lever à trois heures du matin, à cause d'une expérience que je suis en train de mener. Ici, je n'ai pas d'étudiants pour les tâches subalternes.

— Ça ne te fait pas beaucoup de sommeil.

— Jusque-là, c'était suffisant.

Changeant brusquement de sujet, il demanda alors :

— De combien d'argent as-tu hérité, avec la propriété ?

Décidément, Edward la surprenait chaque fois qu'il ouvrait la bouche ! Cette question incongrue ne lui ressemblait guère.

— Tu n'es pas obligée de me répondre si ça te gêne, dit-il en voyant son hésitation. Si je te demande ça, c'est parce que je voulais te proposer quelques actions dans Omni. Je ne voulais pas en vendre d'autres, mais pour toi c'est différent. Si ça t'intéresse, je peux t'assurer que tu réaliserais des plus-values extraordinaires.

— Toute mon épargne est déjà investie en actions, réussit-elle à dire.

Edward reposa Buffer sur le sol.

— Ne te méprends pas. Je ne joue pas les agents de change. Je cherche seulement à te remercier de ce que tu as fait pour Omni en autorisant le laboratoire à s'installer ici.

— Je te remercie de ta proposition.

— Même si tu décides de ne pas investir, je compte quand même t'offrir un certain nombre d'actions. (Il lui tapota la jambe à travers la couverture et se leva.) Maintenant, il faut que j'aille me coucher. Je vais m'offrir quatre heures de sommeil profond. Tu sais, depuis que je prends de l'Ultra, je dors tellement bien qu'il me suffit de quatre heures de sommeil par nuit. Et je n'ai jamais dormi avec autant de plaisir.

Edward retourna dans le cabinet de toilette et entreprit à nouveau de se laver les dents.

— Tu ne trouves pas que c'est trop ? lança Kim.

Edward passa la tête par la porte entrebâillée.

— Qu'est-ce que tu dis?

— Tu t'es déjà lavé les dents!

Edward considéra sa brosse à dents comme s'il venait de la prendre en faute et éclata de rire.

— Je commence à devenir le professeur Nimbus, moi..

Il retourna au lavabo pour se rincer la bouche.

Kim avisa alors Buffer qui se tenait à côté de sa table de nuit et attendait visiblement l'une des biscottes qu'elle avait rapportées de la cuisine.

— Ton chien a l'air d'être affamé, cria-t-elle à l'intention d'Edward qui se trouvait à présent dans sa chambre. Tu lui as donné à manger, ce soir?

Edward réapparut à la porte.

— Franchement, je ne me le rappelle pas.

Il disparut.

Résignée, Kim enfila pantoufles et robe de chambre et descendit à la cuisine, Buffer sur ses talons. Quand elle commença à lui remplir sa gamelle, il se mit à tourner autour d'elle frénétiquement en aboyant. Visiblement, cela faisait plusieurs jours qu'il n'avait rien mangé.

Craignant qu'il ne la morde, Kim enferma Buffer dans la salle de bains pour pouvoir poser tranquillement la gamelle sur le sol. Lorsqu'elle ouvrit la porte, le chien se jeta sur sa pâtée qu'il engloutit à une vitesse prodigieuse.

En remontant l'escalier, Kim s'aperçut que la lumière était encore allumée dans la chambre d'Edward. Voulant lui parler de Buffer, elle passa la tête dans l'entrebâillement de la porte, mais s'aperçut qu'il était déjà profondément endormi.

Elle s'avança jusqu'au lit. Il ronflait. Il devait être épuisé. Kim éteignit la lampe et regagna sa chambre.

14

Lundi 26 septembre 1994

Lorsqu'elle ouvrit les yeux, Kim s'aperçut avec surprise qu'il était près de neuf heures. Depuis un mois, jamais elle ne s'était réveillée aussi tard. Elle se leva et alla jeter un coup d'œil dans la chambre d'Edward, mais il était déjà parti depuis longtemps. Sa chambre était parfaitement rangée, car il avait l'excellente habitude de faire son lit le matin.

Avant d'aller prendre sa douche, elle appela le plombier, Albert Bruer, qui avait travaillé au cottage et au laboratoire, et laissa son numéro au répondeur.

Une demi-heure plus tard, il la rappelait. Kim eut à peine le temps de terminer son petit déjeuner que déjà il se présentait à sa porte. Elle grimpa dans son camion, et ils gagnèrent le château.

— Je crois que je connais le problème, dit Bruer. Il existait déjà du temps de votre grand-père. Ce sont les tuyaux d'écoulement. Ils sont en fonte, et certains ont dû rouiller.

Le plombier retira les trappes de visite et montra à Kim les tuyaux rouillés.

— Ça peut se réparer? demanda-t-elle.

— Bien sûr. Mais ça demande du travail. Il nous faudrait une semaine, à mon ouvrier et à moi.

— D'accord. Il y a des gens qui viennent s'installer ici.

– Dans ce cas, je peux amener de l'eau au deuxième étage. Les tuyaux ont l'air en bon état.

Après le départ du plombier, Kim se rendit au laboratoire afin d'avertir les chercheurs qu'ils pouvaient utiliser la salle de bains du deuxième étage. Elle redoutait un peu cette visite, n'ayant jamais été bien accueillie.

Pourtant, David, qui fut le premier à l'apercevoir, lui adressa un large sourire.

– Kim! Quelle bonne surprise!

Il appela les autres, qui accoururent aussitôt, abandonnant leurs tâches.

Kim rougit. Elle n'aimait pas se retrouver ainsi l'objet de l'attention générale.

Après avoir refusé le café et les beignets qu'on lui proposait, elle expliqua l'objet de sa visite. Elle s'excusa aussi du désagrément que le temps des réparations pouvait leur causer.

Les chercheurs se récrièrent : cela ne les gênait nullement, et elle n'était même pas obligée de faire de travaux.

– Non, je préfère que ce soit réparé, répondit Kim.

Elle s'apprêtait à prendre congé, mais ils ne l'entendirent pas de cette oreille. Chacun tenait à lui montrer sur quoi il travaillait.

Le premier, David la conduisit à sa paillasse et la fit regarder dans un microscope; il s'agissait, lui expliqua-t-il, d'une préparation ganglionnaire abdominale extraite d'un mollusque appelé *aplasia fasciata*. Puis, sur un relevé d'ordinateur, il lui montra comment l'Ultra modulait l'excitation de certains neurones. Avant que Kim ait pu véritablement comprendre ce qu'elle regardait, David lui reprit les relevés d'ordinateur et la conduisit vers l'incubateur servant aux cultures de tissus. Là, il lui expliqua comment il recherchait les signes de toxicité.

Puis ce fut au tour de Gloria et de Curt, qui emmenèrent Kim à la ménagerie, en bas, et lui montrèrent de pitoyables créatures : rats et singes que l'on avait soumis à un stress sévère. Puis d'autres animaux traités avec de l'Ultra et de l'imipramine.

Kim s'efforça de paraître intéressée, mais les expériences sur les animaux l'horrifiaient.

François prit alors le relais et, conduisant Kim dans la pièce protégée où se trouvait l'appareil à résonance magnétique nucléaire, tenta de lui expliquer qu'il cherchait à déterminer la structure de la protéine de liaison de l'Ultra. Malheureusement, Kim ne comprit pas grand-chose à ses explications, se contentant de sourire et de hocher la tête de temps à autre.

Pour finir, Eleanor l'amena en haut, à son terminal d'ordinateur, et lui expliqua longuement la modélisation moléculaire et ses tentatives pour créer des médicaments qui seraient des permutations de la structure élémentaire de l'Ultra et partageraient certaines de ses propriétés biologiques.

En effectuant cette tournée du laboratoire, Kim put se rendre compte que non seulement les chercheurs se montraient amicaux envers elle, mais qu'ils faisaient preuve les uns avec les autres de patience et de respect. Bien que très désireux de lui montrer la nature de leur travail, ils acceptaient volontiers d'attendre leur tour.

— C'était très intéressant, dit Kim lorsque Eleanor en eut terminé avec ses explications. Je vous remercie tous d'avoir pris sur votre temps, que je sais précieux, pour me montrer tout ça.

— Attendez! s'écria soudain François.

Il se précipita vers son bureau, en revint avec des papiers et demanda à Kim ce qu'elle en pensait. Il s'agissait d'images de scanner de couleurs vives.

— Je trouve ça... (Kim cherchait un qualificatif qui ne la rendît pas ridicule.) Je trouve ça très intense.

— Vous avez tout à fait raison, dit François en inclinant la tête de côté pour mieux admirer l'image. On dirait de l'art moderne.

– Et qu'est-ce que vous en apprenez ? demanda-t-elle.

Elle aurait préféré s'en aller, mais craignait de paraître impolie.

– Les couleurs indiquent la concentration d'Ultra radioactif, répondit François. En rouge, la concentration la plus forte. On voit bien sur ces images que le produit est surtout concentré dans le tronc cérébral, le mésencéphale et le système limbique.

– Je me rappelle que Stanton a parlé du système limbique au cours du dîner, dit Kim.

– Oui, c'est vrai, dit François. Comme il l'a dit, il appartient à la partie la plus primitive du cerveau, ou cerveau reptilien, et il est le siège des fonctions autonomes, comme l'humeur, l'émotion et même l'odorat.

– Et la sexualité, dit David.

– Qu'entendez-vous par « reptilien » ? demanda Kim.

Le mot ne lui plaisait pas : elle n'avait jamais aimé les serpents.

– On utilise ce terme pour qualifier les parties du cerveau semblables au cerveau des reptiles, dit François. Évidemment, c'est une simplification, mais elle n'est pas sans mérite. Cela dit, bien que nous ayons un lointain ancêtre commun avec les reptiles d'aujourd'hui, ce n'est pas comme si on prenait un cerveau de reptile en y ajoutant deux hémisphères.

Tout le monde éclata de rire, Kim y comprise.

– Et comme les reptiles, ajouta Edward, nous possédons des instincts primaires. La différence, c'est que les nôtres sont recouverts par différentes couches de socialisation et de civilisation. En d'autres termes, les hémisphères cérébraux possèdent des circuits qui maîtrisent le comportement reptilien.

Kim regarda sa montre.

– Il faut que j'y aille. J'ai un train pour Boston.

Grâce à cette excuse imparable, Kim réussit à se défaire des chercheurs qui lui firent pourtant promettre de revenir. Edward l'accompagna à l'extérieur.

— Tu vas vraiment à Boston ? demanda-t-il.

— Oui. Cette nuit, j'ai décidé d'aller une nouvelle fois tenter ma chance à Harvard. J'ai trouvé une autre lettre dans laquelle il était encore question de la preuve utilisée contre Elizabeth. Ça m'a ouvert une autre piste.

— Bonne chance. Et amuse-toi bien.

Il l'embrassa et retourna au laboratoire sans lui demander d'autres précisions sur cette lettre.

Kim retourna au cottage, encore épatée par l'accueil chaleureux de l'équipe. Elle n'avait pas aimé leur froideur, au début, mais leur nouvel enthousiasme ne lui plaisait pas plus. Était-elle donc impossible à satisfaire ?

Pourtant, en y réfléchissant, il lui sembla que ses réticences touchaient à leur soudaine uniformité. Lorsqu'elle avait fait leur connaissance, elle avait été frappée par leurs excentricités, leurs manies. A présent, toutes ces personnalités semblaient s'être fondues dans un moule identique, aimables mais ternes.

En se changeant pour son voyage à Boston, Kim se sentit envahie par la même angoisse qui l'avait poussée à aller revoir sa psychothérapeute.

Dans le salon, où elle était allée chercher un chandail, Kim s'arrêta sous le portrait d'Elizabeth et examina le visage de son ancêtre, où se lisaient tout à la fois la force et la féminité. Nulle trace d'angoisse sur ce visage. Elizabeth s'était-elle, un jour, sentie aussi désemparée qu'elle aujourd'hui ?

Elle gagna la gare en voiture, toujours hantée par Elizabeth. Il lui sembla soudain qu'en dépit des siècles, l'époque d'Elizabeth et la sienne présentaient de frappantes similitudes. Elizabeth vivait sous la menace constante des Indiens, tandis qu'elle-même sentait autour d'elle l'omniprésence du crime. La variole représentait autrefois un péril mystérieux et effrayant, comme à présent le sida. A l'époque d'Elizabeth, un matérialisme déchaîné venait contester l'emprise du puritanisme sur la société ; aujourd'hui, avec la fin de la stabilité due à la Guerre froide, on assistait à l'émergence des nationalismes séparatistes et du fondamentalisme religieux. Autrefois, le rôle des femmes dans la société était bouleversé, et il en allait de même de nos jours.

— Plus ça change et plus c'est pareil, lança Kim à haute voix.

Elle en vint à se demander si toutes ces similitudes avaient à voir avec le message qu'à son avis Elizabeth cherchait à lui faire parvenir par-delà les siècles. Un frisson la parcourut : se pouvait-il qu'un sort semblable à celui d'Elizabeth lui fût réservé ? Était-ce là le sens de son message ? Un avertissement ?

Kim s'efforça de retrouver la maîtrise de soi. Elle y parvint jusqu'à l'arrivée du train. Puis ses ruminations obsessionnelles revinrent en force.

— Oh, ça suffit ! lança-t-elle à haute voix, faisant sursauter sa voisine.

Elle se tourna vers la vitre et tenta de se raisonner. Après tout, les différences entre sa vie et celle d'Elizabeth étaient plus importantes que leurs ressemblances. Son aïeule, par exemple, ne maîtrisait guère son destin. Elle avait été mariée très jeune, à un homme qu'elle n'avait pas choisi, et ne bénéficiait pas de la contraception.

Ces pensées lui apportèrent un certain réconfort jusqu'à son arrivée à la North Station, à Boston, mais là elle se demanda si, au fond, elle était aussi libre qu'elle le croyait. Par exemple, pourquoi avait-elle choisi la profession d'infirmière au lieu de poursuivre une carrière dans les arts ou la création d'objets ? Et puis la relation qu'elle avait avec Edward commençait à ressembler étrangement à celle qu'elle avait eue avec son père. Et pour couronner le tout, elle se retrouvait avec un laboratoire de recherche sur sa propriété, et cinq chercheurs vivant au château, alors qu'elle n'avait rien décidé de tout cela.

En se dirigeant vers le métro, elle croyait entendre la voix de sa psychothérapeute décrivant sa personnalité : elle manquait d'estime de soi ; elle était trop docile ; elle songeait aux besoins des autres et pas aux siens propres. Tout cela contribuait à restreindre sa liberté.

L'image d'Elizabeth s'imposa de nouveau à elle, et Kim se dit que son assurance, son allant auraient fait merveille à l'époque actuelle, alors même qu'ils avaient certainement contribué à sa perte. D'un autre côté, son propre sens du devoir, sa tendance à l'effacement auraient été fort goûtés au XVIIᵉ siècle, mais se révélaient mal adaptés à l'époque contemporaine.

Elle sortit du métro à Harvard Square, et moins d'un quart d'heure plus tard se trouvait dans le bureau de la bibliothécaire, Mary Custland.

— Votre maison est une véritable mine, dit Mme Custland en terminant la lecture de la lettre de Jonathan. Cette lettre possède une valeur incalculable.

Elle appela par téléphone sa collègue, Katherine Sturburg, qui prit elle aussi connaissance de la lettre.

— C'est incroyable, déclara-t-elle.

Les deux femmes lui demandèrent la permission de photocopier le document, ce qu'elle accepta volontiers.

— Donc, il faut maintenant rechercher à « Rachel Bingham », dit Mme Custland en s'asseyant devant son terminal d'ordinateur.

Kim et Mme Sturburg se penchèrent sur son épaule tandis qu'elle pianotait sur son clavier. Sans s'en rendre compte, Kim croisa les doigts.

Deux Rachel Bingham apparurent sur l'écran, mais elles vivaient au XIXᵉ siècle. Mme Custland essaya d'autres pistes, en vain.

— Je regrette, vraiment, dit la bibliothécaire. Cela dit, même si nous avions trouvé une référence, vous savez bien que l'incendie de 1764 ne nous laisse que peu d'espoir.

— Je comprends, dit Kim, mais enfin, comme je vous l'avais dit lors de ma dernière visite, je me sens obligée de suivre les pistes nouvelles qui s'offrent à moi.

— Et moi, je vais me replonger dans mes sources, munie de ce nouveau nom, déclara Mme Sturburg.

Kim remercia les deux femmes et s'en retourna à Salem. Après avoir franchi en voiture les grilles de la propriété, elle s'apprêtait à gagner directement le château, lorsqu'elle aperçut une voiture de la police de la ville garée devant le cottage. Intriguée, elle se dirigea dans cette direction.

Elle aperçut alors Edward et Eleanor en conversation avec deux policiers, dans le pré, à une cinquantaine de mètres de la maison. Eleanor avait passé le bras autour des épaules d'Edward.

Kim se gara près de la voiture de patrouille. Les autres ne l'avaient pas entendue arriver ou étaient trop absorbés par leur discussion.

Kim se dirigea vers eux et aperçut alors quelque chose dans l'herbe, à leurs pieds.

Elle réprima un cri d'horreur. C'était Buffer. Mort. De la chair avait été arrachée sur l'arrière-train, laissant à nu des os sanguinolents.

Kim lança un regard compatissant à Edward, qui l'accueillit sans manifestation excessive de douleur; il s'était sans doute déjà remis du choc initial. Pourtant, on voyait des traces de larmes sur ses joues. Le chien avait beau être méchant, Kim savait qu'il l'aimait bien.

— Il faudrait peut-être faire examiner le corps par un médecin légiste, dit Edward. Les marques de dents pourraient nous dire de quel animal il s'agit.

— Je ne sais pas ce que dirait le médecin légiste si on lui demandait d'examiner un chien, répondit l'un des policiers, nommé Billy Selvey.

— Mais vous dites vous-même qu'il y a eu des affaires semblables ces dernières nuits. Vous devriez essayer de déterminer l'animal qui a pu faire ça. Personnellement, je pense que c'est soit un chien, soit un raton laveur.

Kim était impressionnée par le calme dont faisait preuve Edward malgré la perte qu'il venait de subir.

— Quand avez-vous vu votre chien pour la dernière fois? demanda le policier.

— La nuit dernière. D'habitude, il dort avec moi, mais je l'ai peut-être laissé sortir. Je ne me rappelle pas. Il lui arrivait parfois de passer toute la nuit dehors. Pour moi, ça ne posait pas de problème, parce que la propriété est très grande, et puis il n'était pas méchant, il n'aurait mordu personne.

— Je lui ai donné à manger hier soir vers onze heures et demie, dit Kim. Je l'ai laissé dans la cuisine pendant qu'il mangeait sa gamelle.

— Tu l'as laissé sortir? demanda Edward.

— Non. Comme je viens de le dire, je l'ai laissé dans la cuisine.

— En tout cas, je ne l'ai pas vu quand je me suis levé ce matin. Ça ne m'a pas du tout inquiété. Je me suis dit qu'il viendrait plus tard au labo.

— Est-ce que vous avez une chatière dans votre porte? demanda le policier.

Kim et Edward répondirent non d'une seule voix.

— Quelqu'un a-t-il entendu des choses inhabituelles cette nuit?

— Moi, je dormais comme une souche, répondit Edward. Ces derniers temps, rien ne pourrait me réveiller.

— Moi non plus, je n'ai rien entendu, dit Kim.

— Au commissariat, on s'est dit qu'il s'agissait peut-être d'un animal enragé, dit le deuxième policier. (D'après le badge sur sa poitrine, il se nommait Harry Conners.) Vous avez d'autres animaux?

— J'ai un chat, dit Kim.

— Je vous conseille de garder l'œil sur lui dans les jours qui viennent, conseilla Conners.

Les policiers rangèrent calepins et stylos, les saluèrent et se dirigèrent vers leur voiture.

— Et le corps? demanda Edward. Vous ne croyez pas qu'il faudrait l'envoyer à un médecin légiste?

Les deux policiers échangèrent un regard, chacun attendant visiblement que l'autre réponde. Finalement, ce fut Billy Selvey qui lança d'une voix forte qu'il valait mieux le laisser là.

Edward leur adressa un geste amical.

– Je leur fais une suggestion intéressante, et qu'est-ce qu'ils font? Ils s'en vont.

– Bon, il faut que je retourne au travail, dit Eleanor, qui parlait pour la première fois. (Elle se tourna vers Kim.) N'oubliez pas, vous avez promis de revenir bientôt au labo.

– C'est promis.

Kim était sidérée, et pourtant Eleanor paraissait sincère.

Restée seule avec Edward, Kim sentit son estomac se nouer en le voyant regarder son chien.

– Je suis triste pour Buffer, dit-elle en lui posant la main sur l'épaule.

– Bah, il a bien vécu, dit-il avec entrain. Je crois que je vais prendre une patte arrière et l'envoyer à un anatomopathologiste que je connais, à la fac. Il pourra peut-être nous dire de quel animal on doit se méfier.

Kim fut surprise par l'idée d'Edward : elle ne s'attendait pas à le voir disséquer son chien après l'avoir perdu ainsi, de si horrible façon.

– J'ai un vieux chiffon dans la voiture, dit Edward. Je vais m'en servir pour envelopper le corps.

Ne sachant trop que faire, Kim resta auprès de Buffer tandis qu'Edward se rendait à la voiture. Elle semblait plus affectée qu'Edward par le triste sort du chien. Une fois Buffer enveloppé, elle accompagna Edward au laboratoire.

Soudain, elle s'immobilisa.

– Je viens de penser à quelque chose. Et si la mort de Buffer était liée à une histoire de sorcellerie?

Edward la regarda, sidéré, puis éclata d'un grand rire qu'il mit plusieurs minutes à maîtriser. Entre-temps, Kim s'était sentie elle aussi gagnée par le fou rire.

– Tu sais, réussit-elle à dire enfin, j'ai lu je ne sais plus où que la magie noire s'accompagnait souvent de sacrifices d'animaux.

– Ton imagination débordante m'amuse beaucoup, dit-il sans cesser de rire.

Finalement, il réussit à se calmer et s'excusa de s'être moqué d'elle, tout en la remerciant de l'avoir ainsi déridé.

— Dis-moi, tu crois vraiment qu'au bout de trois cents ans, le diable a décidé de revenir à Salem, et qu'Omni et moi-même sommes victimes d'actes de sorcellerie ?

— Je n'ai fait qu'associer sorcellerie et sacrifices animaux, dit Kim. Je n'ai pas vraiment d'idées sur la question. Je ne dis pas non plus que j'y crois, moi, mais seulement que *quelqu'un* y croit.

Edward posa par terre le corps de Buffer et serra Kim dans ses bras.

— J'ai l'impression que tu as passé trop de temps au château à fouiller dans des vieux papiers. Quand on aura adopté un rythme de croisière avec Omni, ce serait bien qu'on prenne un peu de vacances, tous les deux. Par exemple dans un endroit où il fait chaud, et où on pourrait se dorer au soleil. Qu'est-ce que tu en dis ?

— Ça me paraît une excellente idée.

Mais quand auraient-ils atteint ce rythme de croisière ?

Ne tenant pas à assister à la dissection de Buffer, Kim demeura à l'extérieur du laboratoire. Edward en ressortit quelques minutes plus tard, avec une pelle et le corps du chien toujours enveloppé. Il enterra Buffer à quelque distance du laboratoire, puis, comme si de rien n'était, décida de retourner au travail.

— Je suis très impressionnée par la façon dont tu réagis à cette affreuse histoire, dit Kim.

— C'est certainement grâce à l'Ultra. Quand j'ai appris ce qui s'était passé, j'ai été horriblement triste. Buffer, c'était un peu comme un membre de la famille, pour moi. Mais cette tristesse a rapidement disparu. Je regrette toujours qu'il soit mort, bien sûr, mais je n'éprouve pas cette sensation de vide qui accompagne en général le chagrin. J'arrive à me dire, rationnellement, que la mort fait partie de la vie. Après tout, Buffer a mené une vie agréable pour un chien, et puis il faut dire qu'il était assez teigneux.

— C'était un animal fidèle, rétorqua Kim, qui n'avait aucune envie d'avouer ses véritables sentiments envers Buffer.

— Voilà encore une raison qui devrait te pousser à prendre de l'Ultra. Je t'assure que ça te détendrait. Et puis qui sait... ça te rendrait peut-être l'esprit plus aiguisé dans ta quête de la vérité à propos d'Elizabeth.

— Je crois que j'y arriverai seulement par un dur travail.

Edward l'embrassa rapidement, la remercia d'avoir été à ses côtés pendant ces moments pénibles et disparut à l'intérieur du laboratoire. Kim, elle, s'apprêtait à gagner le château lorsqu'elle songea brusquement à Sheba.

Elle rebroussa chemin, catastrophée à l'idée qu'il ait pu arriver quelque chose à sa chatte. Arrivée au cottage, elle l'appela plusieurs fois, en vain, et grimpa l'escalier quatre à quatre. Sheba était lovée au milieu du lit. Kim se précipita vers elle et se mit à la caresser de façon frénétique. Sheba, dérangée dans son sommeil, lui adressa un regard dédaigneux.

Après avoir cajolé sa chatte, Kim prit dans son secrétaire le flacon d'Ultra et en sortit une gélule bleue. Et si, pour calmer ses angoisses, elle en prenait pendant seulement vingt-quatre heures ? Edward, par exemple, avait réagi avec un tel détachement à la mort de Buffer. Elle alla chercher un verre d'eau.

Mais elle n'avala pas la gélule. Tout compte fait, la réaction d'Edward lui semblait trop modérée. Quelque chose lui disait que le chagrin aussi faisait partie de la vie, qu'il lui était nécessaire. De quel prix faudrait-il payer la suppression de la tristesse ?

Elle remit la gélule dans le flacon et décida de se rendre au laboratoire. Elle s'y glissa avec précaution, craignant d'être interceptée avant d'avoir vu Edward et de subir à nouveau une démonstration en règle.

Par chance, seuls Edward et David se trouvaient à l'étage, chacun à une extrémité de la grande salle. Elle s'approcha d'Edward et, un doigt sur les lèvres, lui fit signe de ne rien dire, puis l'entraîna à l'extérieur du bâtiment.

Une fois la porte refermée derrière eux, Edward lui demanda en souriant :

— Qu'est-ce qui te prend ?

— Je voudrais simplement te parler. Voilà, j'ai pensé à quelque chose que tu pourrais inclure dans le protocole clinique de l'Ultra.

Kim expliqua alors à Edward ce qu'elle pensait du chagrin, élargissant le propos à l'angoisse et à la mélancolie, et soulignant le fait que ces affects pénibles jouaient un rôle positif dans la maturation d'un être humain et dans sa créativité. Elle conclut par ces mots :

— Ce qui m'inquiète, c'est qu'en prenant de l'Ultra, c'est-à-dire en atténuant ou en supprimant ces états mentaux, on risque d'avoir à payer un prix insoupçonné, peut-être très élevé.

Edward hocha la tête en souriant. Pourtant, il semblait impressionné.

— Je comprends ton point de vue, il est intéressant, mais je ne le partage pas. A mon avis, il est fondé sur des prémisses fausses, à savoir que l'esprit est, de façon mystique pour ainsi dire, séparé du corps matériel. Cette hypothèse ancienne a été ruinée par les expériences récentes qui montrent qu'au regard de l'humeur et des émotions, le corps et l'esprit ne forment qu'un. On a prouvé que l'émotion est déterminée biologiquement, parce qu'elle est modifiée par des médicaments comme le Prozac, qui agissent sur les neurotransmetteurs. Ça a révolutionné toutes les idées qu'on se faisait sur le fonctionnement du cerveau.

— Ce genre d'idées est déshumanisant, rétorqua Kim.

— Essayons d'aborder les choses différemment. Et la douleur ? Est-ce qu'à ton avis il faut prendre des médicaments pour lutter contre la douleur ?

— La douleur, c'est différent.

Elle devinait fort bien le piège philosophique qu'Edward était en train de lui tendre.

— Je ne le crois pas, dit Edward. La douleur aussi est biologique. Comme la douleur physique et la douleur psychique sont toutes les deux biologiques, elles devraient être traitées de la même façon, c'est-à-dire avec des médicaments qui agissent seulement sur les zones du cerveau en cause.

Kim avait envie de lui demander où en serait le monde si Mozart et Beethoven avaient pris des médicaments contre l'angoisse ou la dépression. Mais elle ne dit rien. Elle savait que c'était inutile. Chez Edward, le savant aveuglait l'homme.

Edward serra Kim dans ses bras et lui redit combien il était sensible à l'intérêt qu'elle prenait à son travail. Puis il lui tapota la joue.

— On reparlera de tout ça, si tu veux, mais pour l'instant il faut que j'aille travailler.

Kim s'excusa de l'avoir dérangé et s'en retourna au cottage.

15

Ses angoisses commençaient à l'empêcher de dormir, et au cours des jours suivants, Kim fut à plusieurs reprises tentée de prendre de l'Ultra, ne fût-ce qu'une fois, pour essayer. Mais toujours, elle y renonça.

Elle s'efforça plutôt d'utiliser ses angoisses comme moteur. Chaque jour, elle passait plus de dix heures au château et ne s'en allait que lorsqu'elle ne parvenait plus à déchiffrer les écritures manuscrites. Malheureusement, ses efforts ne furent pas couronnés de succès. Elle en vint à souhaiter trouver des documents du XVIIe siècle, quand bien même ils n'auraient eu aucun rapport avec Elizabeth.

La présence des plombiers lui apporta une heureuse diversion, car elle avait au moins quelqu'un à qui parler lorsqu'elle s'interrompait dans ses recherches. Intriguée par l'usage du chalumeau, elle passa même un certain temps à les regarder souder des tuyaux de cuivre.

Quant aux chercheurs, rien n'indiquait qu'ils se fussent installés au château, sauf les nombreuses traces de boue laissées dans les entrées des deux ailes. De l'avis de Kim, cela dénotait d'ailleurs un manque de considération tout à fait surprenant.

Edward, lui, continuait de se montrer joyeux, tendre et attentionné. Le mardi, il lui fit même envoyer un gros bouquet de fleurs accompagné d'une carte : « Amoureusement, avec toute ma gratitude », qui rappelait les premiers temps de leur rencontre.

Seule fausse note, le jeudi matin. Kim s'apprêtait à se rendre au château, lorsqu'il pénétra en trombe dans le cottage et lança violemment son agenda sur la table.

— Quelque chose ne va pas ? demanda-t-elle.

— Et comment ! Il faut que je vienne ici pour me servir du téléphone. Quand je me sers de celui du labo, il y a toujours un de ces crétins pour écouter ce que je raconte. Ça me rend fou.

— Pourquoi est-ce que tu n'utilises pas le téléphone qui se trouve à la réception ? Il n'y a personne, là.

— Là-bas aussi ils écoutent.

— A travers les murs ?

— Il faut que j'appelle le directeur du Bureau des brevets, à Harvard, dit Edward, ignorant la remarque de Kim. Cet abruti a lancé une vendetta personnelle contre moi.

Il chercha le numéro dans son agenda.

— Est-ce qu'il ne fait pas tout simplement son travail ?

— Tu crois qu'il fait son travail en me faisant suspendre ? hurla Edward. C'est incroyable ! Je n'aurais jamais cru cette tête de nœud capable de monter une telle combine.

Kim était inquiète, le ton d'Edward lui rappelait ce jour où il avait lancé un verre contre le mur, chez elle.

Soudain, il sembla se rasséréner.

— Enfin... c'est la vie. Il y a toujours des hauts et des bas.

Il s'assit et composa le numéro. Kim se détendit un peu sans quitter Edward des yeux, et l'écouta discuter de façon fort civile avec l'homme contre lequel il venait de s'emporter. Après avoir raccroché, il déclara qu'après tout, le bonhomme semblait parfaitement raisonnable.

— Tant que je suis ici, ajouta-t-il, je vais prendre les affaires que tu m'as demandé d'amener hier au nettoyage. (Il se dirigea vers l'escalier.)

— Mais tu les as déjà prises, dit Kim. Tu as dû le faire ce matin, je m'en suis rendu compte en me levant.

Edward s'immobilisa, les sourcils froncés.

— Ah bon, vraiment ? Eh bien tant mieux pour moi, parce que de toute façon il faut que je retourne tout de suite au labo.

— Dis-moi, Edward, est-ce que tu vas bien ? Ces derniers temps, tu as l'air d'oublier beaucoup de petites choses.

Il se mit à rire.

— C'est vrai, j'ai un peu la tête en l'air. Mais je ne me suis jamais senti aussi bien. Je suis seulement préoccupé. On commence à voir le bout du tunnel, et bientôt on va être extrêmement riches. Toi y comprise. J'en ai parlé à Stanton, et il est d'accord pour te donner un certain nombre d'actions. Tu vas toucher des dividendes.

— Je te remercie beaucoup.

Par la fenêtre, Kim le regarda gagner le laboratoire. Il se montrait incontestablement plus agréable avec elle, mais il était également imprévisible.

Mue par une soudaine impulsion, elle prit sa voiture et se rendit en ville. Elle éprouvait le besoin de parler de tout cela avec un professionnel. Par chance, Kinnard se trouvait à l'hôpital de Salem. Elle le fit appeler, et une demi-heure plus tard ils se retrouvaient à la cafétéria de l'hôpital. Il sortait du bloc opératoire et portait encore ses vêtements de chirurgien.

— J'espère que je ne te dérange pas, dit-elle.

— Non, pas du tout. Ça me fait plaisir de te voir.

— J'ai une question à te poser, dit Kim. Est-ce que la prise d'un médicament psychotrope pourrait entraîner des pertes de mémoire ?

— Oui. Mais des tas d'autres choses peuvent entraîner des pertes de mémoire. Ce n'est pas un symptôme très spécifique. Dois-je en conclure qu'Edward souffre de tels problèmes ?

— Je peux compter sur ta discrétion ? demanda-t-elle.

— Je t'ai déjà répondu que oui. Edward et les gens de son équipe continuent à prendre ce médicament ?

Kim opina du chef.

— Ils sont fous! s'exclama Kinnard. Ils courent au-devant des ennuis. Tu as remarqué d'autres effets indésirables?

— Ça paraît incroyable, dit Kim avec un petit rire, mais avant de prendre ce médicament, ils avaient l'air sombre et n'arrêtaient pas de se disputer. Maintenant, ils sont tous d'excellente humeur. Béats. Ils continuent à travailler d'arrache-pied, et pourtant on dirait qu'ils sont en train de faire la fête.

— Ça me paraît plutôt être un effet positif.

— Par certains côtés, oui. Mais quand on les fréquente un peu, on sent quelque chose de bizarre chez eux, comme s'ils étaient tous pareils, ennuyeux, malgré leur joie affichée et leur activité fébrile.

— A t'entendre, on dirait *Le Meilleur des mondes*, dit Kinnard en riant.

— Ne ris pas. C'est exactement ce que je me suis dit. Mais là, c'est plutôt une question philosophique, et ce n'est pas mon problème pour l'instant. Ce qui m'inquiète, c'est que tous les jours, Edward oublie des petits détails. Et on dirait que ça empire. Je ne sais pas si pour les autres c'est pareil.

— Qu'est-ce que tu comptes faire?

— Je ne sais pas. Je me disais que tu allais soit confirmer, soit infirmer mes craintes. Mais j'ai l'impression que tu ne peux faire ni l'un ni l'autre.

— C'est vrai, je ne peux rien affirmer, reconnut Kinnard. Mais je peux te dire un certain nombre de choses, qui peut-être te feront réfléchir. Les a priori influencent énormément les perceptions. Voilà pourquoi, en recherche médicale, on pratique l'expérimentation en double aveugle. Il est possible que, craignant les effets secondaires du médicament, tu aies fini par les constater vraiment chez Edward. Je sais, moi, qu'Edward est un homme extraordinairement intelligent, et je ne vois pas pourquoi il aurait pris des risques inconsidérés.

— Tu n'as pas tort. C'est vrai que sur le moment j'ai pu me

tromper. Tout ça, j'aurais pu l'imaginer, mais au fond je ne le crois pas.

Kinnard jeta un coup d'œil à l'horloge murale et annonça qu'il devait s'en aller.

— Désolé d'interrompre cette conversation, mais on peut se revoir, si tu veux : je suis encore à Salem pour quelques jours. Sinon, on se reverra aux soins intensifs, à Boston.

Au moment de partir, Kinnard lui étreignit la main. Elle fit de même et le remercia de l'avoir écoutée.

De retour à la propriété, Kim gagna directement le château et alla inspecter l'entrée des deux ailes. Stupéfaction : les escaliers étaient maculés de boue et le sol jonché de petites branches et de feuilles. Dans un coin, elle avisa même un carton vide ayant contenu des plats chinois à emporter.

Armée d'un seau et d'un balai-serpillère, elle nettoya le vestibule et l'escalier jusqu'au premier étage.

Puis elle alla chercher le paillasson de l'entrée principale et le disposa dans le vestibule de l'aile des domestiques. Elle songea un instant mettre une petite note, mais se dit que le paillasson constituait un message à lui tout seul.

Après quoi elle descendit à la cave et se mit au travail. Elle ne trouva aucun document relatif au XVIIᵉ siècle, mais, absorbée totalement par sa tâche, elle finit par oublier ses autres soucis et parvint à se détendre.

A une heure, elle fit une pause. Elle retourna au cottage et laissa Sheba sortir un peu tandis qu'elle-même prenait un déjeuner léger. De retour au château, elle bavarda avec les plombiers, les regarda travailler au chalumeau et monta enfin au grenier.

Elle commençait à se décourager lorsqu'elle tomba enfin sur des documents du XVIIᵉ siècle. Elle s'approcha d'une des lucarnes pour bénéficier de la lumière.

Des papiers d'affaires, dont certains écrits de la main de Ronald Stewart. Et puis... une lettre personnelle adressée à Ronald par un certain Thomas Goodman.

Ville de Salem, le 17 août 1692

Monsieur,

Bien des malheurs se sont abattus sur notre bonne ville, et cela m'a causé une grande affliction car je m'y suis trouvé involontairement impliqué. J'éprouve beaucoup de peine que vous ayez mauvaise opinion de moi et de ma fonction au sein de notre congrégation, au point d'avoir refusé de discuter avec moi d'affaires qui nous intéressaient tous deux. Il est vrai que, de bonne foi et après avoir prêté serment devant Dieu, j'ai témoigné contre feu votre épouse à l'audience préliminaire et au procès. A votre demande, je m'étais rendu chez vous pour offrir mon aide au cas où il en aurait été besoin. En ce jour fatal, je trouvai votre porte ouverte, alors même que le froid sévissait sur le pays, la table chargée de mets comme si le repas avait été interrompu, des objets brisés, éparpillés, et des gouttes de sang sur le sol. Je redoutais qu'une attaque d'Indiens se fût produite, mais je trouvai vos enfants et les filles que vous aviez accueillies au premier étage, tremblants de peur. Ils m'apprirent que votre épouse avait été victime d'une attaque au cours du repas, et que, ne paraissant point dans son état normal, elle s'était précipitée dans l'étable. Fort inquiet, je me rendis moi-même là-bas, et l'appelai par son nom dans l'obscurité. Elle apparut alors dans un état de grande sauvagerie, à tel point qu'elle m'effraya. Elle avait du sang sur ses mains et sur sa robe, et là je vis son œuvre. L'esprit troublé, je pris néanmoins le risque de la calmer. Je fis de même avec votre bétail, qui semblait fort agité, quoique n'ayant pas souffert. Je prête serment devant Dieu de n'avoir rapporté ici que la vérité, et je demeure votre ami et voisin.

Thomas Goodman.

— Pauvres gens, murmura Kim.
Jamais elle ne s'était sentie touchée d'aussi près par le supplice de ces femmes, mais elle éprouvait en même temps une

compassion sincère pour tous les acteurs de ce drame. On sentait bien le désarroi de Thomas Goodman, partagé entre l'amitié et ce qu'il croyait être la vérité. Elle éprouvait de la pitié pour la malheureuse Elizabeth, rendue à ce point folle par le champignon qu'elle en terrorisait ses enfants. Il n'était pas difficile de comprendre comment, au XVIIᵉ siècle, de tels comportements avaient pu être attribués à la sorcellerie.

Elle se rendit compte alors que cette lettre apportait une information neuve et inquiétante, dans la mesure où il y était question de sang, et donc de violence. Kim préférait ne pas penser à ce qu'Elizabeth avait pu faire dans l'étable avec les animaux, mais de toute évidence il y avait là un signe.

Elle relut la lettre, et se rendit compte alors que, d'après Thomas Goodman, le bétail « n'avait pas souffert ». Que fallait-il en penser ? Un frisson la parcourut : et s'il s'agissait d'automutilation ? Goodman n'avait-il pas évoqué la présence de gouttes de sang sur le sol ? D'un autre côté, il disait, dans la même phrase, avoir vu des objets brisés et éparpillés avec lesquels Elizabeth aurait pu se blesser.

Kim laissa échapper un soupir. Dans toute cette confusion, une chose lui semblait claire : ce champignon pouvait susciter des comportements violents, et cela, Edward et les autres devaient le savoir immédiatement.

La lettre à la main, elle gagna rapidement le laboratoire. Lorsqu'elle poussa la porte, hors d'haleine, elle eut la surprise de tomber au milieu d'une petite fête.

On l'accueillit avec la plus grande gentillesse et on la conduisit vers l'une des paillasses où se trouvait une bouteille de champagne. Elle ne parvint pas à refuser la coupe qu'on lui tendait avec force démonstrations d'amitié, et une fois encore elle eut l'impression de se retrouver au milieu d'une bande d'étudiants fêtards.

Dès qu'elle put se libérer, elle alla demander à Edward la raison de cet enthousiasme.

— Eleanor, Gloria et François viennent de réussir un tour de force en matière de chimie. Ils ont déjà réussi à déterminer la structure d'une des protéines de liaison de l'Ultra. C'est un immense pas en avant. Ça nous permettra de modifier l'Ultra en cas de besoin ou de créer d'autres médicaments liés au même site.

— Je suis contente pour toi, dit Kim, mais je voudrais te montrer quelque chose. Cette lettre.

Edward la lut rapidement, puis lui adressa un clin d'œil.

— Félicitations ! C'est le document le plus intéressant que tu aies déniché jusqu'à présent.

Il se tourna vers les autres et les apostropha d'une voix forte :

— Écoutez, vous autres ! Kim vient de trouver une preuve indiscutable qu'Elizabeth a été empoisonnée par ce champignon. Ça conviendra encore mieux que le passage du journal intime pour l'article de *Science*.

Les chercheurs accoururent dans un joyeux désordre et Edward leur tendit la lettre afin qu'ils en prennent connaissance chacun à leur tour.

— C'est parfait, dit Eleanor en la passant à David. Il est même écrit qu'elle était en train de manger. Ça prouve à quel point l'alcaloïde agit vite. Elle n'a probablement avalé qu'une seule bouchée de pain.

— C'est une bonne chose que vous ayez éliminé la chaîne latérale hallucinogène, dit David. Je n'aurais pas aimé me réveiller au milieu d'une étable avec les vaches.

Tout le monde éclata de rire, sauf Kim. Elle attendit qu'Edward se fût calmé et lui demanda si la violence dont il était question dans la lettre ne l'inquiétait pas.

Edward prit celle-ci et la relut avec plus d'attention.

— Je crois que tu as raison, dit-il après l'avoir terminée. Finalement, je crois que je ne vais pas l'utiliser pour mon article. Ça pourrait nous causer des ennuis, et on n'a pas besoin de ça. Il y a quelques années, à la suite de je ne sais quelles émissions de télé, le bruit a couru que le Prozac pouvait rendre violent. Ça a entraîné des problèmes jusqu'à ce qu'on démontre, statistiquement, qu'il n'en était rien. Je ne veux pas qu'il arrive la même chose avec l'Ultra.

— Si l'alcaloïde naturel entraînait des états de violence, ce devait être à cause de la même chaîne latérale qui causait des hallucinations, dit Gloria. Vous pourriez écrire ça dans l'article.

— Pourquoi courir ce risque ? dit Edward. Je ne veux pas donner à un quelconque journaliste le moindre prétexte pour agiter le spectre de la violence.

— On pourrait peut-être inclure la question de la violence dans les protocoles d'expérimentation, suggéra Kim. Comme ça, si la question venait à être soulevée, vous auriez les réponses toutes prêtes.

— Ça, c'est une très bonne idée ! s'exclama Gloria.

Les chercheurs discutèrent alors la proposition de Kim, que tous s'accordaient à trouver excellente. Encouragée par l'attention qu'on lui prêtait, Kim suggéra alors d'inclure dans les protocoles l'étude des pertes de mémoire, évoquant à ce propos les défaillances récemment constatées chez Edward.

Ce dernier se mit à rire de bon cœur.

— Qu'est-ce que ça peut faire si je me lave les dents deux fois de suite ?

Tout le monde éclata de rire.

— Je crois qu'on pourrait très bien inclure dans les protocoles cliniques l'étude des défaillances de la mémoire récente, comme on pourrait le faire pour la violence, déclara Curt. David, lui aussi, a présenté des défaillances de la mémoire. Je l'ai remarqué, parce que au château nous sommes voisins.

— Tu peux parler, toi ! lança David en riant.

Et il expliqua aux autres que la veille, Curt avait appelé sa petite amie au téléphone en oubliant qu'il venait de le faire quelques instants auparavant.

— Je parie qu'elle était ravie, dit Gloria.

Curt administra une bourrade amicale à David.

— Si tu l'as remarqué, c'est simplement parce que tu avais fait exactement la même chose la veille avec ta femme.

En observant la joute amicale entre David et Curt, Kim remarqua des coupures et des éraflures sur les mains de Curt. Mue par un réflexe d'infirmière, elle proposa de les examiner.

— Merci, mais ce n'est pas aussi grave que ça en a l'air, dit Curt. Ça ne me gêne pas du tout.

— Vous êtes tombé de moto?

— J'espère que non, répondit-il en riant. Je ne me rappelle pas du tout comment je me suis fait ça.

— Ce sont les risques du métier, dit David en montrant ses mains qui portaient des traces semblables, quoique moins importantes. Ça prouve qu'on s'esquinte au boulot.

— Il faut dire qu'on travaille dix-neuf heures par jour, ajouta François, c'est épuisant. Je me demande comment on a réussi à tenir le coup aussi bien.

— Moi, j'ai l'impression que ces pertes de la mémoire récente sont des effets secondaires de l'Ultra. On dirait que ça vous arrive à tous.

— Pas à moi, dit Gloria.

— A moi non plus, renchérit Eleanor. Ma mémoire et mes facultés intellectuelles se sont considérablement améliorées depuis que je prends de l'Ultra.

— Moi aussi, dit Gloria. Je crois que François a raison : on travaille trop.

— Attends un moment, Gloria, dit soudain Eleanor. Toi, tu as présenté des défaillances de la mémoire. Ce matin, alors que tu avais laissé ta robe de chambre dans la salle de bains, tu as piqué une crise deux minutes plus tard parce qu'elle n'était pas accrochée derrière la porte, dans la chambre.

— Je n'ai pas piqué de crise, rétorqua Gloria en souriant. Et puis, ce n'est pas la même chose. Avant de prendre de l'Ultra, ça m'arrivait souvent de ne pas savoir où j'avais mis ma robe de chambre.

— Quoi qu'il en soit, dit Edward, Kim a raison. Les pertes de mémoire récente pourraient être mises sur le compte de l'Ultra, et devraient donc être ajoutées aux protocoles cliniques. Mais ça ne doit pas nous empêcher de dormir. Même si on se rend compte que ça peut arriver de temps en temps, c'est un risque acceptable au regard de l'amélioration générale des facultés mentales que procure le médicament.

— Je suis d'accord, dit Gloria. C'est comme lorsque Einstein oubliait les petits détails de la vie quotidienne quand il travaillait à la théorie de la relativité. L'esprit sélectionne les sujets les plus importants, et savoir si on s'est lavé les dents une fois ou deux fois, ce n'est pas très important.

On entendit se refermer la porte d'entrée du laboratoire. Tous les yeux se tournèrent vers la porte donnant sur la réception. Elle s'ouvrit, livrant passage à Stanton.

Un formidable hourra monta du groupe de chercheurs. Interloqué, Stanton s'immobilisa.

— Mais qu'est-ce qui se passe, ici ? Personne ne travaille, aujourd'hui ?

Eleanor se précipita vers lui avec une coupe de champagne. Edward leva la sienne.

— Nous voudrions boire à la propension que tu as à toujours nous interrompre, ce qui nous a poussés à prendre de l'Ultra. Nous en récoltons les bénéfices quotidiennement.

Tout le monde but.

— C'est une véritable aubaine pour nous, reprit Edward. On se prélève du sang les uns les autres, et on conserve notre urine pour les analyses.

— Tous, sauf François, dit Gloria en taquinant le Français. Une fois sur deux, il oublie.

— C'est vrai qu'on a eu un peu de mal à s'y tenir, reconnut Edward. Mais on a résolu le problème en scotchant les sièges des toilettes et en mettant un écriteau « Stop ».

Tout le monde éclata à nouveau de rire. Gloria et David reposèrent même leurs verres, de peur d'en répandre le contenu.

— C'est vrai que vous avez l'air très contents, fit observer Stanton.

— On a des raisons pour ça, dit Edward.

Et il lui expliqua la découverte de la protéine de liaison, mettant au compte de l'Ultra l'acuité des facultés mentales de tous les chercheurs.

— Ce sont des nouvelles magnifiques, dit Stanton, qui se fit un devoir d'aller serrer la main de chacun.

Après quoi, il dit à Edward qu'il voulait lui parler.

Profitant de l'arrivée de Stanton, Kim s'en alla, satisfaite d'avoir pu faire inclure dans les protocoles cliniques l'étude des états de violence et des pertes de la mémoire récente.

Elle s'en retournait au château avec l'intention de déposer la lettre de Thomas Goodman dans la boîte à bible, avec tous les documents relatifs à Elizabeth, lorsqu'elle aperçut une voiture de la police de Salem émerger d'entre les arbres. Le chauffeur dut la voir, car il prit immédiatement la route du château et se dirigea vers elle.

Kim s'immobilisa et attendit. La voiture s'arrêta à côté d'elle et les deux policiers qui étaient déjà venus pour Buffer en descendirent.

Le premier porta la main à la visière de sa casquette.

— J'espère qu'on ne vous dérange pas, madame.

— Que se passe-t-il? demanda Kim.

— Nous voulions vous demander si vous aviez eu d'autres ennuis depuis la mort du chien. Il y a eu une série d'actes de vandalisme dans les environs, comme si Halloween avait eu lieu un mois plus tôt que prévu.

— Halloween est un événement important à Salem, expliqua le deuxième policier. C'est une période de l'année qu'on a fini par détester, nous autres policiers.

— Quels actes de vandalisme y a-t-il eus? demanda Kim.

— Oh, les bêtises habituelles. Des poubelles renversées, avec leur contenu éparpillé un peu partout. Mais il y a aussi d'autres animaux familiers qui ont disparu, et on en a retrouvé certains, morts, de l'autre côté de la route, dans le cimetière de Greenlawn.

— On pense toujours qu'il pourrait y avoir un animal atteint de rage dans les environs, ajouta le deuxième policier. Alors, vu la taille de votre propriété et tous les bois qu'il y a dessus, vous feriez bien de faire attention à votre chat.

— On pense que des jeunes du coin se sont mis de la partie, et qu'ils en rajoutent sur ce que l'animal enragé a pu faire. Parce que ça fait trop pour une seule bête. A votre avis, combien de poubelles pourrait renverser un raton laveur en une nuit ?

— Je vous remercie d'être venus me prévenir, dit Kim. Depuis la mort du chien, il ne s'est rien passé ici, mais vous avez raison, je vais surveiller ma chatte.

— Si vous avez des ennuis, appelez-nous, dit l'un des policiers. On aimerait bien régler cette affaire avant qu'elle ne prenne des proportions trop importantes.

La voiture fit demi-tour et quitta la propriété. Kim s'apprêtait à entrer dans le château lorsqu'elle entendit Stanton l'appeler. Elle se retourna.

— Que faisait la police ici ? demanda-t-il lorsqu'il fut à portée de voix.

Kim lui raconta qu'il y avait peut-être un animal enragé qui sévissait dans les environs.

— Bon, écoute, je voulais te parler d'Edward. Tu as une minute ?

— Bien sûr. Où veux-tu qu'on aille ?

— Ici, ce sera très bien. Par où commencer... ? (Il laissa son regard errer au loin pendant quelques instants, puis plongea ses yeux dans ceux de Kim.) Je suis sidéré par le comportement d'Edward et des autres ces derniers temps. Chaque fois que je viens au laboratoire, j'ai l'impression d'être complètement différent d'eux. Il y a quelques semaines, on avait l'impression d'entrer dans une morgue. Maintenant, c'est hallucinant la façon qu'ils ont d'être joyeux. On dirait une colonie de vacances, sauf qu'ils travaillent aussi dur qu'avant, voire plus. Et puis ils sont tellement brillants, ils ont tellement le sens de la repartie, qu'ils sont difficiles à suivre. En fait, j'en viens à me sentir bête à côté d'eux. (Il se mit à rire.) Edward est devenu si ouvert et si vaniteux qu'il me fait penser à moi !

Kim ne put s'empêcher de rire à son tour de la façon dont Stanton se moquait de lui-même.

— C'est pas drôle, dit Stanton qui pourtant continuait de rire. Et maintenant, voilà qu'Edward veut devenir un capitaliste. Il se passionne pour l'aspect financier de l'affaire. Malheureusement on ne voit pas les choses du même œil, lui et moi. On est en désaccord sur la façon d'augmenter le capital. Le brave docteur est devenu si avide qu'il ne veut plus sacrifier la moindre action. Du jour au lendemain, le scientifique austère s'est mué en capitaliste insatiable.

— Pourquoi est-ce que tu me racontes tout ça ? demanda Kim. Je n'ai rien à voir avec Omni, moi.

— J'espérais seulement que tu pourrais parler à Edward. Franchement, je ne peux pas emprunter de l'argent sale par l'intermédiaire des banques étrangères, et je regrette de l'avoir ne serait-ce qu'évoqué. Il y a trop de risques, et je ne parle pas de risques financiers. C'est sa vie qu'on joue dans ce genre d'opérations, et ça ne vaut pas le coup. Ce que je veux dire, c'est que je devrais être seul à m'occuper des questions financières, de la même façon qu'Edward doit être le seul à s'occuper des questions scientifiques.

— Tu n'as pas l'impression qu'Edward a des pertes de mémoire ?

— Pas du tout ! Il a l'esprit aiguisé comme un rasoir. Il est seulement d'une naïveté incroyable quand il aborde les questions d'argent.

— Eh bien moi, j'ai remarqué que dans la vie quotidienne, il oubliait une foule de petits détails. Et la plupart des autres chercheurs ont dit qu'ils connaissaient le même genre de défaillances.

— Non, je n'ai remarqué aucune perte de mémoire chez Edward, répondit Stanton. En revanche, il m'a paru un peu paranoïaque. Il y a quelques instants, il a voulu qu'on sorte pour parler, de façon à ne pas être entendus.

— Entendus par qui ?

Stanton haussa les épaules.

— Par les autres chercheurs, j'imagine. Il ne me l'a pas dit et je ne l'ai pas demandé.

— Ce matin, il est venu à la maison téléphoner, de façon à ne pas être entendu. Il avait peur d'utiliser le téléphone de la réception parce qu'il pensait que quelqu'un écouterait à travers la cloison.

— Ça semble encore plus parano, fit remarquer Stanton. Mais à sa décharge, il faut quand même dire que c'est moi qui ai insisté pour qu'on garde le plus grand secret sur cette affaire.

— Je suis inquiète, Stanton.

— Ah, non, ne me dis pas ça, je t'en prie! Je suis venu te parler pour que tu apaises mes inquiétudes, pas pour que tu en rajoutes!

— J'ai peur que la paranoïa et les pertes de mémoire soient des effets secondaires de l'Ultra.

— Je ne veux pas entendre ça! dit Stanton en se bouchant les oreilles.

— A ce stade des études cliniques, ils ne devraient pas prendre de l'Ultra. Et tu le sais. Tu devrais leur dire d'arrêter.

— Moi? Mais je viens de te dire à l'instant que ma partie, c'était le financement. Je ne me mêle pas des aspects scientifiques, surtout quand on vient me dire que le fait de prendre ce médicament va accélérer toute la partie des essais cliniques. En outre, cette légère paranoïa et ces pertes de mémoire sont probablement dues à leur surcharge de travail. Edward sait ce qu'il fait. Il est quand même au plus haut niveau dans son domaine.

— Je te propose un marché, dit Kim. Si tu essaies de convaincre Edward de ne plus prendre ce médicament, j'essaierai, moi, de le convaincre de te laisser les finances.

Stanton fit la grimace comme s'il devait faire face à un coup bas.

— C'est ridicule! Me voilà obligé de négocier avec ma cousine!

— Disons plutôt qu'on s'entraide.

— Je ne peux rien te promettre.

— Moi non plus, dit Kim.

— Quand vas-tu lui parler?

— Ce soir. Et toi?

– Il me suffirait de retourner au laboratoire et de le faire maintenant.

– Alors... marché conclu?

– Bon, d'accord, dit Stanton, à regret.

Ils se serrèrent la main.

Stanton rebroussa chemin vers le laboratoire; il semblait porter sur ses épaules toute la misère du monde. Kim avait envie de le plaindre car, contrairement à ses principes, il avait investi tout son argent dans Omni.

Ce soir-là, Kim décida d'attendre le retour d'Edward. Elle lisait, au lit, lorsque à une heure du matin elle entendit la porte d'entrée se refermer et les pas d'Edward dans l'escalier.

– Mon Dieu! dit-il en passant la tête dans l'entrebâillement de la porte. Ce doit être un livre passionnant pour que tu sois encore éveillée à une heure pareille.

– Je ne suis pas fatiguée. Entre.

– Moi, je suis épuisé. (Il pénétra dans la chambre et, en bâillant, caressa distraitement Sheba.) J'ai une de ces envies d'aller au lit! C'est mécanique: ça me prend dès minuit. Et ce qui est étonnant, c'est la rapidité avec laquelle je m'endors dès que la fatigue s'installe. Si je m'assieds, il faut que je fasse attention, et si je m'allonge, alors c'est fini.

– Je l'ai remarqué. Dimanche soir, tu n'as même pas éteint ta lampe.

– D'ailleurs, je devrais être furieux contre toi, dit-il en souriant, mais ce n'est pas le cas. Je sais que tu n'agis que pour mon bien.

– Qu'est-ce que tu racontes? Je ne comprends rien.

– Comme si tu ne le savais pas! Je fais bien sûr allusion à l'intérêt soudain de Stanton pour ma santé. Dès qu'il a ouvert la bouche, j'ai compris que c'était toi qui étais derrière. Ce n'est pas son genre d'être si attentionné.

– Il t'a parlé de notre accord?

– Quel accord?

— Il devait te convaincre de ne plus prendre d'Ultra, si moi, de mon côté, je te convainquais de le laisser s'occuper du financement d'Omni.

— *Tu quoque, fili!* dit Edward avec un sourire. Quelle histoire! Les deux personnes qui me sont le plus proches complotent derrière mon dos.

— Comme tu viens de le dire, nous n'agissons que pour ton bien.

— Je crois être encore capable de décider ce qui est bon pour moi, dit Edward avec douceur.

— Mais tu as changé. Stanton m'a dit que tu avais tellement changé que tu finissais par lui ressembler!

Edward se mit à rire de bon cœur.

— Fabuleux! J'ai toujours rêvé d'être aussi extraverti que Stanton. Dommage que mon père soit mort : il aurait fini par être content de moi.

— Je ne plaisante pas, dit Kim.

— Moi non plus. Ça me plaît d'être sûr de moi plutôt que timide et renfermé.

— Mais c'est dangereux de prendre un médicament qui n'a pas encore été testé. En outre, tu ne trouves pas que ça pose un problème éthique, le fait d'acquérir des traits de caractère grâce à un médicament et non à travers l'expérience personnelle? Moi, je pense que c'est faux, que c'est comme si on trichait.

Edward s'assit au bord du lit.

— Si je m'endors, appelle une dépanneuse pour me ramener dans mon lit. (Il tenta de dissimuler un bâillement derrière sa main.) Ecoute, ma chérie adorée, on ne peut pas dire que l'Ultra n'a pas été testé; disons plutôt que les tests ne sont pas terminés. Mais il n'est pas toxique, et c'est ça qui est important. Je continuerai à en prendre, sauf si je constate de sérieux effets secondaires, ce dont je doute. Quant à ton deuxième argument, je répondrai que l'expérience peut précisément figer des traits de caractère peu enviables, comme dans mon cas la timidité. Le Prozac, jusqu'à un certain point, et maintenant l'Ultra, beaucoup plus, ont débloqué mon être véritable, une personnalité submergée par les expériences mallheureuses de la vie. J'étais devenu quelqu'un de mal à l'aise en société, mais ma personnalité actuelle n'a pas été inventée par l'Ultra, elle n'est pas fausse. C'est ma vraie personnalité qui a émergé, même si les réponses neuronales ont été facilitées par ce que j'appellerais un « réseau de contrebande ». (Il lui tapota la jambe à travers la couverture.) Je te rassure, je ne me suis jamais senti mieux de toute ma vie. La seule chose que je me demande, c'est s'il faudra prendre longtemps de l'Ultra pour que mon côté « mal dans ma peau » 'isparaisse définitivement.

— Tu présentes ça de façon si raisonnable, dit Kim d'un ton plaintif.

— Mais *c'est* raisonnable ! C'est comme ça que je veux être. J'aurais sûrement été comme ça si mon père n'avait pas été aussi dur avec moi.

— Et les pertes de mémoire, et la paranoïa ?

— Quelle paranoïa ?

Kim lui rappela alors que le matin même il était venu à la maison pour téléphoner, et qu'ensuite il avait tenu à sortir du laboratoire pour parler avec Stanton.

— Ce n'était pas de la paranoïa ! s'écria Edward avec indignation. Tu ne peux pas imaginer comme ils sont cancaniers au labo. Je tiens seulement à me préserver un espace privé.

— Aussi bien Stanton que moi avons trouvé que ça relevait de la paranoïa.

— Eh bien je peux t'assurer que ce n'était pas le cas. (Il sourit. Son indignation avait disparu.) Je reconnais mes pertes de mémoire, mais pas le reste.

— Pourquoi ne pas arrêter le médicament et le reprendre seulement au moment des essais cliniques proprement dits ?

— Tu es difficile à convaincre, et malheureusement je suis épuisé. Je n'arrive pas à garder les yeux ouverts. Excuse-moi. Si tu veux, on reprendra cette discussion demain. Pour l'instant, il faut que j'aille me coucher.

Il se pencha, embrassa Kim sur la joue et gagna sa chambre d'un pas incertain. Quelques instants plus tard, il dormait profondément.

Sidérée par la rapidité avec laquelle tout cela s'était déroulé, Kim se leva, enfila sa robe de chambre et se rendit dans la chambre d'Edward. Celui-ci, en sous-vêtements, était affalé sur le lit ; ses vêtements, épars, jonchaient le sol. Comme le dimanche soir, la lampe de chevet était restée allumée.

Kim éteignit la lampe. Il ronflait très fort et elle s'étonna qu'il ne l'eût jamais réveillée pendant qu'ils dormaient ensemble.

De retour dans sa chambre, Kim eut du mal à trouver le sommeil. Elle s'agita dans son lit pendant une bonne demi-heure et finit par se décider à prendre de ce Xanax qu'elle conservait depuis des années. L'idée d'avaler des médicaments ne l'enchantait guère, mais c'était ça ou passer une nuit blanche.

16

Elle prenait du Xanax depuis deux jours, et, comme la veille, Kim s'éveilla dans un état d'hébétude cotonneuse. Elle avait dormi longtemps, il était près de neuf heures.

Elle prit une douche, s'habilla et sortit Sheba. Prise de remords pour l'avoir un peu négligée ces derniers temps, Kim laissa la chatte s'ébattre aussi longtemps qu'elle le désirait. Sheba manifestant l'envie de faire le tour de la maison, elle la suivit.

Soudain, Kim s'immobilisa, furieuse. Les vandales dont lui avaient parlé les policiers avaient sévi : les deux poubelles étaient renversées, leur contenu éparpillé.

Abandonnant Sheba quelques instants, elle alla relever les poubelles et s'aperçut alors que les bords avaient été tordus, probablement quand on avait forcé les couvercles.

En les ramenant à leur emplacement habituel, elle comprit qu'il lui faudrait les changer, car les couvercles ne tenaient plus.

Kim récupéra Sheba à temps, alors qu'elle allait s'enfoncer dans le bois, et la ramena à l'intérieur de la maison. Elle appela ensuite le commissariat, qui, à sa grande surprise, lui répondit qu'ils allaient envoyer quelqu'un.

Une demi-heure plus tard, alors qu'elle ramassait les derniers détritus, munie de gants de jardinage, la voiture de la police de Salem vint se ranger devant la maison.

Un policier en sortit, qui devait avoir son âge; d'après son badge, il se nommait Tom Malick. Prenant sa tâche très au sérieux, il demanda à voir les « lieux du crime ». Kim jugea la chose exagérée, mais le conduisit néanmoins derrière la maison.

— Ç'aurait été mieux si vous aviez laissé tout en l'état pour que nous puissions faire les constatations, dit Malick.

— Excusez-moi, je ne vois pas bien ce que ça aurait changé.

— Il s'est passé ici la même chose que dans tous les environs.

Il s'accroupit près des poubelles et les examina attentivement.

Kim l'observait avec une certaine impatience.

Il se releva.

— Ç'a été fait par un ou plusieurs animaux. Ce n'étaient pas des jeunes parce que je crois qu'il y a des marques de dents sur le bord des couvercles. Vous voulez les voir?

— Je veux bien.

Le policier prit l'un des couvercles et lui montra une série de marques parallèles.

— Vous devriez acheter des poubelles qui ferment mieux.

— Je comptais les remplacer. Je vais voir ce qu'on trouve en magasin.

— Il faudra que vous alliez jusqu'à Burlington. A Salem, tout le monde s'est rué dessus.

— J'ai l'impression que ça commence à poser un vrai problème, dit Kim.

— A qui le dites-vous! On ne parle plus que de ça en ville. Vous avez regardé les nouvelles locales à la télévision, ce matin?

— Non.

— Jusque-là, les seules morts qu'on avait eues à déplorer, c'étaient des chats et des chiens, dit le policier. Mais ce matin, on a découvert notre première victime humaine.

— C'est affreux! Qui était-ce?

— Un vagabond, très connu en ville. Il s'appelait John Mullins. On l'a retrouvé non loin d'ici, près du pont de Kernwood. Ce qui est horrible, c'est qu'il était en partie dévoré.

Kim ne put s'empêcher de penser au corps de Buffer dans l'herbe, à moitié démantibulé.

— John avait un taux inimaginable d'alcool dans le sang, et il était peut-être mort avant que la bête se soit attaquée à lui, mais on en saura plus après le rapport d'autopsie. Le corps a été envoyé à Boston : grâce aux marques de dents, on espère déterminer le genre d'animal auquel on a affaire.

— C'est horrible, dit Kim en réprimant un frisson. Je ne me rendais pas compte à quel point c'était sérieux.

— Au début, on pensait qu'il s'agissait d'un raton laveur, mais avec tous ces dégâts, et maintenant qu'il y a eu mort d'homme, on penche pour un animal plus gros, comme un ours. La population des ours dans le New Hampshire a beaucoup augmenté ces derniers temps, alors c'est peut-être l'explication. En tout cas, ça va profiter à l'industrie locale de la sorcellerie. On raconte partout que c'est le diable qui est revenu, comme en 1692. Quelles bêtises !

Le policier lui recommanda de faire très attention, car l'ours pouvait fort bien s'être refugié dans les bois qui couvraient une grande partie de sa propriété, puis il remonta en voiture et partit.

Avant de se rendre directement à Burlington, Kim appela la quincaillerie de Salem où elle faisait la plupart de ses achats. Contrairement à ce que lui avait dit le policier, il leur restait de nombreuses poubelles car ils avaient reçu une livraison la veille.

Heureuse de ne pas avoir à faire le trajet jusqu'à Burlington, Kim prit le temps de se préparer un petit déjeuner avant de se rendre à Salem. Pourtant, au magasin, le vendeur lui dit qu'elle avait bien fait de ne pas trop tarder ; depuis son coup de téléphone, une heure auparavant, ils avaient en effet vendu la plus grande partie de leurs poubelles.

— Et vous savez, ils commencent à avoir le même problême à Burlington, ajouta le vendeur. Tout le monde se demande de quel animal il peut s'agir. Les gens se mettent même à organiser des paris. Et puis il n'y a pas que les poubelles qui se vendent bien : au rayon armurerie, ils n'arrêtent pas de vendre des fusils et des cartouches.

A la caisse, Kim entendit des clients évoquer le même sujet. L'excitation semblait à son comble.

Elle quitta le magasin mal à l'aise. Maintenant qu'il y avait eu mort d'homme, on n'était pas loin de l'hystérie collective, et elle imaginait les cinglés de la gâchette derrière leurs rideaux, prêts à tirer sur quiconque s'approcherait de leurs poubelles. Des innocents, et notamment des jeunes, risquaient de faire les frais de cette histoire.

De retour au cottage, Kim transféra les ordures dans les nouvelles poubelles, dont le couvercle était maintenu par un mécanisme ingénieux de compression, et poussa les anciennes au fond de l'appentis en se disant qu'elle s'en servirait pour les feuilles mortes.

Elle se rendit ensuite au laboratoire, un peu à contrecœur, pour avertir les autres de ce qui se passait dans les environs.

Avant de pénétrer dans le bâtiment, elle voulut jeter un coup d'œil aux poubelles. Il s'agissait de deux conteneurs en métal de taille industrielle, dont le couvercle se révéla très lourd à soulever. Kim regarda à l'intérieur : on n'y avait pas touché.

Elle gagna alors la réception et entra dans le laboratoire proprement dit. Lors de sa précédente visite, elle était arrivée au beau milieu d'une fête, alors que cette fois elle tombait en pleine réunion. L'atmosphère était solennelle, presque lugubre.

– Excusez-moi si je vous dérange, dit Kim.

– Ça va, dit Edward. Tu voulais quelque chose ?

Kim leur raconta les récents incidents et leur fit part de la visite de la police. Elle demanda ensuite si quelqu'un avait vu ou entendu quelque chose d'anormal pendant la nuit.

Ils échangèrent un regard sans rien dire, puis secouèrent la tête.

— Je dors tellement profondément que je n'entendrais pas un tremblement de terre, dit Curt.

— Tu ronfles déjà comme un tremblement de terre, dit David en souriant. Mais tu as raison, moi aussi j'ai le sommeil très profond.

Kim observa les chercheurs. L'atmosphère pesante qu'elle avait remarquée en entrant commençait déjà à se dissiper. Elle raconta alors que, d'après la police, il pouvait s'agir d'un ours enragé, mais qu'apparemment, des jeunes du coin en avaient profité pour ajouter à la pagaille. Elle décrivit également l'excitation, proche de l'hystérie, qui s'emparait de la ville.

— Il n'y a qu'à Salem que ce genre de situation pouvait prendre de telles proportions, dit Edward. Cette ville ne s'est jamais complètement remise de ce qui est arrivé en 1692.

— Leur inquiétude est quand même justifiée, dit Kim. Le problème se pose différemment maintenant : ce matin, on a découvert le corps d'un homme non loin d'ici, et il était à moitié dévoré.

Gloria blêmit.

— Quelle horreur !

— On sait de quoi est mort cet homme ? demanda Edward.

— Pas exactement. Le corps a été envoyé à Boston pour autopsie. Ils se demandent s'il n'était pas mort avant d'être attaqué par l'animal.

— Dans ce cas, l'animal n'aurait agi que comme un charognard, dit Edward.

— C'est vrai, dit Kim. Mais je pense que c'était important de vous prévenir. Je sais que vous rentrez tard le soir, alors il serait peut-être plus prudent de faire le trajet en voiture jusqu'au château, même si ce n'est pas très loin.

— Merci de nous avoir prévenus, dit Edward.

— Ah ! autre chose, dit Kim. Il y a un petit problème au château. Il y a de la boue dans l'entrée des deux ailes. Est-ce que vous pourriez vous essuyer les pieds avant de monter ?

— Oh, excusez-nous, dit François. Il fait nuit quand on arrive là-bas, et le matin on part avant le lever du soleil. On fera plus attention, c'est promis.

— Bon, eh bien, c'est tout ce que j'avais à vous dire. Excusez-moi encore de vous avoir dérangés.

— Ne t'excuse pas, dit Edward en la raccompagnant à la porte. Toi aussi, fais attention. Et surveille bien Sheba.

Edward revint vers le groupe et regarda chacun droit dans les yeux.

— Il y a eu mort d'homme, et ça change tout, dit Gloria.

— Je suis d'accord, dit Eleanor.

Il y eut un long silence, que David finit par rompre.

— Il est tout à fait possible que nous soyons responsables de certains de ces incidents.

— Je continue à penser que cette idée est absurde, dit Edward. Ça défie les lois de la logique.

— Alors, comment expliquez-vous l'état de mon tee-shirt ? dit Curt en sortant du tiroir où il l'avait fourré à l'arrivée de Kim un sous-vêtement froissé et taché. J'ai analysé l'une de ces taches : c'est du sang.

— C'est votre sang, rétorqua Edward.

— C'est vrai. Mais comment est-ce arrivé ? Je n'en ai aucun souvenir.

— Il est également difficile d'expliquer les coupures et les ecchymoses que nous avons sur le corps à notre réveil, dit François. J'ai même retrouvé des bouts de bois et des feuilles mortes par terre, dans ma chambre.

— On doit être somnambules, ou quelque chose comme ça, dit David. Même si on refuse de l'admettre.

— En tout cas, moi, je n'ai pas été somnambule ! lança Edward en dévisageant les autres. Et après toutes les blagues que vous avez faites, je ne suis pas sûr que ça n'en soit pas une autre.

— Ça, ce n'est pas une plaisanterie, dit Curt en repliant son tee-shirt.

— Nous n'avons rien constaté chez les animaux de laboratoire qui puisse corroborer ce que vous avancez, dit Edward d'un ton de défi. Du point de vue scientifique, ça paraît complètement absurde. Il devrait y avoir des faits concordants. C'est pour ça qu'on fait des essais sur les animaux.

— Je suis d'accord, dit Eleanor. Moi, je n'ai rien trouvé dans ma chambre, et je n'ai ni coupures ni ecchymoses.

— En tout cas, je n'ai pas d'hallucinations, dit David. Ça, ce sont de vraies coupures ! (Il montra ses mains de façon que tout le monde pût les voir.) Comme Curt l'a dit, ce n'est pas une plaisanterie.

— Moi je n'ai aucune coupure, dit Gloria, mais je me suis réveillée avec les mains toutes sales. Et il ne me reste plus un ongle intact. Ils sont tous cassés.

— Il y a quelque chose qui ne va pas, insista David, même si ça ne s'est pas manifesté chez les animaux. Je sais que personne ne veut reconnaître l'évidence, mais pour moi il ne peut s'agir que de l'Ultra !

Les mâchoires d'Edward se crispèrent, et il serra les poings.

— Il m'a fallu plusieurs jours pour l'admettre, reprit David, mais il est incontestable que je suis sorti pendant la nuit et que je n'en ai gardé aucun souvenir. Et je ne sais pas non plus ce que j'ai fait, sauf qu'à mon réveil j'étais couvert de crasse. Et je peux vous assurer que ça ne m'est jamais arrivé de toute ma vie.

— Vous pensez que ça n'est pas un animal qui a causé tous ces dégâts dans les environs ? demanda timidement Gloria.

— Oh, soyons sérieux ! dit Edward d'un ton navré. Ne laissons pas notre imagination battre la campagne !

— Je ne suggère rien, dit David, je dis simplement que je suis sorti et que je ne sais pas ce que j'ai fait.

La peur commençait à s'emparer du groupe, mais de toute évidence deux camps se retrouvaient en présence. Edward et Eleanor craignaient pour l'avenir de leurs recherches, tandis que les autres craignaient pour eux-mêmes.

— Il faut y réfléchir de façon rationnelle, dit Edward.

— Je suis bien d'accord, répondit David.

— Jusque-là, le médicament s'est révélé parfait, dit Edward. Les données étaient toutes favorables. Nous avons des raisons de penser qu'il s'agit d'une substance naturelle, ou proche d'une substance naturelle, qui existe déjà dans le cerveau. Les singes n'ont montré aucune tendance au somnambulisme. Et puis, j'aime bien les effets que l'Ultra produit sur moi. (Tout le monde se montra d'accord.) Je vous ferai également remarquer que c'est probablement grâce à l'Ultra que nous sommes capables de penser de façon rationnelle en de telles circonstances.

— Vous avez sans doute raison, dit Gloria. Il y a encore un instant, je me laissais emporter par la peur et le dégoût. A présent, je me sens plus objective.

— C'est exactement ce que je veux dire, renchérit Edward, c'est un médicament extraordinaire.

— Pourtant, dit David, ce somnambulisme doit être un effet secondaire du médicament ; ce qui veut dire qu'il provoque dans le cerveau quelque chose de tout à fait particulier, que nous n'avions pas prévu.

— Je vais aller chercher mes scanners ! s'écria soudain François.

Quelques instants plus tard, il posait sur la table une série d'images du cerveau d'un singe à qui on avait administré de l'Ultra radioactif, ce qui permettait d'en localiser les traces.

— Je voudrais vous montrer ce que j'ai relevé ce matin. Je n'ai pas eu le temps de beaucoup y réfléchir, mais si vous regardez bien, vous remarquerez qu'à partir de la première dose la concentration d'Ultra augmente lentement dans le cerveau postérieur, le cerveau moyen et le système limbique, puis, arrivée à un certain niveau, elle s'accroît brusquement, ce qui veut dire qu'on n'atteint jamais un niveau stable.

Tout le monde se pencha sur les clichés.

— Il est possible que la concentration de produit s'accroisse brusquement au moment où le système enzymatique qui le métabolise est saturé, suggéra Gloria.

— Je crois que vous avez raison, dit François.

— Ce qui veut dire qu'on devrait regarder le code qui nous indique quelle dose d'Ultra chacun de nous a avalée, dit Gloria.

Tous les regards se tournèrent vers Edward.

— Ça me semble raisonnable.

Il gagna son bureau et ouvrit une petite boîte fermée à clé contenant une carte sur laquelle était inscrit le code des dosages.

Ils apprirent ainsi que c'était Curt qui avait reçu les plus fortes quantités d'Ultra, suivi de David. En bas de l'échelle se trouvait Eleanor, suivie de près par Edward.

Ils discutèrent longuement avant d'en arriver à quelques conclusions. Apparemment, lorsqu'il atteignait une certaine concentration, l'Ultra bloquait progressivement les variations normales de la sérotonine au cours du sommeil, ce qui en altérait le déroulement.

Gloria suggéra que lors des pics de concentration, l'Ultra bloquait les radiations venues du rhinencéphale, ou cerveau reptilien, vers les centres supérieurs des hémisphères cérébraux. Le sommeil, comme d'autres fonctions autonomes, est en effet régulé par les régions inférieures du cerveau, là où se concentrait le produit.

Pendant un long moment, le groupe réfléchit à l'hypothèse de Gloria.

— Si c'était le cas, finit par dire David, que se passerait-il si on s'éveillait alors que le blocage est en place ?

— Ce serait comme si on vivait une rétroévolution, dit Curt. On fonctionnerait seulement avec les centres inférieurs du cerveau. Nous serions comme des reptiles carnivores !

Les six chercheurs semblèrent pétrifiés par tout ce qu'impliquait d'horreur une telle déclaration.

— Attendez un instant, dit alors Edward. On tire des conclusions qui ne sont fondées sur aucun fait. On est en plein dans les suppositions. N'oublions pas que nous n'avons constaté aucun problème chez les singes, qui, vous êtes bien d'accord, possèdent des hémisphères cérébraux, quoique plus petits que ceux de l'homme, en tout cas de la plupart des hommes. (Tout le monde sourit, sauf Gloria.) Même s'il y a des problèmes avec l'Ultra, continua Edward, il faut prendre en considération ses effets positifs sur les émotions, l'acuité sensorielle, les capacités intellectuelles, et même la mémoire à long terme. Cela dit, peut-être avons-nous pris des quantités trop importantes, qu'il faudrait réduire. On devrait peut-être en revenir aux doses que prend Eleanor, puisqu'elle n'a éprouvé que les effets psychologiques positifs.

— Moi, je ne baisse pas les doses, lança Gloria d'un air de défi. J'arrête tout de suite. Je suis horrifiée à l'idée qu'il y a une sorte de créature primitive tapie au fond de moi sans même que je m'en rende compte, et qui sort pendant la nuit pour fourrager je ne sais où.

— Très imagé, dit Edward. Mais vous avez tout à fait le droit d'arrêter le médicament. Cela va sans dire. Personne n'est obligé de faire ce qu'il n'a pas envie de faire. Vous le savez tous, n'est-ce pas ? Chacun est libre de continuer ou non à prendre ce médicament ; en attendant, voilà ce que je propose : pour augmenter encore notre marge de sécurité, nous devrions nous limiter à la moitié de la dose d'Eleanor, et la considérer comme un plafond, ce qui nous amène à cent milligrammes seulement.

— Ça me semble raisonnable et suffisamment sûr, dit David.

— Moi aussi, dit François.

— Moi aussi, dit Curt.

— Bon, reprit Edward. Si le problème se présente bien de la façon dont nous l'avons envisagé, je suis persuadé qu'il ne s'agit que d'une question de dosage, et il y a donc un niveau où l'on ne court plus qu'un risque acceptable.

— Moi, je ne le cours pas, dit Gloria, têtue.

— Pas de problème.

— Vous ne serez pas fâchés contre moi ?

— Pas le moins du monde, répondit Edward.

— Je serai à même de maîtriser la situation, le cas échéant. Et puis je pourrai surveiller les autres pendant la nuit.

— Excellente idée.

— J'ai une suggestion à faire, dit alors François. Nous devrions tous prendre de l'Ultra radioactif, de façon que je puisse suivre la concentration du produit dans notre cerveau. La dose maximale d'Ultra devrait être celle qui se maintient à un certain niveau de concentration sans augmentation continuelle.

— Ça me paraît une bonne idée, dit Curt.

— Autre chose, dit Edward. Vous êtes tous des professionnels et, c'est peut-être inutile, mais je voudrais vous rappeler que personne ne doit être au courant de ce qui s'est dit au cours de cette réunion, pas même vos familles.

— Cela va de soi, fit David. Personne ici n'a envie de compromettre l'avenir de l'Ultra. On rencontrera peut-être un certain nombre de difficultés, mais ce sera quand même le médicament du siècle.

Kim avait décidé d'aller passer quelque temps au château, ce matin-là, mais en arrivant au cottage elle s'aperçut qu'il était déjà l'heure du déjeuner. Au cours du repas, la sonnerie du téléphone retentit : c'était Katherine Sturburg, l'archiviste de Harvard qui s'intéressait particulièrement à Increase Mather.

— Je crois que j'ai des bonnes nouvelles pour vous, dit Mme Sturburg. Je viens de trouver une référence à une œuvre de Rachel Bingham.

— Fabuleux ! Je croyais n'avoir plus rien à attendre de Harvard. Comment avez-vous trouvé quelque chose, finalement ?

— Eh bien, j'ai relu la lettre d'Increase Mather que vous nous aviez autorisés à photocopier. Comme il y était question de la faculté de droit, j'ai consulté le fichier de cette faculté, et le nom est sorti. Ce que je ne sais pas encore, c'est pourquoi il ne figure pas dans notre fichier central. Mais la bonne nouvelle, c'est que l'ouvrage semble avoir échappé à l'incendie de 1764.

— Je croyais que tout avait brûlé?

— Presque tout. Heureusement pour nous, sur les cinq mille volumes de la bibliothèque, environ deux cents étaient en prêt à l'extérieur, et ce sont ceux-là qui ont été sauvés. Quelqu'un devait donc avoir emprunté le livre que vous recherchez. En tout cas, d'après la référence que j'ai trouvée, il a été transféré à la bibliothèque de la faculté de droit en 1818, un an après la fondation de cette faculté. Ensuite, toujours d'après le fichier, il a été confié à la bibliothèque de la faculté de théologie.

— Alors vous l'avez retrouvé? demanda Kim, au comble de l'excitation.

— Non, je n'ai pas eu le temps de m'en occuper. En outre, je pense que ça vous ferait plaisir d'aller le chercher vous-même. Ce que je vous conseille, c'est d'aller voir Gertrude Havermeyer, qui est archiviste à la faculté de théologie. Je l'appellerai moi-même lundi à la première heure, en sorte qu'elle sera prévenue.

— J'irai là-bas lundi, après mon travail, dit Kim. Je finis à trois heures.

Puis elle remercia Katherine Sturburg et raccrocha.

Après quoi, elle appela Gertrude Havermeyer, mais une secrétaire lui apprit qu'elle se trouvait en réunion à l'extérieur et ne serait de retour que le lundi.

La déception de Kim ne fut que de courte durée. Enfin, elle allait savoir ce qu'était ce fameux élément de preuve concluant utilisé contre Elizabeth. Et peu importait, au fond, qu'il s'agît ou non d'un livre.

Forte de cette bonne nouvelle, elle retourna au château, et se mit à l'ouvrage au grenier avec un enthousiasme décuplé. En milieu d'après-midi, elle s'interrompit pour tenter d'évaluer l'ampleur de la tâche qu'il lui restait à accomplir. Elle compta les caisses, malles et secrétaires, se dit qu'il devait y en avoir à peu près le même nombre à la cave, et en conclut qu'il lui faudrait encore une bonne semaine de travail, à raison de huit heures par jour.

Cette perspective refroidit un peu son enthousiasme. Elle devait reprendre son travail à l'hôpital et ne disposerait plus d'autant de temps libre. Elle était sur le point de retourner au cottage, lorsqu'elle se surprit elle-même en tirant un tiroir au hasard, comme l'avait fait Kinnard quelques jours auparavant. Elle y trouva une lettre adressée à Ronald.

Assise sur une malle, sous une lucarne, Kim sortit la lettre de son enveloppe. Elle avait été écrite par Samuel Sewall, quelques jours avant l'exécution d'Elizabeth.

Boston, le 15 juillet 1692

Monsieur,

Je viens de souper avec le révérend Cotton Mather, et nous avons évoqué au cours du repas le sort tragique qui attend votre épouse. Inutile de vous dire à quel point nous nous faisons du souci pour vous et vos enfants. De la façon la plus gracieuse, le révérend Mather a accepté d'accueillir chez lui votre infortunée épouse afin de la soigner, comme il l'a fait avec succès pour la malheureuse fille Goodwin, mais cela à l'unique condition qu'Elizabeth fasse des aveux complets et répudie publiquement le pacte qu'elle a conclu avec le prince des mensonges. Le révérend Mather est intimement persuadé qu'Elizabeth peut apporter des preuves et parler en qualité de témoin oculaire pour confondre l'inclination sadducéenne de cette époque troublée. Faute de quoi, le révérend Mather ne pourrait ni ne voudrait intervenir pour commuer la sentence prononcée par la cour. Soyez très certain qu'il n'y a point de temps à perdre. Le révérend Mather croit fermement que votre épouse peut nous apprendre tout ce qui est en relation avec le monde invisible et qui menace notre pays. Je forme le vœu que Dieu bénisse vos efforts, et je demeure

votre ami,
Samuel Sewall.

Pendant un long moment, Kim regarda au loin par la fenêtre. La journée avait commencé sous un ciel bleu, mais à présent le vent d'ouest charriait de gros nuages sombres. Elle apercevait le cottage au milieu des bouleaux dont les feuilles étaient devenues d'un jaune brillant. Kim se sentait transportée trois cents ans en arrière et éprouvait dans sa chair la panique que faisait naître l'exécution prochaine d'Elizabeth. Elle avait aussi l'impression que cette lettre était une réponse à une autre lettre que Ronald avait écrite pour implorer la grâce de sa femme.

Les yeux de Kim se remplirent de larmes. Ronald avait dû éprouver une douleur effroyable, et elle se sentait coupable des soupçons qu'elle avait nourris au début à son endroit.

Elle finit par se lever, descendit à la cave et déposa la lettre dans la boîte à bible, avec les autres documents. Puis elle quitta le château et prit la direction du cottage.

A mi-chemin, elle ralentit le pas, puis s'immobilisa tout à fait. Elle jeta un coup d'œil à sa montre : presque quatre heures. Et si elle préparait un bon dîner pour toute l'équipe ? Ils lui avaient semblé un peu déprimés quand elle était allée les voir, ce matin, et ils devaient en avoir assez des pizzas. Elle pourrait faire des grillades de viande et de poisson, comme la fois précédente.

Elle gagna donc le laboratoire et, un peu inquiète tout de même, car elle n'était jamais sûre de l'accueil qu'on lui réservait, poussa la porte de la salle de travail. Personne ne vint à sa rencontre.

Elle passa devant David, qui la salua amicalement mais sans la jovialité des jours précédents. Elle passa ensuite devant Gloria qui leva à peine la tête de son travail.

Kim en conçut une certaine préoccupation. Leur comportement avait beau sembler normal, il détonnait pourtant par rapport à celui qu'ils avaient adopté récemment.

Quant à Edward, il était si absorbé que Kim dut lui tapoter deux fois l'épaule avant d'attirer son attention. Elle remarqua qu'il était occupé à fabriquer de nouvelles gélules d'Ultra.

— Il y a un problème ? demanda-t-il en souriant, apparemment heureux de la voir.

— Je voulais vous faire une proposition. Ça vous dirait qu'on refasse un dîner comme la dernière fois ? Je pourrais aller faire des courses en ville, là, tout de suite.

— C'est très gentil de ta part, mais pas ce soir. On n'a pas le temps. On se contentera de pizzas.

— Je te promets que ça ne vous prendra pas trop de temps.

— J'ai dit non ! siffla Edward entre ses dents.

Suffoquée, elle fit un pas en arrière, mais Edward retrouva aussitôt son sourire :

— Je t'assure, les pizzas, ça ira très bien.

— Comme tu voudras, dit Kim, ne sachant trop quoi penser. Euh... tu vas bien ?

— Oui ! répondit-il sèchement avant de sourire à nouveau. On est un peu préoccupés, tu sais. On a eu un petit problème, mais maintenant c'est réglé.

— Bon, eh bien..., dit Kim en s'éloignant, si jamais tu changes d'avis d'ici une heure, je peux encore aller en ville. Je serai au cottage, tu n'auras qu'à appeler.

— Vraiment, on est trop occupés. Mais je te remercie quand même. Je dirai à tout le monde que tu as pensé à nous.

Aucun des chercheurs ne la salua. Dehors, elle laissa échapper un long soupir. Le changement d'atmosphère au laboratoire était sidérant, et Kim en vint à se dire qu'elle se sentait peu de chose en commun avec les scientifiques.

Elle dîna tôt ; quand elle eut fini, il y avait encore suffisamment de lumière pour qu'elle retourne au château, mais elle ne s'en sentit pas le courage. Elle choisit de regarder quelques sitcoms particulièrement idiotes, en se disant que cela l'aiderait à oublier ces pénibles moments au laboratoire, mais rien n'y fit.

Elle essaya alors de lire, mais fut incapable de se concentrer. La nervosité la gagnant, elle se prit à songer à Kinnard, se demandant avec qui il était et ce qu'il faisait. Pensait-il jamais à elle?

Kim s'éveilla en sursaut, malgré le Xanax qu'elle avait pris pour s'endormir. La chambre était plongée dans l'obscurité, et en jetant un coup d'œil au réveil, elle s'aperçut qu'elle n'avait dormi que peu de temps. Assise dans son lit, elle s'efforça de distinguer, parmi les bruits de la nuit, celui qui avait pu ainsi l'éveiller.

Elle entendit alors des coups sourds frappés contre les nouvelles poubelles, dans l'abri qui se trouvait derrière la maison. Un ours ou un raton laveur enragés cherchaient-ils à récupérer les os de poulet qu'elle avait jetés ce soir-là?

Elle alluma sa lampe de chevet, enfila robe de chambre et pantoufles, et rassura Sheba d'une caresse. Elle avait bien fait de laisser la chatte à l'intérieur.

Les coups recommencèrent. Elle se rendit dans la chambre d'Edward et alluma la lumière. Personne. Il devait se trouver encore au laboratoire. Elle retourna dans sa chambre et composa le numéro du laboratoire. Au bout de dix sonneries, elle raccrocha.

Elle prit alors la lampe de poche qui se trouvait dans le tiroir de sa table de nuit et descendit l'escalier, avec l'intention d'éclairer l'abri par la fenêtre de la cuisine. Peut-être parviendrait-elle à effrayer l'animal.

Soudain, au beau milieu de l'escalier, elle se figea. La porte d'entrée était ouverte. La bête avait dû pénétrer dans la maison.

Kim prêta l'oreille, mais elle n'entendit que le chœur des dernières rainettes de la saison. Une brise fraîche souffla par la porte ouverte sur ses jambes nues. Dehors, une pluie fine tombait.

Un silence de mort régnait dans la maison; l'animal, après

tout, n'était peut-être pas entré. Elle descendit les marches avec une infinie lenteur, s'immobilisant à chaque pas pour surprendre un bruit. Rien.

Elle arriva ainsi jusqu'à la porte ouverte, regarda autour d'elle, dans le salon, et commença de la refermer.

C'est alors qu'elle aperçut Sheba, dehors, à cinq ou six mètres, assise sur l'une des dalles du chemin. Ignorant superbement la pluie, la chatte se léchait la patte et la passait ensuite par-dessus ses oreilles.

Quelques instants auparavant, Sheba se trouvait encore avec elle dans la chambre, mais elle avait dû la suivre dans l'escalier et profiter de l'aubaine en voyant la porte ouverte.

Kim craignait, en appelant Sheba, d'attirer l'attention de la créature qui rôdait dans l'obscurité, et de toute façon la chatte n'aurait pas obéi.

Elle n'avait pas le choix. Elle se glissa au-dehors, prit Sheba dans les bras, se retourna et vit... la porte se refermer.

Elle se précipita, manœuvra plusieurs fois la poignée, pesa de tout son poids contre le battant. En vain.

Rentrant la tête dans les épaules pour se protéger de la pluie froide, Kim se retourna lentement pour faire face à l'obscurité de la nuit. Elle était en pyjama et robe de chambre, un chat au creux d'un bras, une dérisoire lampe de poche dans l'autre main, tandis qu'une créature inconnue était tapie dans les buissons, tout près de la maison.

Sheba se débattit en miaulant pour être reposée par terre. Kim la caressa, puis inspecta les fenêtres par acquit de conscience, mais, comme elle s'y attendait, elles étaient toutes fermées. Au loin, plus aucune lumière ne brillait dans le laboratoire; d'ailleurs, elle ne savait pas si la porte restait ouverte pendant la nuit. Plus loin encore, on apercevait la masse sombre du château; là non plus aucune lumière ne brillait, mais elle savait au moins que les portes des deux ailes n'étaient pas verrouillées.

Soudain, elle entendit quelque chose se déplacer sur les graviers, du côté droit de la maison. Elle se précipita dans la direction opposée.

Désespérément, elle essaya d'ouvrir la porte de la cuisine, mais celle-ci, bien sûr, était fermée à clé. Elle voulut l'enfoncer à coups d'épaule, mais ne réussit, dans sa tentative dérisoire, qu'à faire miauler le chat.

Serrant Sheba dans ses bras, brandissant la torche comme une matraque, elle se rua vers l'appentis.

Elle se glissa à l'intérieur, referma la porte derrière elle, et regarda à travers la petite fenêtre crasseuse qui donnait sur le jardin. Une flaque de lumière venue de la chambre éclairait seule le sol.

Elle aperçut alors une silhouette massive, dressée au coin de la maison, là où elle-même avait tourné quelques instants auparavant. C'était un être humain, pas un animal, mais il se comportait d'étrange façon, humant le vent comme l'aurait fait une bête suivant une proie. Dans le noir elle ne parvenait pas à distinguer ses traits, mais il avait le visage tourné dans sa direction.

Et puis, avec horreur, elle vit la lourde masse se mettre en mouvement, le nez toujours au vent, comme flairant une piste. Kim retint sa respiration, et pria pour que la chatte demeure tranquille. Lorsque la silhouette ne fut plus qu'à trois mètres de l'appentis, Kim se recroquevilla au fond, au milieu des outils et des bicyclettes.

Des bruits de pas sur le gravier, qui s'approchaient. Puis plus rien.

Soudain, la porte s'ouvrit brutalement. Kim se mit à hurler. Avec un miaulement aigu, Sheba sauta à terre. L'homme hurla à son tour.

Kim alluma la lampe torche et en braqua le rayon sur le visage de l'homme. Celui-ci se protégea de la lumière avec ses deux mains.

Kim, alors, laissa échapper un soupir de soulagement. C'était Edward.

Trébuchant au milieu des bicyclettes, de la tondeuse à gazon et des vieilles poubelles, Kim se rua hors de l'appentis et se jeta au cou d'Edward. Le faisceau de sa lampe éclairait les arbres au hasard.

Pendant un instant, Edward ne fit pas le moindre geste. Il la contemplait avec un regard vide d'expression.

— Tu ne peux pas savoir comme je suis contente de te voir, dit-elle en renversant la tête en arrière de façon à pouvoir croiser son regard. Je n'ai jamais eu aussi peur de ma vie.

Edward ne réagit pas.

— Edward ? Tu vas bien ?

Il laissa échapper l'air de ses poumons avec un sifflement.

— Oui, ça va, dit-il d'un ton rogue. Mais toi... qu'est-ce que tu foutais, là, dans l'appentis, en pleine nuit, en robe de chambre ? J'ai cru mourir de peur.

Kim se mit à bégayer en se rendant compte à quel point lui-même avait été effrayé. Elle lui expliqua ce qui s'était passé, et à la fin de son récit un sourire apparut sur les lèvres d'Edward.

— Ce n'est pas drôle, dit-elle, sans pouvoir s'empêcher de sourire elle-même.

— Quand je pense que tu as risqué ta vie pour aller sauver cette vieille chatte flemmarde. Allez, viens, on va être trempés !

Kim retourna à l'intérieur de l'appentis, et le rayon de sa lampe débusqua Sheba dans un coin, dissimulée derrière des outils de jardin. Elle la prit dans ses bras, puis retourna au cottage avec Edward.

— Je suis glacée, dit-elle. Je vais me faire une tisane bien chaude. Tu en veux aussi ?

— Non merci, mais je vais rester un peu avec toi.

Tandis que Kim mettait de l'eau à bouillir, Edward lui donna sa propre version.

— Je comptais travailler toute la nuit, expliqua-t-il, mais vers une heure et demie, je me suis rendu compte que je ne tiendrais pas. Je suis tellement habitué à m'endormir vers une heure que je n'arrivais plus à garder les yeux ouverts. Je suis donc allé au cottage, mais en ouvrant la porte, je me suis aperçu que je tenais à la main un sac avec les restes de nos pizzas du dîner, que j'avais oublié de jeter dans la poubelle du labo. Alors j'ai fait le tour de la maison pour aller le jeter dans notre poubelle. C'est là que j'ai dû laisser la porte ouverte, ce que je n'aurais pas dû faire, je le reconnais, ne serait-ce qu'à cause des moustiques. En tout cas, je ne suis pas arrivé à soulever les couvercles de ces saletés de poubelles. J'étais tellement furieux, qu'à la fin je me suis même mis à cogner dessus.

— Elles sont neuves, expliqua Kim.

— Eh bien, j'espère qu'elles sont livrées avec le mode d'emploi !

— Quand il fait jour, c'est facile, tu verras.

— Finalement, j'ai renoncé. Mais quand je suis revenu, la porte d'entrée était fermée. J'ai aussi senti le parfum de ton eau de Cologne. Depuis que je prends de l'Ultra, mon odorat s'est considérablement amélioré. Et c'est comme ça que je t'ai suivie à la trace jusqu'à l'appentis.

Kim se versa une tasse de tisane.

— Tu es sûr que tu n'en veux pas ?

— Non, impossible. J'ai déjà beaucoup de mal à rester ici avec toi. Il faut que j'aille dormir. J'ai l'impression que mon corps pèse des tonnes, surtout les paupières.

Edward descendit de son tabouret et se mit à chanceler. Kim le retint.

— Ça va, ça va, dit-il. Quand je suis fatigué comme ça, il me faut quelques secondes pour retrouver mon équilibre.

Tandis que Kim rangeait le pot de miel et le paquet d'herbes pour les infusions, Edward montait lourdement les marches. Quelques instants plus tard, sa tasse à la main, Kim le suivit. En pénétrant dans la chambre, elle le trouva endormi sur le lit, à moitié déshabillé.

Avec la plus grande difficulté, elle lui retira son pantalon et sa chemise, et le mit sous les couvertures. En éteignant la lumière, elle éprouva une pincée de jalousie devant la facilité avec laquelle il s'endormait.

17

Dimanche 2 octobre 1994

Edward et les chercheurs se retrouvèrent à mi-chemin entre le cottage et le château et gagnèrent en silence le laboratoire, dans la lumière grise qui précède l'aube. C'est dans une atmosphère lourde qu'ils partagèrent le café du matin.

Edward semblait d'humeur plus sombre que ses compagnons, et encore s'était-elle améliorée depuis son réveil, une demi-heure auparavant. En sortant de son lit, il avait découvert à ses pieds une carcasse de poulet où était collé du marc de café, visiblement sortie tout droit d'une poubelle. Puis la crasse sous ses ongles, comme s'il avait creusé la terre avec ses mains. Enfin, dans le miroir de la salle de bains, il avait constaté que son visage et son tee-shirt étaient maculés de taches.

François finit par rompre le silence :

— On a eu beau diminuer de moitié ma dose d'Ultra, je suis encore sorti, cette nuit. Quand je me suis réveillé, ce matin, j'étais sale, horriblement sale. J'avais dû me rouler dans la boue. Il a même fallu que je lave mes draps ! Et regardez mes mains. (Il tendit ses deux mains, paumes en l'air : elles étaient couvertes de petites coupures et d'égratignures.) Et mon pyjama était si sale que j'ai dû le jeter.

— Moi aussi je suis sorti, annonça Curt.

— Moi aussi, j'en ai bien peur, dit David.

— A votre avis, on a pu divaguer en dehors de la propriété ? demanda François.

— On n'a aucun moyen de le savoir, dit David. Mais c'est très inquiétant. Et si on était mêlés à la mort de ce vagabond ?

— Je préfère ne pas y penser ! lança Gloria. C'est inimaginable.

— Le problème, c'est la police locale et les habitants, dit François. Si les gens sont aussi remontés que le dit Kim, on pourrait avoir des ennuis si on franchit les limites de la propriété.

— C'est vrai que ce n'est pas rassurant, dit David. Et on n'a aucun moyen de savoir comment on réagirait.

— Si on fonctionne avec le cerveau reptilien, dit Curt, ce n'est pas difficile à imaginer. Il y a l'instinct de survie : on se défendrait. Inutile de se le cacher : on serait violents.

— Il faut que ça cesse, dit François.

— Moi, en tout cas, je ne suis pas sortie, dit Eleanor. Donc, c'est un problème de dosage.

— Je suis d'accord, dit Edward. Diminuons une nouvelle fois ces doses de moitié. Ce qui fera le quart de la dose initiale d'Eleanor.

— J'ai peur que ça ne suffise pas, dit Gloria. (Tous les regards se tournèrent vers elle.) Je n'ai pas pris d'Ultra, hier, et pourtant je suis sortie. J'ai essayé de rester éveillée pour m'assurer que personne ne sortirait, mais je n'ai pas tenu.

— Depuis que je prends de l'Ultra, confirma Curt, je m'endors aussi très rapidement. Je pensais que c'était à cause de l'énorme travail qu'on fournit ici pendant la journée, mais en fait, c'est probablement dû au médicament lui-même.

Tous approuvèrent Curt, et reconnurent également qu'ils se réveillaient avec le sentiment d'avoir passé une excellente nuit.

— Même ce matin, je me sens très reposé, dit François. Ça paraît d'autant plus étonnant que, visiblement, j'ai passé une partie de la nuit à gambader sous la pluie.

Un silence lourd s'installa. Car, si ce qu'avait dit Gloria se vérifiait, et si elle avait véritablement souffert de somnambulisme après avoir arrêté de prendre de l'Ultra, le problème se compliquait.

Ce fut Edward qui le rompit.

— Toutes nos études montrent que l'Ultra est métabolisé à une vitesse raisonnable, et certainement beaucoup plus rapidement que le Prozac. L'expérience de Gloria montre seulement que la concentration dans son cerveau postérieur est encore supérieure à celle qui cause ces complications. Peut-être devrions-nous diminuer encore les doses, disons... par cent.

François étendit à nouveau les mains.

— Vous voyez ces coupures, hein? Eh bien moi, je ne veux plus courir ce risque. De toute évidence, je me promène dehors sans savoir ce que je fais. Je ne veux pas me faire tirer dessus ou me faire écraser par une voiture parce que je me comporte comme un animal. J'arrête de prendre le médicament.

— Je pense la même chose, dit David.

— Ça me paraît raisonnable, dit Curt.

— Bon, d'accord, dit Edward, à regret. Vous avez raison. Il est inconcevable que nous prenions des risques pour nous ou d'autres. Quand on était enfants, on jouait tous à être des animaux, mais là je crois qu'on a exagéré.

Tout le monde sourit.

— On arrête le médicament, reprit Edward, et on fait le point dans quelques jours. Quand on aura éliminé le produit de notre organisme, on pourra songer à en reprendre, mais à des doses beaucoup plus faibles.

— Je ne reprendrai pas ce médicament avant qu'on ait trouvé un animal qui fasse lui aussi des accès de somnambulisme, dit Gloria. Il faudrait alors étudier complètement le phénomène avant d'en administrer à nouveau à un être humain.

— Nous respectons votre opinion, dit Edward. Comme je

l'ai toujours dit, la prise du produit est totalement volontaire. Je vous rappelle d'ailleurs qu'au début, je voulais être le seul à en prendre.

— Et d'ici là, qu'allons-nous faire pour assurer notre sécurité ? demanda François.

— On pourrait peut-être faire un électroencéphalogramme pendant notre sommeil, proposa Gloria. On serait reliés à un ordinateur qui nous réveillerait en cas de perturbation des phases normales de sommeil.

— Excellente idée, dit Edward. Je commanderai le matériel dès lundi.

— Et pour ce soir ? demanda François.

Tout le monde se mit à réfléchir.

— Il n'y aura pas de problème, finit par dire Edward. Après tout, Gloria est parmi ceux qui ont reçu les doses les plus fortes et, vu son poids, la concentration dans son sang devait être très élevée. On devrait mesurer la concentration du produit dans notre sang et comparer avec la sienne. Si elle est plus basse, ça devrait aller. La seule personne pour qui il y aura peut-être un risque, c'est Curt.

— Merci beaucoup, dit celui-ci en riant. Vous ne voulez pas me mettre dans une des cages à singe, pendant que vous y êtes ?

— C'est pas une mauvaise idée, fit David.

D'un air moqueur, Curt fit semblant de le frapper.

— Nous devrions peut-être dormir à tour de rôle, proposa François. Comme ça, on pourra se surveiller les uns les autres.

— Ça, c'est une bonne idée, dit Edward. En outre, si on fait les analyses de sang aujourd'hui et qu'on a des accès de somnambulisme cette nuit, on pourra en tirer des conclusions.

— Peut-être que finalement à quelque chose malheur est bon, dit Gloria. En arrêtant l'Ultra, on pourra suivre sa concentration dans le sang et les urines et la mettre en relation avec des effets psychologiques résiduels. Tout le monde devrait être sensible à un éventuel symptôme dépressif en cas de contrecoup. Les études sur les singes ont montré qu'il n'y avait aucun symptôme de sevrage, mais ça doit être encore confirmé.

— C'est vrai qu'on pourra peut-être tirer parti de l'arrêt de ces essais, dit Edward. En attendant, il nous reste énormément de travail à faire. Et il va sans dire également que jusqu'à ce que nous ayons pu isoler le problème et l'éliminer, tout ce qui s'est dit ici doit rester absolument secret.

Kim regarda le réveil, incrédule. Presque dix heures. Jamais elle n'avait dormi aussi tard depuis ses années d'université.

Assise sur le bord de son lit, elle se rappela soudain l'épisode effrayant de l'appentis. Elle avait été terrifiée, et avait eu après le plus grand mal à s'endormir. Au bout de deux heures, elle s'était résignée à prendre à nouveau un demi-Xanax. Un peu rassérénée, elle avait alors songé à la lettre de Thomas Goodman, dans laquelle celui-ci décrivait la façon dont Elizabeth s'était réfugiée dans l'appentis, en proie, sans aucun doute, aux effets du champignon. Était-ce vraiment une coïncidence si elle aussi s'était réfugiée dans le même appentis ?

Elle se doucha, s'habilla, prit son petit déjeuner, et éprouva alors une violente angoisse. Elle n'avait pas envie de prendre de médicaments, et ne se sentait pas la force d'aller trier des documents au château. Elle avait besoin de parler à quelqu'un, de voir des gens, et à cet égard les ressources qu'offrait la grande ville commençaient à lui manquer.

Elle appela plusieurs amis à Boston, mais ne tomba que sur des répondeurs. Elle laissa plusieurs fois son numéro, sans s'attendre à recevoir de réponses avant le soir. Ses amis étaient des gens actifs, et il y avait beaucoup de choses à faire un dimanche d'automne à Boston !

Éprouvant une furieuse envie de quitter la propriété, Kim

composa le numéro de Kinnard. Elle ne savait pas très bien quoi lui dire, et elle espérait presque qu'il ne fût pas là. Malheureusement, il répondit à la seconde sonnerie.

Ils échangèrent quelques plaisanteries. Kim était nerveuse. Elle tenta de le dissimuler, sans grand succès.

— Tu vas bien? demanda finalement Kinnard. Tu as l'air un peu bizarre.

L'esprit embrouillé, paralysée par l'émotion, Kim cherchait ses mots sans les trouver.

— Le fait de ne rien dire est en soi une réponse, dit Kinnard. Quelque chose ne va pas. Est-ce que je peux t'aider?

Kim dut faire un effort pour retrouver la maîtrise de soi.

— Oui, tu peux m'aider. J'ai besoin de quitter Salem. J'ai appelé plusieurs amies, mais aucune n'était chez elle. Je pensais aller à Boston et passer la nuit là-bas puisque je dois travailler demain matin.

— Tu pourrais venir ici. Je viens de retirer de la chambre d'ami ma bicyclette d'exercice et des piles de magazines médicaux : elle n'attend plus que toi. En plus, j'ai un jour de congé. On pourrait passer le temps de façon agréable.

— Tu crois vraiment que c'est une bonne idée?

— Je saurai me tenir, si c'est ce qui t'inquiète, répondit Kinnard en riant. Allez, allez, je crois que ça te fera du bien de quitter ta banlieue, ne serait-ce qu'une journée et une soirée.

— Bon, d'accord!

— Fabuleux! Bon, à quelle heure tu comptes être ici?

— Dans une heure, ça te va?

— A tout à l'heure.

Kim raccrocha. Elle alla préparer son sac, sans oublier son uniforme d'infirmière pour le lendemain, remplit la gamelle de Sheba et changea sa caisse.

Après quoi elle se rendit au labo en voiture. Avant d'entrer, elle se demanda s'il fallait dire à Edward qu'elle allait chez Kinnard. Elle décida finalement de ne pas le lui dire mais de ne pas le cacher non plus s'il lui posait la question.

L'atmosphère dans le laboratoire était encore plus intense que lors de sa précédente visite. Les chercheurs la saluèrent, mais presque distraitement, tant ils étaient absorbés par leur travail.

A tout prendre, Kim préférait cette attitude. Elle n'avait aucune envie de subir un cours magistral sur quelque expérience ésotérique.

Elle trouva Edward à son imprimante. Il lui sourit, mais lui aussi de façon distraite ; de toute évidence, seules comptaient les données que débitait sa machine.

— Je vais aller passer la journée à Boston, dit-elle d'un ton léger.

— Très bien.

— J'y resterai pour la nuit. Je peux te laisser un numéro, si tu veux.

— Non, inutile. S'il y a un problème, tu n'as qu'à m'appeler. Je serai ici, comme d'habitude.

Kim lui dit au revoir et se dirigea vers la porte. Edward la rappela.

— Excuse-moi d'être si peu disponible. Il y a des urgences, là, dans le travail.

— Je comprends.

Mais sur le visage d'Edward, elle découvrit une sorte de gêne qu'elle n'avait plus vue depuis longtemps.

En quittant la propriété au volant de sa voiture, elle songea à la soudaine réserve d'Edward. C'était comme si sa personnalité d'autrefois réémergeait : celle-là même qui l'avait attirée lors de leur première rencontre.

Mais Kim ne tarda pas à se détendre. Le temps y contribuait. C'était une chaude journée d'été indien, et çà et là, les arbres laissaient deviner leur prochaine splendeur d'automne. Le ciel était si bleu qu'il ressemblait à un vaste océan.

Kim n'eut aucun mal à trouver une place sur Revere Street, à quelque distance de l'appartement de Kinnard, mais l'angoisse s'empara de nouveau d'elle lorsqu'elle appuya sur le bouton de la sonnette. Kinnard, qui s'en aperçut, fit tout pour la mettre à l'aise, et porta lui-même son sac dans la chambre d'ami, qu'il avait visiblement pris le temps de ranger et de nettoyer.

Ils partirent ensuite faire une promenade en ville, et pendant quelques heures Kim oublia Omni, l'Ultra et Elizabeth. Ils déjeunèrent dans un restaurant italien de North End et allèrent prendre un espresso dans un café italien.

Puis ce furent les boutiques de Filene's Basement, où Kim eut la surprise de trouver une grande jupe de chez Saks Fifth Avenue.

Ils allèrent ensuite flâner dans les Jardins de Boston, admirant les fleurs et le feuillage d'automne. Assis sur un banc, ils observèrent les barques glissant autour du lac.

— Je ne devrais peut-être pas dire ça, déclara soudain Kinnard, mais tu m'as l'air un peu fatiguée.

— Oui, ça ne m'étonne pas. Je ne dors pas bien. La vie à Salem n'est pas particulièrement idyllique.

— Tu n'aurais pas envie de m'en parler ?

— Pas pour l'instant. Tout ça est encore trop embrouillé.

— Je suis content que tu sois venue, tu sais.

— Dis, soyons clairs : je dors dans la chambre d'ami !

— Hé, hé, du calme ! dit Kinnard en levant les deux mains devant lui comme pour se protéger. J'ai très bien compris. Nous sommes amis, je n'oublie pas.

— Excuse-moi. Je dois te sembler à bout de nerfs, mais en réalité ça fait des semaines que je ne me suis pas sentie aussi détendue. (Elle étreignit la main de Kinnard.) Merci pour ton amitié.

Ils quittèrent le parc et descendirent Newburry Street en faisant du lèche-vitrines avant de se livrer au passe-temps favori de Kim : flâner chez les libraires. Kim acheta un roman de Dick Francis et Kinnard un guide de voyage sur la Sicile, où, expliqua-t-il, il avait toujours rêvé d'aller.

En fin d'après-midi, ils s'arrêtèrent dans un restaurant indien où ils dînèrent de délicieux tandoris. Tous deux convinrent que ces plats épicés auraient été encore meilleurs avec de la bière bien fraîche, mais le restaurant ne possédait pas la licence pour les alcools.

Ils regagnèrent Beacon Hill à pied, puis terminèrent la soirée devant un verre de vin blanc très frais. Kim ne tarda pas à avoir sommeil.

Comme elle devait se lever à l'aube pour son travail, elle décida de se coucher tôt. Nul besoin de Xanax ce soir-là, et à peine s'était-elle glissée entre les draps tout propres qu'elle s'endormait d'un sommeil profond.

18

Lundi 3 octobre 1994

Un mois de vacances et elle avait presque oublié à quel point était épuisante une journée aux soins intensifs. Pourtant, elle retrouva avec plaisir l'atmosphère frénétique du travail, le dévouement nécessaire pour soulager les souffrances, sans parler de la camaraderie née du labeur partagé.

Kinnard vint plusieurs fois au cours de la journée, avec des patients qui sortaient de salle d'opération. Kim le remercia encore de lui avoir offert la meilleure nuit de sommeil qu'elle avait connue depuis bien longtemps, tandis que Kinnard renouvelait son invitation.

Kim aurait volontiers accepté; après l'isolement de ces deux derniers mois à Salem, elle avait en effet apprécié cette journée à Boston et commençait à éprouver une certaine nostalgie pour l'époque où elle y vivait. Mais, outre le fait qu'elle était de garde cette nuit-là, elle sentait bien qu'il fallait rentrer à Salem. Edward ne serait pas plus disponible pour elle, elle ne se faisait guère d'illusions, mais elle le ressentait comme une manière d'obligation.

Sa journée de travail terminée, Kim prit la Red Line pour Harvard Square. Les trains étaient fréquents à cette heure-là, et vingt minutes plus tard elle gagnait à grands pas la faculté de théologie.

Elle ralentit l'allure lorsqu'elle se rendit compte, brusquement, qu'elle transpirait. Il faisait aussi chaud que la veille, mais le ciel n'avait plus sa transparence cristalline. Aucun vent ne soufflait et un épais couvercle brumeux pesait sur la ville. L'automne ressemblait à l'été, et la météo annonçait de violents orages.

Après avoir demandé son chemin à un étudiant, elle se retrouva bientôt dans le bureau de Gertrude Havermeyer.

— Ah, c'est donc à cause de vous que j'ai perdu mon après-midi entière ! lança la bibliothécaire en guise de bienvenue.

Elle se tenait devant son bureau, les mains agressivement posées sur les hanches, et dévisageait Kim derrière ses lunettes d'acier à triple foyer.

— Excusez-moi de vous avoir causé tout ce dérangement, dit Kim d'un air coupable.

— Depuis que Katherine Sturburg m'a appelée, je n'ai pas eu une minute à moi. Ça m'a pris des heures !

— J'espère au moins que vos efforts n'ont pas été inutiles.

— J'ai trouvé un reçu datant de cette période. Mme Sturburg avait raison : l'œuvre de Rachel Bingham se trouvait d'abord à la bibliothèque de la faculté de droit, et de là elle a été transférée à celle de théologie en 1825, aussitôt après la construction de Divinity Hall. Malheureusement, je n'ai trouvé aucune trace de ce livre, ni dans le fichier informatisé, ni dans le vieux fichier cartonné, ni même dans l'ancien catalogue entreposé à la cave.

— Oh, je regrette de vous avoir donné tout ce travail pour rien, dit Kim.

En dépit de son ton rogue, Mme Havermeyer était en fait une vieille dame des plus charmantes. Un petit sourire éclaira son visage et elle pencha sur le côté sa tête couronnée de cheveux blancs.

— Oh, mais je n'ai pas baissé les bras ! Pas question ! Quand j'entreprends quelque chose, je vais jusqu'au bout. Alors je suis retournée au vieux fichier manuscrit datant des tout premiers temps de la bibliothèque. C'était très fastidieux, mais ma persévérance a été récompensée. J'ai eu de la chance. Cela dit, je n'arrive pas à comprendre pourquoi il n'était pas référencé dans le catalogue général de la bibliothèque.

— Alors il est encore ici? demanda Kim, les yeux brillants.

— Hélas, non! Sans cela, il aurait figuré au fichier informatisé. J'ai seulement appris qu'il avait été transféré à la faculté de médecine en 1826, après avoir passé moins d'un an ici. Apparemment, on ne savait pas où le ranger. C'est d'autant plus mystérieux qu'il n'y a aucune indication concernant cet ouvrage.

— La plaisanterie commence à devenir saumâtre, fit Kim.

— Allez, courage! J'ai appelé John Moldavian, à la bibliothèque de médecine Countway, c'est lui qui s'occupe des livres rares et des manuscrits. Je lui ai raconté votre histoire, et il m'a promis qu'il ferait les recherches nécessaires.

Kim remercia Mme Havermeyer et se rendit directement à la bibliothèque de médecine.

John Moldavian semblait très à l'aise dans son rôle de bibliothécaire. C'était un homme aux manières délicates, à la voix douce, et dont l'amour des livres transparaissait immédiatement dans la façon dont il les tenait.

Kim se présenta en lui rappelant le nom de Gertrude Havermeyer.

— J'ai quelque chose pour vous, dit-il aussitôt. Ah, mais bon sang, où donc l'ai-je mis?

Kim le regarda fourrager dans ses papiers. Son fin visage disparaissait presque derrière ses grosses lunettes à monture noire, et sa mince moustache semblait presque trop parfaite, comme dessinée au crayon à sourcils.

— L'ouvrage de Rachel Bingham se trouve-t-il encore à la bibliothèque? demanda Kim.

— Non, il n'est plus là. (Soudain, son visage s'éclaira.) Ah! voilà ce que je cherchais.

Il brandit une feuille de papier.

— J'ai cherché dans les documents de la bibliothèque relatifs à l'année 1826, reprit Moldavian, et j'ai trouvé la trace de votre ouvrage.

– Laissez-moi deviner... Il a été envoyé ailleurs.

Moldavian la regarda par-dessus le papier qu'il tenait à la main.

– Comment avez-vous deviné?

Elle se mit à rire.

– Oh, question d'habitude. Où a-t-il été transféré?

– Au département d'anatomie. Aujourd'hui, évidemment, c'est le département de biologie cellulaire.

– Mais enfin, pourquoi est-ce qu'on l'a envoyé là-bas?

– Je n'en ai pas la moindre idée. Le document que j'ai trouvé était d'ailleurs étrange. C'était une carte griffonnée à la main, qui devait être attachée à l'ouvrage en question, livre, manuscrit ou dessin. Je vous en ai fait une copie.

Il tendit le papier à Kim, qui se tourna vers la fenêtre pour mieux y voir. *Curiosité de Rachel Bingham, 1691.* Elle se rappela alors qu'en 1764, le grand incendie de Harvard avait détruit, entre autres choses, le « dépôt d'objets curieux ». Se pouvait-il que la « curiosité » de Rachel Bingham eût échappé aux flammes? Songeant aussi à la lettre de Jonathan à son père, Kim en conclut que c'était lui qui avait rédigé cette carte. Elle l'imaginait écrivant nerveusement sur le bout de carton, paniqué à l'idée qu'on le surprenne dans la chambre du tuteur. Nul doute que, pris sur le fait, il eût été chassé de l'université.

– J'ai appelé le président du département, dit Moldavian, interrompant les pensées de Kim, et il m'a adressé à un certain Carl Nebolsine, conservateur du musée Warren d'anatomie. Celui-ci m'a alors répondu de venir le voir au bâtiment administratif.

– Vous voulez dire qu'il l'a?

– Apparemment. Le musée Warren se trouve au cinquième étage du bâtiment A, en face de la bibliothèque. Vous voulez y aller?

– Et comment!

Moldavian prit son téléphone.

361

— Voyons si M. Nebolsine est encore là. Il y était il n'y a pas longtemps, mais je crois qu'il a plusieurs bureaux. Il s'occupe de différents musées et de différentes collections à Harvard.

Moldavian s'entretint brièvement avec son interlocuteur, puis raccrocha.

— Vous avez de la chance. Il est encore là, et il peut vous recevoir au musée si vous y allez tout de suite.

— J'y vais.

Elle remercia John Moldavian et gagna le bâtiment A, édifice de style néoclassique au fronton massif soutenu par des colonnes doriques. Un garde l'arrêta à l'entrée, mais la laissa passer lorsqu'elle brandit sa carte de l'hôpital général du Massachusetts.

Au cinquième étage, elle découvrit le musée : un alignement de vitrines plaquées contre un mur, et contenant le bric-à-brac habituel : instruments de chirurgie primitifs, vieilles photographies, spécimens pathologiques, squelettes, dont l'un arborait un trou sous l'orbite de l'œil gauche et le haut du front.

— Intéressant, n'est-ce pas ?

Kim se retourna et découvrit un homme beaucoup plus jeune qu'elle ne l'aurait cru pour un conservateur de musée.

— Vous devez être Kimberly Stewart. Je suis Carl Nebolsine. (Ils se serrèrent la main.) Vous voyez cette baguette, dit-il en montrant une tige métallique d'environ un mètre cinquante de long. Elle servait à bourrer de poudre et d'argile un trou, une sape, pour faire sauter quelque chose. Un jour, il y a environ cent ans, cette tige a traversé la tête de cet homme. (Il montra le squelette.) Ce qui est sidérant, c'est que l'homme a survécu.

— Dans quel état ?

— On dit qu'après il avait un fichu caractère, mais ça se comprend.

Kim regarda les autres objets exposés et aperçut quelques livres à l'extrémité de la vitrine.

– Je crois que vous vous intéressez à la pièce de Rachel Bingham, dit le conservateur.

– Elle est là?

– Non. Elle se trouve en bas, dans les réserves. Peu de gens la demandent, et nous manquons de place pour tout exposer. Vous voulez la voir?

– Oui, oui.

Ils gagnèrent le sous-sol par un ascenseur, et suivirent un chemin en labyrinthe que Kim aurait été bien incapable de refaire en sens inverse. Nebolsine ouvrit une lourde porte métallique et alluma les lumières, des ampoules nues.

La pièce était remplie de vieilles vitrines poussiéreuses.

– Désolé pour le désordre et la saleté, dit le conservateur. On ne descend pas souvent ici.

Kim le suivit et ils passèrent devant les vitrines exhibant ossements, livres, instruments et organes conservés dans des bocaux. Soudain, Nebolsine s'immobilisa devant une vitrine qu'il désigna d'un geste.

Kim recula d'un pas, frappée d'horreur. Dans un grand bocal rempli d'un liquide brunâtre se trouvait un fœtus âgé de quatre ou cinq mois. Un fœtus de monstre.

Ignorant la réaction de Kim, le conservateur ouvrit la vitrine et avança le bocal sur l'étagère, faisant danser son contenu de façon grotesque, et détachant de minuscules morceaux de chair qui se mirent à descendre lentement comme les flocons de neige dans les presse-papiers transparents.

La main sur la bouche, Kim contemplait le fœtus anacéphalique, au crâne plat, dépourvu de cerveau, avec son palais fendu qui lui étirait les lèvres jusqu'au nez. Pressés contre les parois de verre du bocal, ses traits étaient en outre déformés, et ses gros yeux globuleux lui donnaient l'allure d'une grenouille. La mâchoire massive était totalement disproportionnée par rapport au reste du visage, et les membres supérieurs se terminaient par des mains aplaties dont certains doigts étaient reliés par une membrane, ce qui leur donnait l'aspect de sabots fourchus. Enfin, le coccyx se prolongeait par une longue queue, en forme de queue de poisson.

— Vous voulez que je le descende pour que vous puissiez mieux l'observer? demanda Nebolsine.

— Non! s'écria-t-elle, un peu trop vivement.

Puis, d'un ton plus calme, elle ajouta qu'elle le voyait parfaitement là où il était.

Kim comprenait à présent comment au XVIIᵉ siècle on avait pu prendre la malheureuse créature pour une incarnation du diable. D'ailleurs, elle avait vu des gravures de l'époque représentant le Malin de façon identique.

— Voulez-vous au moins que je tourne le bocal de façon que vous puissiez voir l'autre côté?

— Non, merci, dit Kim en reculant inconsciemment d'un pas.

Voilà pourquoi les facultés de droit et de théologie n'avaient su qu'en faire. Kim se rappela alors ce qu'avait écrit Elizabeth à propos de « Job l'innocent ». Il ne s'agissait pas d'une référence biblique. Se sachant enceinte, Elizabeth avait déjà donné à son futur bébé le prénom de Job, qui devait se révéler tragiquement approprié.

Kim remercia le conservateur et regagna la gare d'un pas mal assuré. Les événements de l'époque défilaient dans son esprit. Lorsqu'elle avait donné le jour à ce monstre, les gens avaient été d'autant plus enclins à y voir la manifestation d'un pacte avec le diable que les premières « attaques » avaient eu lieu dans sa maison avant de se répandre dans les familles à qui Elizabeth avait donné du pain empoisonné. Le caractère entier d'Elizabeth, sa querelle malvenue avec les Putnam et les jalousies suscitées par son ascension sociale n'avaient fait qu'envenimer les choses.

Elle récupéra sa voiture à l'hôpital et se mit en route pour Salem. Elle commençait à comprendre pourquoi Elizabeth avait refusé d'avouer, comme Ronald l'avait sans aucun doute suppliée de le faire. Elle savait bien qu'elle n'était pas une sorcière, mais amis, pasteurs, magistrats se liguaient contre elle, ce qui avait dû affaiblir à ses propres yeux la conviction qu'elle avait de son innocence. Son mari absent, Elizabeth s'était retrouvée sans aucun appui, et avait dû finir par se croire coupable de quelque abominable forfait contre Dieu. Comment expliquer, sans cela, la naissance d'une telle créature démoniaque? Peut-être même avait-elle pensé que son sort était mérité.

Elle se retrouva coincée dans les embouteillages sur Storrow Drive, alors que la chaleur était devenue insupportable. L'angoisse commença de l'envahir.

Elle réussit pourtant à quitter le goulot d'étranglement aux feux de Leverett Circle, et prit la route inter-États 93 en direction du nord. Cette soudaine libération la libéra du même coup de ses angoisses. On eût dit que la découverte brutale de la créature monstrueuse délivrait en même temps le message qu'Elizabeth cherchait à lui transmettre à travers les siècles. A savoir que Kim devait croire en elle-même. Ne pas perdre confiance à cause de ce que pensaient les autres, comme cela avait été le cas pour la malheureuse Elizabeth. Les figures de l'autorité ne devaient plus avoir barre sur sa vie. A l'époque, Elizabeth n'avait pas eu le choix, ce qui n'était plus vrai pour Kim.

Les pensées se bousculaient en elle. Elle se rappela les longues heures passées à discuter de son autodépréciation avec Alice McMurray. Celle-ci lui avait fait part de ses théories pour en expliquer l'origine : l'indifférence de son père, ses vaines tentatives à elle pour lui plaire, la passivité de sa mère face aux multiples aventures féminines de son mari. Soudain, tout cela lui sembla bien banal, comme si ces explications visaient quelqu'un d'autre. Les paroles de sa thérapeute n'avaient jamais réussi à la toucher comme le faisait la découverte du supplice d'Elizabeth.

Désormais, tout lui semblait clair. Peu importait, au fond, que le peu d'estime qu'elle se portait vînt de l'histoire familiale, d'un tempérament effacé ou d'un mélange des deux. La réalité c'était que, dans sa vie, jamais elle n'avait tenu compte de son propre intérêt. Le choix de son métier offrait à cet égard un exemple parfait, et il en allait de même pour ce qu'elle vivait actuellement.

La décision s'imposait tout naturellement. Il fallait changer de vie. D'abord, et bien qu'ils n'aient plus guère de relations, ne plus permettre à son père de décider de tout. Même chose pour Edward, qui ne vivait avec elle que de façon tout à fait superficielle et tirait avantage de leur relation sans rien donner en échange. Le laboratoire ne devait pas être installé sur sa propriété, et les chercheurs n'avaient pas à vivre dans la maison familiale des Stewart.

Il fallait en parler sans tarder avec lui, et lui annoncer en outre que l'Ultra avait des effets tératogènes. Une telle nouvelle était de première importance pour l'étude d'un nouveau médicament, car les produits tératogènes ont bien souvent, également, des effets cancérigènes.

Il était près de sept heures lorsque Kim arriva à la propriété. Les nuages s'amoncelaient vers l'ouest et il faisait plus sombre que les autres jours à la même heure. Au laboratoire, on avait déjà allumé les lumières. Elle descendit de voiture et, après un instant d'hésitation, pénétra dans le bâtiment.

Dès qu'elle eut refermé la porte derrière elle, Kim se rendit compte que l'atmosphère avait encore changé. David et Gloria l'avaient certainement vue entrer, comme Eleanor peut-être, mais aucun ne la salua. Ils se détournèrent ostensiblement et l'ignorèrent. Aucun éclat de rire dans ce laboratoire, aucune conversation. La tension était presque palpable.

L'estomac noué, Kim se mit à la recherche d'Edward, qu'elle trouva dans un coin sombre, devant son ordinateur. La pâle lueur verte de l'écran éclairait son visage de façon irréelle.

Kim demeura quelques instants à ses côtés sans rien dire, craignant de l'interrompre. Elle remarqua que ses doigts tremblaient sur les touches du clavier, et qu'il respirait plus rapidement qu'elle.

Pendant plusieurs minutes, Edward l'ignora.

– S'il te plaît, Edward, dit-elle enfin. J'ai besoin de te parler.

– Plus tard, dit-il sans même lui accorder un regard.

– C'est important, il faut que je te parle tout de suite.

Il bondit sur ses pieds, et sa chaise de bureau, montée sur roulettes, alla heurter violemment une armoire. Il approcha son visage si près du sien qu'elle pouvait voir le blanc de ses yeux strié de veinules rouges.

– J'ai dit plus tard! lança-t-il entre ses dents serrées, dressé face à elle en une attitude de défi.

Kim recula et heurta la paillasse. Maladroitement, elle voulut s'appuyer dessus et renversa un vase à bec qui alla s'écraser sur le sol.

Pétrifiée, Kim observa Edward. Il se comportait comme ce jour où il avait jeté un verre de vin contre le mur, dans son appartement de Cambridge. Il avait dû se passer quelque chose de grave au laboratoire pour qu'ils fussent tous ainsi à bout de nerfs.

Finalement, il lui sembla qu'Edward retrouvait une certaine maîtrise de soi.

– Désolée de t'avoir interrompu, dit-elle alors, visiblement, ce n'était pas le moment. Je serai au cottage. J'ai besoin de te parler, tu n'auras qu'à venir quand tu le pourras.

Elle tourna les talons et s'éloigna de quelques pas avant de se retourner.

– J'ai appris aujourd'hui quelque chose que tu devrais savoir, dit-elle. Je crois que l'Ultra pourrait avoir des effets tératogènes.

– On fera des essais sur des rattes et des souris enceintes, dit Edward d'un air las. Mais pour l'instant, on a un problème plus urgent à régler.

Kim remarqua alors une ecchymose sur la tempe gauche d'Edward, puis s'aperçut qu'il avait aux mains le même genre de coupures que Curt.

Instinctivement, elle s'approcha pour examiner sa blessure à la tête et tendit la main vers lui.

— Tu t'es blessé.

— Ce n'est rien, dit-il en écartant brutalement sa main.

Il alla chercher sa chaise et se rassit devant son ordinateur.

Kim quitta le laboratoire bouleversée ; le comportement d'Edward était décidément imprévisible. Dehors, il faisait beaucoup plus sombre. Pas un souffle d'air. Les feuilles des arbres semblaient pétrifiées. Quelques oiseaux volaient dans le ciel menaçant, à la recherche d'un abri.

Tandis qu'elle montait en voiture, des éclairs quadrillèrent le ciel comme de gigantesques toiles d'araignée. Aucun coup de tonnerre. Pour couvrir la courte distance la séparant du cottage, elle alluma ses phares.

Une fois rentrée chez elle, elle se rendit au salon et leva les yeux vers le portrait d'Elizabeth, éprouvant à l'égard de son aïeule un mélange de compassion, d'admiration et de gratitude. Après avoir contemplé quelques instants ces brillants yeux verts, Kim commença de se détendre. L'épisode avec Edward, au laboratoire, n'était qu'un contretemps ; elle lui parlerait.

Puis elle se mit à errer un peu au hasard dans cette maison où Elizabeth avait vécu, et ne put s'empêcher de se dire qu'avec Kinnard, la vie eût été différente.

Puis une soudaine colère s'empara d'elle, et elle dut reconnaître que la cupidité croissante d'Edward lui répugnait, comme lui répugnait cette nouvelle personnalité, fruit de l'Ultra. La lucidité, l'assurance et la bonne humeur nées des médicaments, elle n'en voulait pas. Tout cela était faux. L'idée même d'une psychopharmacologie cosmétique la dégoûtait.

Ayant reconnu la nature exacte de ses sentiments envers Edward, Kim se prit à songer à Kinnard et en vint à la conclusion qu'elle portait une sérieuse part de responsabilité dans leurs récents déboires.

Kim poussa un soupir. Elle était épuisée, aussi bien mentalement que physiquement. Pourtant, une manière de calme s'était imposé à elle et, pour la première fois depuis des mois, elle ne se sentait plus rongée par une angoisse d'autant plus torturante qu'elle était vague et sans objet. Sa vie présente ressemblait à un champ de ruines ; elle se sentait obligée de changer. Changer au plus profond d'elle-même.

Kim, alors, s'offrit un très long bain, luxe qu'elle ne s'était plus autorisé depuis bien longtemps. Après quoi, elle enfila un jogging confortable et se prépara à dîner.

Après dîner, elle se prit à regarder par la fenêtre en direction du laboratoire, se demandant à quoi pensait Edward et quand elle le verrait.

Détachant son regard du laboratoire, elle remarqua que les silhouettes noires des arbres étaient parfaitement immobiles : aucun souffle de vent ne venait les agiter. La tempête qui paraissait imminente à son arrivée semblait s'être arrêtée à l'ouest. Au même moment, comme pour la démentir, un éclair zébra l'obscurité, suivi par un lointain grondement de tonnerre.

Elle se tourna à nouveau vers le portrait d'Elizabeth, songeant à ce fœtus monstrueux nageant dans le formol. Un frisson la parcourut. Il n'était pas étonnant qu'à l'époque d'Elizabeth les gens aient cru à la magie, à la sorcellerie, ne disposant pas d'autres explications pour des événements aussi déroutants.

Kim s'approcha du tableau pour étudier les traits d'Elizabeth. Son caractère décidé se lisait dans le dessin de la mâchoire, celui des lèvres, dans l'éclat du regard. S'agissait-il de traits innés ou acquis ?

Elle songea alors à son propre esprit de décision (qu'elle attribuait à l'influence d'Elizabeth) et se demanda s'il ne s'agissait que d'un feu de paille. Pourtant, elle sentait bien que quelque chose, en elle, avait changé. Avant, par exemple, elle n'aurait jamais osé se rendre au laboratoire comme elle l'avait fait.

Au cours de la soirée, Kim commença à se dire que le moment était venu pour elle de changer de métier. Avec son héritage, elle ne pouvait plus désormais s'abriter derrière les questions d'argent. Son tempérament d'artiste ne demandait qu'à s'épanouir.

En fouillant dans trois cents ans de papiers de famille, elle avait été frappée par le fait que les Stewart avaient peu contribué à l'histoire artistique de leur temps. Ni artiste, ni écrivain, ni musicien dans la famille. Malgré leur fortune, ils n'avaient ni rassemblé de collection de tableaux, ni financé d'orchestre philharmonique ou de bibliothèque. En fait, sauf à considérer l'esprit d'entreprise comme une culture en soi, ils n'avaient apporté aucune contribution à la culture.

A neuf heures, Kim était épuisée. Elle songea un instant à retourner au laboratoire mais y renonça. Si Edward voulait parler, il n'avait qu'à venir à la maison. Sur un bout de papier collé au miroir de la salle de bains, elle écrivit ces quelques mots : « Je serai levée à cinq heures. On pourra parler à ce moment-là. »

Après avoir fait faire une brève promenade à Sheba, elle monta se coucher. Elle ne songea même pas à lire et n'eut besoin d'aucun somnifère pour s'endormir en quelques minutes.

19

Mardi 4 octobre 1994

Un énorme coup de tonnerre réveilla Kim au beau milieu d'un rêve. La maison résonnait encore du fracas de la détonation lorsqu'elle se rendit compte qu'elle était assise dans son lit. Sheba, elle, avait déjà sauté à terre et s'était réfugiée sous le sommier.

Après ces quelques roulements de tonnerre vinrent la pluie et le vent. Comme s'il avait été trop longtemps contenu, l'orage s'abattait avec une férocité inouïe. D'énormes gouttes martelaient en rafales le toit d'ardoises et la moustiquaire d'une des fenêtres demeurées ouvertes.

Kim bondit sur ses pieds et alla la fermer ; le vent, déjà, poussait des paquets de pluie à l'intérieur de la chambre. Au moment où elle fermait la fenêtre, un éclair frappa l'une des tourelles du château, illuminant toute la propriété de sa lumière bleue.

Elle aperçut alors une silhouette fantomatique qui traversait en courant la prairie. Elle ne l'avait vue qu'un bref instant, mais il lui sembla qu'il s'agissait d'Eleanor.

Nouveau roulement de tonnerre. Elle attendit un autre éclair, mais rien ne vint.

Elle se précipita alors dans la chambre d'Edward pour le prévenir. La personne – Eleanor ? – qui courait ainsi en pleine nuit sous l'orage ne risquait pas seulement d'être foudroyée : il y avait aussi cette bête enragée qui rôdait aux alentours.

La chambre d'Edward était plongée dans l'obscurité, mais elle l'entendait respirer bruyamment. Elle l'appela plusieurs fois, de plus en plus fort, en vain.

Un éclair, alors, illumina la pièce, et elle vit Edward allongé sur le dos, bras et jambes en croix, en sous-vêtements. Pourtant, il n'avait pas eu le temps de se déshabiller complètement, gardant encore enfilée une jambe de son pantalon.

Kim rentra la tête dans les épaules dans l'attente du coup de tonnerre. Elle n'avait pas tort : on eût dit que l'orage éclatait directement au-dessus de la propriété.

Elle alluma la lumière du couloir pour éclairer la chambre, et se pencha sur le lit d'Edward. Elle le secoua doucement mais le rythme de sa respiration ne se modifia même pas. Elle le secoua plus fort. Toujours rien. Il avait l'air plongé dans le coma.

Elle alluma la lampe de chevet. Edward était l'image même de la tranquillité. Il avait le visage détendu, la bouche ouverte. Kim posa une main sur chaque épaule et le secoua avec insistance en l'appelant d'une voix forte.

Sa respiration, alors, changea, et il ouvrit les yeux.

– Edward, tu es réveillé ?

Elle le secoua si fort que sa tête roula de droite et de gauche.

Edward semblait hébété, désorienté. Et puis il remarqua la présence de Kim. Elle le tenait toujours par les épaules.

Les pupilles d'Edward se dilatèrent comme celles d'un chat sur le point de bondir. Puis ses yeux se rétrécirent jusqu'à atteindre la largeur d'une fente, tandis que ses lèvres se retroussaient comme des babines d'animal. Son visage, détendu quelques instants auparavant, était à présent tordu par la rage.

Horrifiée par cette soudaine métamorphose, Kim recula. Edward poussa alors un grognement sourd, s'assit sur le rebord de son lit et la regarda fixement, sans ciller.

Mais avant qu'il ait bondi sur elle, elle avait déjà gagné la porte. Elle l'entendit s'affaler par terre : il avait dû trébucher à cause de sa jambe de pantalon. Kim claqua le battant derrière elle et dévala l'escalier.

Dans la cuisine, elle se précipita sur le téléphone et composa le 911. Au même moment, elle entendit la porte de la chambre, au premier, s'ouvrir avec violence et Edward se précipiter dans l'escalier.

Terrifiée, Kim lâcha le téléphone et courut jusqu'à la porte de derrière. Jetant un coup d'œil par-dessus son épaule, elle aperçut Edward qui s'était cogné contre la table du salon et la repoussait brutalement sur le côté. Il semblait totalement hors de lui.

Kim se rua dehors, sous la pluie qui tombait par paquets. Trouver de l'aide. Au château. Elle se lança dans la prairie.

Un éclair illumina soudain le paysage, détachant la silhouette du château contre l'obscurité. Le tonnerre se fit entendre aussitôt après, résonnant contre la façade à présent plongée dans le noir. Kim sentit un peu de réconfort en apercevant des fenêtres éclairées, dans l'aile des domestiques.

Arrivée sur l'allée de gravier, Kim fut forcée de ralentir l'allure, car elle était pieds nus. En approchant du faux pont-levis, elle vit que l'entrée principale était ouverte.

Hors d'haleine, elle s'y engouffra. La grande salle était vaguement éclairée par les hautes fenêtres donnant au sud : les lumières des villes avoisinantes se reflétaient en effet sur le couvercle de nuages qui pesait sur la région.

Kim se dirigeait vers la cuisine qui donnait sur l'aile des domestiques lorsqu'elle heurta Eleanor qui venait en sens inverse. La jeune femme portait, collée à la peau, une chemise de nuit blanche, trempée.

Kim s'immobilisa, paralysée. Elle savait à présent qu'elle ne s'était pas trompée : c'était bien Eleanor qu'elle avait vue courir dans la prairie. Elle voulut la mettre en garde contre Edward mais ses mots s'étranglèrent dans sa gorge lorsqu'elle distingua mieux les traits de son visage dans la faible lumière.

Elle arborait la même expression de bête féroce qu'Edward. Pis, sa bouche dégoulinait de sang, comme si elle venait de dévorer de la viande crue.

Pendant ce temps-là, Edward l'avait rattrapée. Soufflant bruyamment, il pénétra dans la pièce et aperçut tout de suite Kim. Il était vêtu seulement d'un tee-shirt et d'un caleçon, couverts de boue, et ses cheveux trempés étaient plaqués sur son crâne. Une sauvagerie bestiale se lisait sur ses traits.

Il s'avança vers elle, mais s'immobilisa brusquement en apercevant sa collègue de laboratoire. Délaissant Kim, il s'approcha d'Eleanor, lentement, la tête levée, humant l'air. Eleanor fit de même et ils se mirent à tourner l'un autour de l'autre, comme deux bêtes sauvages se flairant pour s'assurer que l'autre n'est pas un prédateur.

Doucement, Kim s'éloigna. Dès qu'elle vit la voie libre, elle s'élança, mais son mouvement brusque attira l'attention des deux autres. Comme mus par un réflexe de carnivores, ils se jetèrent à sa poursuite.

Tout en courant, Kim jetait derrière elle, l'une après l'autre, les chaises qui se trouvaient à sa portée. Le stratagème réussit mieux qu'elle ne l'aurait cru. Ses deux poursuivants s'affalèrent en poussant des cris affreux. En pénétrant dans la cuisine, elle jeta un coup d'œil par-dessus son épaule : ils s'étaient relevés et repartaient en chasse.

Kim se mit à hurler en atteignant l'aile des domestiques et se précipita dans l'escalier menant au premier. Sans hésiter, elle pénétra dans la chambre qu'elle savait occupée par François. Il dormait dans son lit, la lumière allumée.

Elle l'appela en criant, le secoua frénétiquement, mais il ne se réveilla pas. Elle se rappela alors qu'elle avait eu la même difficulté à réveiller Edward, et se pétrifia sur place.

Elle fit un pas en arrière. François ouvrit doucement les yeux. Et, comme celui d'Edward, son visage se transforma de façon atroce. Ses yeux se rétrécirent, il retroussa les lèvres sur ses dents. Un feulement inhumain monta de sa gorge. Une seconde plus tard, il n'était plus qu'un animal fou de rage.

Kim voulut fuir, mais Edward et Eleanor se tenaient dans l'encadrement de la porte, lui bloquant le passage. Elle se rua alors dans le petit salon contigu et de là gagna le couloir. Puis elle grimpa au deuxième étage.

Elle s'immobilisa sur le seuil de la chambre, la main sur la poignée de la porte ouverte : Curt et David se tenaient à quatre pattes sur le sol, couverts de boue, les cheveux dégoulinants d'eau. Devant eux, un cadavre de chat à moitié dépecé. Comme Eleanor, ils avaient le visage barbouillé de sang.

Kim claqua la porte. Les autres, déjà, montaient l'escalier. Elle ouvrit la porte donnant sur le corps principal de la maison. Au moins elle connaissait les lieux.

Elle traversa en courant le grand salon, réussissant à éviter chaises, tables et consoles, mais elle finit par se prendre les pieds dans un tapis et s'affala contre la porte donnant sur l'aile des invités. Après avoir bataillé un moment avec la poignée, elle réussit à l'ouvrir et se retrouva dans un couloir obscur. Elle savait qu'il n'y avait aucun meuble, et elle se mit à courir.

Un coup violent dans l'estomac. Le souffle coupé, elle tomba par terre. Elle venait de heurter une table de plein fouet. Un élancement dans le genou droit. Du sang lui coulait le long du bras.

Elle tâtonna autour d'elle et comprit qu'elle avait été arrêtée dans sa course par l'établi et les outils des plombiers.

Kim prêta l'oreille. Dans l'aile des domestiques, on entendait un fracas de portes claquées. Les créatures – pouvait-on encore parler d'êtres humains ? – la cherchaient au hasard. Ils n'avaient pas suivi le seul chemin envisageable, ce qui indiquait qu'ils ne se comportaient pas de façon intelligente, et ne devaient être mus que par leurs instincts.

Elle se releva. Son genou lui faisait très mal et commençait déjà à enfler.

Ses yeux s'habituant à l'obscurité, elle distinguait à présent l'établi et les outils. Elle prit un tuyau pour lui servir d'arme, mais le reposa aussitôt : il était en PVC. Elle choisit alors un marteau mais le remplaça rapidement par une lampe à acétylène et un briquet. Si ces créatures réagissaient par instinct, se dit-elle, elles seraient terrifiées par le feu.

La lampe à la main, Kim gagna du mieux qu'elle put l'escalier de l'aile des invités et regarda par-dessus la balustrade. Les lumières du couloir étaient allumées, mais les bruits semblaient venir de l'autre côté du château.

Elle se mit à descendre les marches mais n'alla pas très loin. Au rez-de-chaussée, au pied de l'escalier, Gloria faisait les cent pas comme un chat guettant une souris. Elle leva alors la tête, aperçut Kim, et avec un petit cri se précipita dans sa direction.

Kim battit en retraite dans le couloir et arriva en haut de l'escalier principal. Derrière elle, un fracas : Gloria avait dû trébucher contre l'établi des plombiers.

Kim descendit l'escalier, plaquée contre la paroi pour ne pas être vue d'en bas. Arrivée au rez-de-chaussée, elle regarda prudemment dans le grand salon. Personne.

Elle traversa la pièce, mais s'immobilisa bientôt. Eleanor se tenait en faction dans le vestibule, exactement comme Gloria au pied des escaliers.

Kim rebroussa chemin sans se faire voir d'Eleanor, mais entendit alors quelqu'un descendre les marches.

Pas le temps de peser le pour et le contre. Kim traversa le salon en courant et se glissa dans les toilettes aménagées sous l'escalier. Elle referma la porte et la verrouilla. Les pas, à présent, se faisaient entendre juste au-dessus d'elle.

Kim tenta de maîtriser sa respiration haletante. Quelques marches de l'escalier craquèrent encore, puis les pas disparurent dans l'épaisseur des tapis orientaux du salon.

Kim était terrifiée. Son genou la faisait souffrir et, pour couronner le tout, elle était trempée, elle avait froid et tremblait de tous ses membres.

Elle se demanda alors si l'état d'animalité apparaissait chez eux uniquement la nuit. Si Edward et les autres s'en étaient aperçus, cela expliquait peut-être le changement d'atmo-sphère au laboratoire. Avec horreur, Kim se rendit compte que les chercheurs étaient probablement responsables des exactions commises dans le voisinage, et qu'on avait mises sur le compte d'un animal enragé et de jeunes vandales.

Tout cela était évidemment dû à l'Ultra. En prenant ce médicament, les chercheurs étaient devenus « possédés » de la même manière que les femmes « affligées » de 1692.

L'espoir demeurait pourtant qu'ils retrouvent la raison avec le jour, comme dans les films d'horreur. Il suffisait à Kim de demeurer cachée en attendant.

Elle posa la lampe à acétylène et le briquet par terre, puis se sécha avec la serviette avant de s'en envelopper les épaules. Puis, pour soulager son genou enflé, elle s'assit sur le siège des toilettes.

Un certain temps s'écoula. Kim n'avait aucun moyen de savoir combien. Tout semblait calme dans la maison. Sou-dain, un fracas de verre brisé la fit sursauter. Apparemment, ils n'avaient pas abandonné leur chasse. Un peu partout, on ouvrait les portes des pièces et des armoires.

Quelques minutes plus tard, des pas se firent à nouveau entendre dans l'escalier : au-dessus d'elle, quelqu'un descen-dait les marches. Lentement. En ménageant de fréquents arrêts. Kim se leva, car elle tremblait si fort qu'elle avait fait plusieurs fois claquer le siège des toilettes contre la porce-laine du réservoir.

Puis il y eut un bruit qu'elle mit un certain temps à identi-fier. Lorsqu'elle y parvint, sa terreur ne fit qu'augmenter. Quelqu'un reniflait, à la façon dont Edward l'avait fait deux nuits auparavant, près de l'appentis. Ne lui avait-il pas dit que le médicament aiguisait ses sens, notamment l'odorat ?

La créature descendit les dernières marches et s'immobilisa devant la porte des toilettes.

Nouveaux reniflements. On manœuvra la poignée de la porte. Kim retint son souffle.

Les minutes s'écoulèrent. Puis il lui sembla que les autres arrivaient. Se rassemblaient.

On frappa à coups de poing sur la porte. C'était une porte intérieure, qui ne tiendrait pas longtemps, elle le savait.

Elle s'accroupit dans l'obscurité et chercha à tâtons la lampe à acétylène. Son pouls s'accélérait. Elle finit par la trouver. Et maintenant le briquet.

Les coups redoublaient sur la porte. Ils étaient nombreux derrière.

Les doigts tremblants, elle alluma le briquet. Puis elle tourna la molette de la lampe à acétylène comme elle l'avait vu faire au plombier. Avec son souffle bruyant, le gaz s'enflamma.

Quelques secondes plus tard, la porte commençait à céder. A travers le bois arraché, des mains sanguinolentes apparurent. Avec horreur, Kim vit la porte se désintégrer.

Comme des bêtes à la curée, les chercheurs voulurent tous se précipiter à l'intérieur en même temps, ne réussissant qu'à s'écraser les uns contre les autres.

Kim brandit la lampe incandescente dans leur direction, illuminant leurs visages tordus par la fureur. Edward et Curt étaient les plus proches d'elle. Leur fureur se transforma en frayeur.

La peur atavique du feu les fit reculer, mais leurs yeux exorbités ne quittaient pas la flamme bleue de la lampe.

Encouragée par leur réaction, Kim sortit des toilettes en brandissant la lampe à bout de bras. Les chercheurs reculèrent. Elle avança un peu plus dans le salon.

Après avoir reculé de quelques pas, les chercheurs commencèrent à se disperser, ce qui compliquait la tâche de Kim. Elle avançait lentement vers le vestibule, mais ils l'encerclaient petit à petit, et pour les tenir à distance elle fut obligée de tourner sur elle-même, la lampe à la main.

La peur abjecte du feu que les créatures avaient manifestée au début commençait à s'estomper, notamment quand la flamme n'était pas dirigée directement sur elles. Certaines s'enhardissaient, notamment Edward.

Alors que Kim brandissait la lampe vers quelqu'un d'autre,

Edward réussit à saisir sa chemise de nuit. Elle braqua aussitôt la flamme sur lui, le brûlant à la main. Il poussa un hurlement effroyable et la lâcha.

Curt, alors, bondit sur elle, mais elle projeta la flamme sur son front, lui brûlant un peu les cheveux. En criant de douleur, il porta les mains à sa tête.

Il ne lui restait plus que six ou sept mètres avant d'atteindre le vestibule, mais à force de tourner sur elle-même le vertige la prenait. Elle se mit alors à tourner à chaque fois d'un côté différent, mais elle réussissait moins bien à tenir les chercheurs à distance.

Profitant d'un moment où elle se tournait, Gloria parvint à la saisir par le bras.

Kim réussit à se dégager, mais elle perdit l'équilibre et le bras qui tenait la lampe vint heurter une table. La lampe glissa sur le sol en marbre et termina sa course contre l'un des immenses rideaux de damas.

Étreignant son bras meurtri de sa main valide, Kim réussit à s'asseoir. Les créatures s'approchaient pour la curée. Avec des hurlements, elles se jetèrent sur elle toutes ensemble, comme des carnassiers fondant sur une proie blessée.

En hurlant elle aussi, Kim se défendit du mieux qu'elle put. Heureusement, l'attaque ne dura que quelques secondes. Une lueur aveuglante accompagnée d'un énorme ronflement sembla clouer les créatures sur place. Kim réussit à se dégager. Une lumière dorée se reflétait sur leurs visages hébétés.

Kim se retourna. Une muraille de flammes s'élevait avec une puissance terrifiante. La lampe à acétylène avait enflammé les rideaux qui brûlaient comme s'ils étaient imprégnés d'essence.

Les créatures émirent à l'unisson une longue plainte. La terreur se lisait dans leurs yeux. Edward fut le premier à s'élancer, suivi instantanément par les autres. Mais au lieu de se diriger vers la porte, ils s'élançaient dans l'escalier.

– Non, non! hurla Kim.

C'était inutile. Non seulement ils ne la comprenaient pas,

mais ils ne l'entendaient même pas. Le rugissement des flammes engloutissait ses paroles comme un trou noir aspirant la matière.

En titubant, Kim se dirigea vers la porte d'entrée. Elle avait du mal à respirer tant la fumée était épaisse.

Une explosion derrière elle la projeta sur le sol. Une douleur fulgurante traversa son bras blessé. Elle hurla. La lampe à acétylène avait dû exploser. Elle se remit debout et s'élança vers la sortie d'un pas mal assuré.

Dehors, le vent soufflait, la pluie tombait à verse. Les dents serrées, souffrant atrocement de son genou et de son bras blessés, elle parvint à gagner l'extrémité de l'aire recouverte de gravier. Elle se retourna alors, protégeant son visage de la chaleur avec son bras. La vieille bâtisse flambait comme de l'amadou. Déjà, on apercevait des flammes par les lucarnes du grenier.

Un éclair illumina brièvement la scène, et Kim eut l'impression de voir une image de l'enfer. Oui, le diable était de retour à Salem !

Épilogue

Samedi 5 novembre 1994

— Où veux-tu aller d'abord ? demanda Kinnard alors qu'ils franchissaient en voiture la grille de la propriété.

— Je ne sais pas, dit Kim, qui avait un bras dans le plâtre.

— Il faut te décider rapidement. Dès qu'on aura dépassé les arbres, on arrivera à l'embranchement.

Kim se tourna vers Kinnard. Diffractée par les arbres, la pâle lumière de l'automne papillotait sur son visage, illuminant ses yeux sombres. Il l'avait soutenue de façon extraordinaire, et elle lui était particulièrement reconnaissante de l'avoir accompagnée ce jour-là. Un mois s'était écoulé depuis cette nuit tragique, et elle revenait sur les lieux pour la première fois.

— Alors ? demanda Kinnard.

— On va au château. Ou plutôt à ce qu'il en reste.

Devant eux se dressaient les sinistres ruines. Ne demeuraient plus debout que les murs de pierre et les cheminées.

Kinnard arrêta la voiture devant le pont-levis qui ne menait désormais qu'à une ouverture de porte vide, noircie par la fumée.

— C'est encore pire que ce que j'imaginais, dit Kinnard en observant la scène sans quitter la voiture. Tu sais, tu n'es pas obligée de continuer si tu n'en as pas envie.

— Si, je le veux. Il faut bien faire face.

381

Ils descendirent de voiture et entreprirent de faire le tour des ruines, sans y pénétrer. Tout avait brûlé, sauf quelques poutres noircies qui ne s'étaient pas entièrement consumées.

— Difficile d'imaginer que certains ont pu en réchapper, dit Kim.

— Deux sur six, ce n'est pas beaucoup, fit observer Kinnard. Et d'ailleurs, ces deux-là ne sont pas encore tirés d'affaire.

Ils atteignirent une petite éminence d'où l'on dominait complètement ce qui restait du château. Kinnard secoua la tête d'un air consterné.

— Quand je pense qu'au début, la police ne t'a pas crue, dit Kinnard, et qu'il a fallu pour ça que les marques de dents sur les os du vagabond correspondent à la denture de l'une des victimes !

— En fait ils ne m'ont vraiment crue que le jour où Edward et Gloria ont subi une de leurs transformations à l'hôpital, au service des grands brûlés. C'est ça qui a emporté leur conviction, pas les marques de dents. Ceux qui ont assisté à cette crise ont attesté qu'elle s'était produite en plein sommeil, et que ni Edward ni Gloria n'en avaient gardé le moindre souvenir. C'étaient les deux points que les enquêteurs avaient le plus de mal à croire.

— Moi, je t'ai crue tout de suite, dit Kinnard en se tournant vers elle.

— C'est vrai. Je te dois ça, et bien d'autres choses encore.

— Il faut dire que je savais déjà qu'ils prenaient un médicament non testé.

— Ça aussi je l'ai dit au procureur dès le début, dit Kim. Mais ça n'a pas eu l'air de lui faire grande impression.

Le regard de Kinnard se porta à nouveau sur les ruines calcinées.

— Cette vieille bâtisse a dû brûler comme un fagot.

— Le feu s'est répandu si vite qu'on aurait cru une explosion, dit Kim.

— C'est extraordinaire que tu aies pu t'en sortir. Ça devait être terrifiant.

– Ce n'était pas l'incendie en lui-même qui était terrifiant, plutôt le reste. Ça, c'était mille fois plus horrible que ce qu'on peut imaginer. Tu ne peux pas savoir ce que ça fait de voir des gens que tu connais dans un tel état d'animalité. Mais ce que j'ai compris, surtout, c'est que prendre des médicaments, que ce soient des stéroïdes pour les athlètes, ou des psychotropes pour modifier le caractère, eh bien, c'est un peu comme le pacte de Faust avec le diable.

– Ça fait des années que la médecine le sait, dit Kinnard. Il y a toujours un risque, même avec les antibiotiques.

– J'espère que les gens s'en souviendront, au moment de prendre des médicaments pour corriger des traits de personnalité, comme la timidité par exemple. Ces médicaments-là vont bientôt arriver, il n'y a pas moyen d'arrêter les recherches. Quant à leur utilisation, il n'y a qu'à voir celle qu'on fait des antidépresseurs depuis qu'ils sont sur le marché.

– Le problème, dit Kinnard, c'est que dans notre société, on finit par croire qu'il y a un médicament pour tout.

– C'est pour ça qu'il risque d'y avoir une autre tragédie comme celle-ci. Avec la demande qui existe pour les psychotropes, c'est inévitable.

– S'il doit y avoir une autre histoire dans le même genre, dit Kinnard en riant, je suis sûr que les marchands de sorcellerie souhaiteront qu'elle ait lieu à Salem. Ton aventure a fait marcher le commerce !

Kim ramassa un bâton et se mit à remuer les cendres d'un air distrait, mettant au jour des bouts de métal tordus par la chaleur.

– Dans cette maison, il y avait l'héritage de douze générations de Stewart, dit Kim. Tout a disparu.

– Ce doit être terrible, pour toi.

– Non, pas vraiment. A part quelques meubles, c'était plutôt de la camelote. En dehors du portrait d'Elizabeth, qui se trouve au cottage, il n'y avait pas un seul tableau valable. La seule chose que je regrette, ce sont les lettres et les papiers que j'avais découverts. Il n'en reste que les deux photocopies qui ont été faites à Harvard. C'est la seule preuve qu'Elizabeth a bien été mêlée à l'affaire des sorcières de Salem, mais ça ne suffira pas à convaincre les historiens, j'en ai peur.

Ils demeurèrent un moment sans rien dire, à contempler les ruines calcinées ; finalement, Kinnard proposa qu'ils s'en aillent. Kim opina du chef. Ils remontèrent en voiture et gagnèrent le laboratoire.

Les locaux étaient entièrement vides. Kinnard s'en étonna.

– Je croyais que c'était un laboratoire. Où est donc le matériel ?

– J'ai dit à Stanton de le déménager immédiatement, sinon je donnerais tout à une œuvre de charité.

Kinnard fit semblant de jouer au basket. Le bruit de ses pas se répercutait dans la grande salle vide.

– Tu pourrais la transformer en salle de gym, dit-il.

– Je crois que je préférerais en faire un atelier.

– Tu es sérieuse ?

– Oui.

Ils se rendirent ensuite au cottage. Kinnard fut soulagé de voir qu'il n'avait pas été vidé comme le laboratoire.

– Ç'aurait été dommage de détruire tout ça, dit-il. Tu en as fait une maison délicieuse.

– C'est vrai qu'elle est mignonne, reconnut Kim.

Kinnard examinait le salon avec attention.

– Tu crois que tu voudras revenir vivre ici ? demanda-t-il.

– Je pense, oui. Un jour. Et toi ? Tu crois que tu pourrais vivre dans un endroit pareil ?

– Bien sûr. Après mon remplacement à l'hôpital de Salem, on m'y a offert un poste permanent. Je suis tenté d'accepter. Vivre ici, ce serait l'idéal. Le seul problème, c'est que je risquerais de me sentir un peu seul.

Ils se regardèrent dans les yeux.

– C'est une proposition ? demanda Kim.

– Peut-être, répondit-il d'un air vague.

Kim demeura songeuse un moment.

– On pourrait voir où on en est l'un et l'autre après une saison de ski.

Kinnard se mit à rire.

– J'aime bien ton sens de l'humour. C'est nouveau. Maintenant, tu peux plaisanter de choses qui sont importantes pour toi. Tu as vraiment changé.

– Je l'espère. Ça a beaucoup tardé. (D'un geste, elle montra le portrait d'Elizabeth.) C'est grâce à mon aïeule que j'ai pu voir ce qui n'allait pas et que j'ai eu le courage de changer. J'espère seulement que je saurai rester comme ça, et que tu pourras vivre avec cette nouvelle Kim.

– Je l'aime infiniment, dit-il. Quand on est ensemble, j'ai moins l'impression de marcher sur des œufs. Je ne suis plus obligé de deviner sans arrêt ce que tu penses.

– Je suis à la fois étonnée et heureuse que quelque chose de bon soit sorti de cette horrible épreuve. Ce qui est le plus étonnant, pour moi, c'est que j'ai pu enfin dire à mon père ce que je pensais de lui.

– Pourquoi est-ce étonnant?

– Enfin... ce qui est étonnant, c'est le résultat. Une semaine après une conversation qui s'était plutôt **mal passée**, il m'a téléphoné, et maintenant notre relation **commence à** ressembler à quelque chose.

– C'est merveilleux, dit Kinnard. C'est exactement comme pour nous deux.

– Moui! Exactement comme pour nous deux.

Elle passa son bras valide autour de son cou et l'attira contre elle.

Vendredi 19 mai 1995

Avant de pénétrer dans l'immeuble en brique tout neuf, Kim examina un instant la façade. Au-dessus de la porte, une plaque en marbre portait, gravée, l'inscription suivante : OMNI

PHARMACEUTICALS. Après tout ce qui s'était passé, son impression était mitigée. Pourtant, elle comprenait bien que Stanton ne voulût pas abandonner purement et simplement l'affaire, après tout ce qu'il y avait investi.

Elle donna son nom à la réception et attendit. Quelques minutes plus tard, une femme d'aspect agréable, vêtue de façon stricte, l'accompagna jusqu'à la porte d'un des laboratoires.

— Vous pensez que vous retrouverez facilement votre chemin, ensuite? demanda la femme.

Kim lui assura que oui et la remercia. Dès qu'elle fut partie, Kim pénétra dans le laboratoire.

Après ce que lui avait raconté Stanton, Kim savait à quoi s'attendre. La porte donnait dans une antichambre, séparée du laboratoire proprement dit par un muret surmonté d'une vitre arrivant jusqu'au plafond. Sous la vitre, une lourde porte semblable à une porte de coffre-fort. De l'autre côté, un laboratoire ultra-moderne qui ressemblait en tout point à celui des écuries de Salem.

Suivant les instructions de Stanton, Kim s'assit sur l'une des chaises et appuya sur le bouton d'appel de la console. Deux silhouettes se levèrent de la paillasse où elles travaillaient. En apercevant Kim derrière la vitre, elles s'avancèrent.

Jamais elle ne les aurait reconnus. Quelle pitié de les voir ainsi! C'était Edward et Gloria. Défigurés par leurs brûlures. Chauves. En attente de nouvelles opérations de chirurgie réparatrice. Ils marchaient avec raideur, poussant chacun devant eux une potence à perfusion. Il leur manquait des doigts.

Lorsqu'ils parlèrent, leur voix n'était qu'un chuchotement rauque. Ils remercièrent Kim d'être venue, s'excusant de ne pouvoir lui faire visiter ce laboratoire conçu spécialement pour leurs handicaps.

Kim leur demanda alors des nouvelles de leur santé.

— Plutôt bonne, vu ce à quoi on est confrontés, répondit Edward. Le gros problème, c'est que nous sommes encore sujets à des attaques, alors même que toute trace d'Ultra a disparu de notre cerveau.

– Elles se produisent toujours pendant le sommeil ?

– Non. Maintenant, elles apparaissent de façon spontanée, comme des crises d'épilepsie, sans aucun signe avant-coureur. Seul point positif, elles ne durent qu'une demi-heure, voire moins, même sans traitement.

– C'est terrible, dit Kim, envahie par la tristesse devant ces deux vies saccagées.

– C'est de notre faute, dit Gloria. On n'aurait pas dû prendre ce médicament avant la fin des études de toxicité.

– Ça n'aurait rien changé, rétorqua Edward. Jusqu'à présent, aucune étude sur l'animal n'a mis en évidence ce genre d'effets secondaires. En fait, en prenant ce médicament nous-mêmes, nous avons probablement évité à de nombreux volontaires ce que nous avons souffert.

– Mais il y avait d'autres effets secondaires, fit remarquer Kim.

– C'est vrai, reconnut Edward. J'aurais dû prendre plus au sérieux les pertes de mémoire. De toute évidence, ce produit pouvait bloquer certaines fonctions du système nerveux.

– Est-ce que vos dernières recherches vous ont permis de mieux comprendre ce qui vous arrive ?

– En nous étudiant l'un l'autre au cours des attaques, dit Gloria, nous avons pu étayer notre hypothèse première, à savoir qu'à une certaine concentration, l'Ultra bloque la maîtrise du cerveau sur le système limbique et les centres cérébraux postérieurs.

– Mais pourquoi avez-vous encore des attaques alors que vous n'avez plus de produit dans le cerveau ? demanda Kim.

– C'est ça, le problème ! dit Edward. C'est ce qu'on essaye de comprendre. On pense qu'il s'agit du même mécanisme que celui des mauvais flash-back que vivent certains sujets après avoir pris des drogues hallucinogènes.

– Grâce au Dilantin, on a pu maîtriser ces attaques pendant un certain temps, expliqua Gloria. Mais on a fini par développer une tolérance au produit, en sorte que maintenant, il ne nous sert plus à rien. Mais ça nous a encouragés à en chercher un autre.

— Je suis étonnée qu'Omni soit toujours en activité, dit Kim pour changer de sujet.

— Nous aussi, dit Edward. Étonnés mais contents. Sans ça, on ne pourrait pas disposer de ce laboratoire. Stanton a refusé d'abandonner, et son obstination s'est révélée payante. Un des autres alcaloïdes du champignon a montré d'intéressantes propriétés antidépressives, en sorte qu'il a pu à nouveau mobiliser des fonds.

— J'espère au moins qu'Omni a renoncé à l'Ultra, s'exclama Kim.

— Mais pas du tout! L'autre aspect essentiel de notre recherche consiste à déterminer quelle partie de la molécule d'Ultra est responsable du blocage mésolimbique cérébral que nous avons baptisé « l'effet Mister Hyde ».

— Je vois.

Kim aurait bien aimé leur souhaiter bonne chance, mais après ce qui s'était passé elle s'en sentait incapable.

Elle s'apprêtait à prendre congé, lorsqu'elle vit le regard d'Edward devenir vitreux. Puis son visage se transforma de la même façon qu'en cette nuit fatale où elle l'avait réveillé. En quelques secondes, une rage incontrôlable s'empara de lui.

Sans le moindre avertissement, il s'élança vers Kim, s'écrasant contre l'épaisse vitre de protection.

Effrayée, Kim bondit en arrière. Gloria, aussitôt, ouvrit la perfusion d'Edward.

Pendant quelques instants, celui-ci griffa vainement la vitre. Puis ses yeux se révulsèrent et son visage se détendit. Lentement, comme un ballon qui se dégonfle, il s'affaissa sur le sol, soutenu par Gloria.

— Excusez-le, dit Gloria en tournant tendrement la tête d'Edward sur le côté. J'espère qu'il ne vous a pas trop fait peur.

— Non, ça va.

Mais elle tremblait et son cœur cognait dans sa poitrine. Elle s'approcha à nouveau de la vitre et regarda Edward allongé sur le sol.

– Ça va aller?

– Ne vous inquiétez pas, dit Gloria. On commence à être habitués. Vous comprenez maintenant pourquoi nous avons ces potences à perfusion. On a essayé différents tranquillisants, et je constate que celui-ci agit rapidement.

– Que se passerait-il si vous aviez une attaque au même moment?

– On en a parlé. Malheureusement, on n'a pas trouvé de solution miracle. Jusque-là, ça ne s'est jamais produi Je crois qu'on fait pour le mieux.

– J'admire votre courage, dit Kim.

– On n'a guère le choix, vous savez.

Kim prit congé de Gloria et quitta le laboratoire. Dans l'ascenseur, ses jambes faillirent se dérober sous elle. Elle avait peur de voir revenir les terribles cauchemars qui l'avaient hantée après cette nuit d'horreur.

Mais en sortant dans le soleil du printemps, elle se sentit mieux. Pourtant, elle ne pouvait chasser de son esprit l'image d'Edward se jetant furieusement contre la vitre de la prison qu'il s'était lui-même imposée.

Avant de monter en voiture, elle se retourna une dernière fois vers l'immeuble d'Omni. Quel médicament allaient-ils bientôt déverser sur le monde? Elle frissonna. Cela ne faisait que renforcer sa méfiance envers les médicaments. Tous les médicaments!

En sortant du parking, Kim se surprit elle-même en ne retournant pas sur Boston, comme prévu, mais en prenant la direction du nord. Elle éprouvait une furieuse envie de retourner à la propriété, où elle n'était pas allée depuis sa visite avec Kinnard.

Une demi-heure plus tard, elle ouvrait la grille du domaine. Elle se rendit directement au cottage et, en descendant de voiture, eut le sentiment de revenir enfin chez elle après un voyage épuisant.

La maison était plongée dans la pénombre, et son premier regard fut pour le portrait d'Elizabeth. Le vert intense des yeux et le dessin net de la mâchoire demeuraient tels que dans son souvenir, mais il y avait quelque chose d'autre, quelque chose qu'elle n'avait pas remarqué. On eût dit qu'Elizabeth souriait !

Elle cligna des yeux et regarda à nouveau. Le sourire était toujours là. Comme si, après tant d'années, son supplice avait pu servir à quelque chose ; comme si, enfin, elle avait été vengée.

Sidérée, Kim s'approcha du tableau et remarqua alors le sfumato qu'avait utilisé le peintre au coin des lèvres de son modèle. Kim sourit en comprenant que c'étaient ses propres perceptions qui se reflétaient sur le visage d'Elizabeth.

Elle se retourna pour partager la vision qu'avait Elizabeth depuis le dessus de la cheminée. C'est à ce moment qu'elle décida de revenir s'installer au cottage. Le traumatisme de cette nuit d'horreur s'était en partie estompé, et elle voulait retourner chez elle pour vivre dans l'ombre du souvenir d'Elizabeth. Elle avait le même âge que son aïeule lorsque celle-ci avait été si injustement exécutée, et Kim fit le vœu de vivre le reste de ses jours pour elles deux. C'était à ses yeux le seul moyen de s'acquitter de sa dette envers Elizabeth, qui lui avait permis de se réconcilier avec elle-même.

Bibliographie choisie

Boyer et Nissembaum, *Salem Possessed*, Cambridge, MA, Harvard University Press, 1974.
Voici l'un des deux livres que je recommanderais aux lecteurs désireux d'en apprendre plus sur l'affaire des sorcières de Salem. Je suis sûr que Kim et Edward seraient d'accord avec moi. C'est un livre passionnant qui montre bien comment l'histoire peut devenir vivante lorsqu'elle utilise des sources de première main touchant à la vie des gens ordinaires. Il nous offre en outre un tableau bigarré de la vie en Nouvelle-Angleterre au cours de la deuxième moitié du XVIIe siècle.

Hansen Chadwick, *Witchcraft at Salem*, New York, George Braziller, 1969 (en français : *Sorcellerie à Salem*, Denoël, 1971).
Le deuxième livre sur les sorcières de Salem dont je recommande la lecture. La thèse, c'est que dans cette affaire, tout le monde n'était pas innocent ! Un tel point de vue m'a d'abord surpris mais, par son côté provocateur même, s'est finalement révélé instructif.

Kramer Peter, *Listening to Prozac*, New York, Viking, 1993 (en français : *Le Bonheur sur ordonnance*, Editions Générales First, 1994).
Bien que l'auteur soit plus favorable que moi à l'utilisation des médicaments psychotropes pour les troubles de la personnalité, les deux points de vue sont ici discutés. Un ouvrage agréable, instructif et provocateur.

Matossian Mary, *Poisons of the Past : Molds, Epidemics, and History*, New Haven, CI, Yale University Press, 1989.
Ce livre nous amène à considérer l'humble champignon avec plus de respect. Je l'ai trouvé particulièrement stimulant au regard de l'histoire de *Risque mortel*.

Morgan Edmund, *The Puritan Family*, New York, Harper & Row, 1944.
Ce livre m'a permis de combler mes lacunes sur la culture puritaine.

391

RESTAK Richard, *Receptors*, New York, Bantam, 1994.
Le point sur les connaissances actuelles relatives aux fonctions du cerveau. C'est un ouvrage tout à la fois passionnant et d'une lecture facile.

WERTH Barry, *The Billion-Dollar Molecule*, New York, Simon & Schuster, 1994.
Vous doutez encore des effets délétères de la course au profit sur le monde scientifique d'aujourd'hui ? Voilà de quoi dissiper vos doutes.

Cet ouvrage a été réalisé par la
SOCIÉTÉ NOUVELLE FIRMIN-DIDOT
Mesnil-sur-l'Estrée
pour le compte de France Loisirs
en juillet 1997